D1599204

26 40·83·60°

11

HISTOIRE
DES ACADIENS

Données de catalogage avant publication (Canada)

Arsenault, Bona, 1903-1993
Histoire des Acadiens
Éd. précédente: Québec : Conseil de la vie française en Amérique, 1965.
Comprend des références, une bibliographie et un index

ISBN 2-7621-1732-1

1. Acadie — Histoire.   2. Acadie — Généalogie.
3. Acadiens — Généalogie.   4. Cajuns — Généalogie.
5. Louisiane — Histoire.   I. Titre.

FC2041.A72 1994   971.6'01   C94-940900-6

F5060.A72 1994

Dépôt légal: 3ᵉ trimestre 1994
Bibliothèque nationale du Québec

© La Fondation de la Société historique de la Gaspésie, 1994
C.P. 680, Gaspé, Québec, G0C 1R0

Cet ouvrage est distribué par les Éditions Fides,
165, rue Deslauriers, Saint-Laurent, Québec, H4N 2S4
Tél.: (514) 745-4290   Téléc.: (514) 745-4299

MRT-GEN

Bona Arsenault

Histoire
des Acadiens

FIDES

Université d'Ottawa
BIBLIOTHÈQUES
LIBRARIES
University of Ottawa

Du même auteur

D B N : 1145643

FC
2041
'A752
/1994

Québec, Institut Littéraire du Québec
  Malgré les Obstacles, 1953

Québec, Conseil de la Vie française en Amérique
  L'Acadie des Ancêtres, 1955
  Histoire et Généalogie des Acadiens, en deux tomes, 1965
  Histoire des Acadiens, 1966
  History of the Acadians, 1966
  Louisbourg 1713-1758, en 1971

Québec, Action Sociale
  Bonaventure 1760-1960, en collaboration, 1960

Montréal, Éditions Leméac
  Histoire et Généalogie des Acadiens, en six tomes, 1978
  History of the Acadians [deuxième édition], 1978
  Souvenirs et Confidences, 1983
  Histoire des Acadiens [deuxième édition], 1985

Montmagny, Éditions Marquis
  Les Registres de Bonaventure, 1791-1900, en 1981
  Les Registres de Bonaventure, 1900-1960, en 1982

Carleton, Télévision de la Baie des Chaleurs
  Les Registres de Carleton, 1773-1900, en 1983
  Les Registres de Carleton, 1900-1982, en 1984
  Les Registres de Maria, 1860-1960, en 1984
  Les Registres de Saint-Omer, 1899-1984, en 1985
  Les Registres de Nouvelle, 1869-1970, en 1985
  Les Registres de New Richmond, 1831-1970, en 1985
  Les Registres de Caplan, 1867-1974, en 1986
  Les Registres de Paspébiac, 1773-1910, en 1987
  Les Registres de Paspébiac, 1911-1960, en 1987
  Les Registres de Port-Daniel, 1855-1910, en 1988
  Les Registres de Port-Daniel, 1911-1986, en 1988
  Histoire et Généalogie des Acadiens [troisième édition], 1988
  Histoire des Acadiens [troisième édition], 1988
  History of the Acadians [troisième édition], 1988

PRÉSENTATION

*Cette troisième édition d'*Histoire et Généalogie des Acadiens *est le fruit d'une quarantaine d'années de recherches historiques et de compilations généalogiques.*

C'est en 1945, à la suite de ma première élection comme député fédéral de mon comté natal de Bonaventure, que je me suis vraiment intéressé à l'histoire et à la généalogie des Acadiens.

Étant d'origine acadienne et représentant alors un comté dont la population était surtout composée de descendants d'Acadiens réfugiés à la Baie des Chaleurs, à la suite des événements de 1755, j'éprouvais le désir d'en connaître davantage sur l'histoire de mes ancêtres et la généalogie de ma famille.

C'est ainsi que je suis devenu l'un des habitués les plus assidus des Archives Nationales du Canada, à Ottawa, et de la Bibliothèque du Parlement où sont accumulées tant de richesses historiques.

Plus tard, soit à partir de 1960, alors que j'étais député provincial et ministre dans le gouvernement de la province, c'est vers les Archives du Québec et la Bibliothèque de l'Assemblée Nationale que j'ai dirigé mes recherches les plus fécondes.

7

L'histoire acadienne

À la Bibliothèque parlementaire d'Ottawa, comme d'ailleurs à celle du Québec, se trouvaient divers volumes traitant de l'histoire acadienne, rédigés dans une prose française ou anglaise pas toujours impartiale. La plupart de ces œuvres affichaient un caractère polémique imprégné de préjugés et propageant l'intolérance. Conséquemment, il s'avérait difficile, sinon impossible, d'en extraire l'essentiel de l'histoire de la vie des ancêtres acadiens pour s'en faire une opinion objective et éclairée.

La plupart de ces publications, datant du siècle dernier et du début du vingtième siècle, manquaient souvent de rigueur historique. Leurs auteurs ignoraient évidemment la teneur des précieuses découvertes historiques de ces dernières décades. Celles, par exemple, réalisées aux Archives de Londres qui ont projeté une lumière nouvelle sur l'odyssée d'importants groupes d'Acadiens de la Dispersion réfugiés dans l'est du pays, en particulier à la Baie des Chaleurs, après 1755. Plusieurs d'entre eux ayant été fait prisonniers, de 1760 à 1762, se sont plus tard dirigés vers les colonies du Sud, notamment la Louisiane, après le traité de paix de 1763.

Conscient de ces lacunes, je me suis alors appliqué à entreprendre la rédaction d'une histoire des Acadiens se voulant le plus fidèle reflet de la vérité historique contemporaine et qui constituerait la synthèse la plus objective possible de l'histoire du peuple acadien depuis les premiers jours de la fondation de l'Acadie jusqu'à l'époque de l'historique dispersion de 1755. Une Histoire des Acadiens comportant aussi la documentation la plus exhaustive sur l'établissement des réfugiés acadiens au Québec, en Louisiane, aux provinces maritimes et ailleurs dans le monde à la suite de leur expulsion d'Acadie.

J'ai écrit cette histoire des Acadiens sous forme de nouvelles tout comme si j'avais rédigé le compte-rendu d'un événement *dont j'aurais été l'un des témoins. Puis, tout en prenant le soin de citer mes références, j'ai laissé au lecteur la tâche de former son propre jugement sur le fond du sujet traité.*

La généalogie des Acadiens

La généalogie, ou la recherche des filiations des familles en direction des premiers ancêtres, suscite un intérêt de plus en plus marqué, surtout chez les descendants d'Acadiens, en ces dernières années. Avant de m'engager dans cette partie de mes travaux j'avais pris connaissance, aux Archives Nationales du Canada, des nombreux recensements tenus chez les ancêtres acadiens de 1671 à 1752 ainsi que des copies des registres paroissiaux de l'ancienne Acadie, tels que ceux de Port-Royal, de Saint-Charles-des-Mines (Grand-Pré), de Beaubassin et autres lieux qui avaient pu être récupérés après la Dispersion.

*Or, si au cours du dernier siècle d'innombrables recherches et de laborieuses compilations ont été effectuées dans le domaine de la généalogie des Acadiens, en particulier par des hommes de la valeur de Placide Gaudet et du Père Archange Godbout, aucune œuvre majeure n'avait encore été publiée avant la parution de la première édition de mes travaux d'*Histoire et Généalogie des Acadiens, *en deux tomes, en 1965.*

D'ailleurs, c'est Roland Angers, l'un des principaux piliers des Archives du Québec, au cours du dernier quart de siècle, qui l'affirmait lui-même dans un article dans la 85e livraison des Mémoires de la Société généalogique Canadienne-française *(vol. XVI-No 3) en 1965 :* «......Il fallait donc un chercheur de la trempe de Bona Arsenault pour faire la lumière sur le peuple acadien. Et il est le premier généalogiste à publier un dictionnaire généalogique acadien. Les Placide Gaudet, Archange Godbout, Roger Comeau, René Beaudry, et autres spécialistes en généalogie acadienne ont accumulé bien des notes, mais aucun d'eux ne s'était encore risqué à publier un dictionnaire. Monsieur Arsenault a entrepris et osé ce qui semblait être l'impossible. Et il donne aujourd'hui à tous les chercheurs un ouvrage en deux volumes sur l'Histoire et la Généalogie des Acadiens. Mille cent vingt-six pages bourrées de notes historiques, biographiques et généalogiques, avec index et table des matières..........».

*Treize ans plus tard, soit en 1978, une deuxième édition d'*Histoire et Généalogie des Acadiens *était publiée, en six tomes, comprenant 2646 pages. Cette fois j'avais eu l'avantage de consulter de plus près les volumineux manuscrits du Père Archange Godbout, déposés aux Archives du Québec à la suite de son décès. Dans ses importants travaux de compilation généalogique le Père Godbout, qui restera l'un de nos spécialistes les plus compétents en généalogie acadienne, s'était largement inspiré de la précieuse documentation laissée à la postérité par le grand pionnier en la matière : Placide Gaudet. Entré au service des Archives Nationales du Canada vers la fin du siècle dernier, Placide Gaudet y avait séjourné pendant de longues années, au cours desquelles il se consacra à la recherche et à la récupération des documents touchant le peuple acadien, éparpillés en divers coins du monde à l'époque du Grand Dérangement.*

Bona ARSENAULT

HISTOIRE DES ACADIENS

1. L'ACADIE DES PREMIERS JOURS

À L'ÉPOQUE de l'établissement des premiers Français dans l'est du Canada, l'Acadie comprenait, de façon générale, le territoire représenté de nos jours par la Nouvelle-Écosse, le Nouveau-Brunswick, les îles du golfe Saint-Laurent ainsi que la majeure partie de l'État du Maine, aux États-Unis.

La cession de l'Acadie à l'Angleterre, en 1713, en vertu du traité d'Utrecht restreignit son territoire à la presqu'île de la Nouvelle-Écosse. Les îles Saint-Jean (Prince-Édouard) et Royale (Cap-Breton), pourtant situées à proximité des côtes acadiennes, ne feront plus partie de l'Acadie. Elles demeureront cependant colonies françaises jusqu'à la prise définitive de Louisbourg par les Anglais, en 1758.

L'interprétation de certaines clauses du traité d'Utrecht, touchant les limites du territoire cédé, ne put jamais être éclaircie de façon satisfaisante entre la France et l'Angleterre. Cette controverse dura plus de quarante ans.

L'origine du mot « Acadie »

Certains auteurs prétendent que le mot *Acadie* provient du micmac *Algatig*, signifiant *lieu de campement* ; d'autres croient que ce mot serait plutôt une variation du terme malécite *Quoddy, endroit fertile*. Chacun d'eux cite en exemple de nombreux noms de localités, de la Nouvelle-Écosse et du Nouveau-Brunswick, ayant des terminaisons propres à appuyer l'une ou l'autre de ces théories.

Rappelons que lorsque Verrazano explora les rives du Nouveau-Monde, au nom du roi de France, en 1524, il longea les côtes de l'Amérique du Nord, de la Georgie jusqu'à Terreneuve. Dans l'enthousiaste description qu'il fait à François I du territoire visité, il note «... que nous nommâmes *Arcadie*, en raison de la beauté de ses arbres.»

Or, les anciennes cartes de Gastaldi en 1548, de Zaltieri en 1556 et de Milo en 1570 désignent le territoire actuel de la Nouvelle-Écosse sous le nom de *Larcadia*. Ruscelli emploie le mot *Larcadie*, en 1561, et André Thivet, celui d'*Arcadia*, en 1575. Samuel de Champlain, fondateur de Québec et *géographe du Roy*, employa lui-même le mot *Arcadie*, en 1603, et *Accadie*, en 1613, alors que la commission royale, accordée à M. de Monts, en 1603, fait mention du pays de *Cadie*.

Nous savons que Verrazano était surtout à la recherche d'une voie maritime conduisant en Chine ou aux Indes par l'Occident. De plus, il ne fit à terre, au cours de tout son voyage, qu'un bref arrêt de trois jours et il ignorait sûrement les divers dialectes des tribus indiennes peuplant alors les côtes de l'Amérique. Il semble donc difficile d'admettre qu'il ait pu extraire le terme *Arcadie* du language des Micmacs ou des Malécites, Sauvages qu'il n'a vraisemblablement jamais rencontrés.

«L'inspiration lui serait venue, écrit le père Clément Cormier [1], de la Grèce antique et référerait à un massif central du Péloponèse, que les poètes ont sublimisé pour en faire le séjour de l'innocence et du bonheur. La raison qui me porterait, poursuit le père Cormier, à opter pour cette solution, c'est qu'un poète italien, Sannazar, avait publié vers 1504, donc vingt ans seulement avant le voyage épique de Verrazano, un ouvrage intitulé *L'Arcadie*; l'auteur y chantait la beauté des paysages napolitains lesquels il comparait à la poétique Arcadie des Grecs; le travail était bien connu et aurait pu difficilement échapper à Verrazano, lui-même italien d'origine et homme de lettres. Nous l'avons vu, le lieu en question, découvert au Nouveau-Monde, fut nommé *en raison de la beauté de ses arbres*, et on peut

---

1. Article publié dans le deuxième cahier de la *Société Historique Acadienne* de Moncton, en 1962, par le père Clément Cormier, c.s.c., alors recteur de l'Université de Moncton, au Nouveau-Brunswick.

sous-entendre une relation établie entre la beauté de l'endroit et un souvenir littéraire.»

Le territoire que Verazzano a désigné sous le nom d'*Arcadie*, et dont il a donné une description détaillée à la Cour de France, ne correspond pas nécessairement à la Nouvelle-Écosse de nos jours. Il comprendrait plutôt le littoral de l'Atlantique, situé au sud de la ville de New-York. Mais en tenant compte de la désespérante imprécision des cartes géographiques de l'époque, due aux méthodes et aux instruments rudimentaires alors utilisés, il est facile d'admettre la bonne foi des cartographes des temps anciens, y compris Champlain, qui ont employé le terme *Arcadie*, avec des variantes, qui ont peu à peu transformé ce mot en *Acadie*, pour désigner un territoire situé à quelques degrés de latitude plus au nord.

L'éminent historien Gustave Lanctôt partage également cette opinion lorsqu'il écrit que Verrazano baptisa la région actuelle de la Pennsylvanie du nom d'*Arcadie*, «appellation qu'on transposa plus tard par inadvertance à la péninsule de la Nouvelle-Écosse».

Les premiers Européens en Amérique

Trois tribus sauvages, de la famille des Algonquins, se partageaient, depuis des temps immémoriaux, l'Acadie, les îles du golfe Saint-Laurent et les côtes du Maine.

Les Micmacs (Miggaamâck), qui étaient environ 4000, occupaient la presqu'île de la Nouvelle-Écosse, les îles du Prince-Édouard et du Cap-Breton ainsi que les régions côtières de l'est du Nouveau-Brunswick. Les Malécites, au nombre approximatif de 5000 âmes, habitaient la vallée de la rivière Saint-Jean, au Nouveau-Brunswick. On les appelait aussi les Etchemins et leur territoire s'étendait à travers les bois du Madawaska jusqu'au fleuve Saint-Laurent, dans le Québec. D'où le nom de la rivière Etchemin, située à proximité de la ville de Québec, sur la rive sud du fleuve. Enfin les Abénaquis, dont la population pouvait atteindre 10 000 âmes, avaient leurs campements sur les côtes du Maine.

Plusieurs siècles avant la fondation de l'Acadie, des pêcheurs scandinaves, basques, bretons et normands, voire même espagnols et anglais, fréquentaient régulièrement le golfe du Saint-Laurent, les eaux de Terreneuve et les mers acadiennes, pour y poursuivre la baleine et y faire d'abondantes pêches de morue. Ce n'est toutefois pas avant le début du dix-septième siècle que les Européens songèrent à fonder des établissements agricoles permanents sur le nouveau continent.

Ce sont les Français qui, les premiers, se sont établis de façon permanente en Amérique du Nord, lors de la fondation du premier établissement en Acadie, en 1604, par les sieurs De Monts, Champlain et Poutrincourt.

Trois ans plus tard, en 1607, les Anglais s'installèrent à Jamestown, en Virginie. En 1608, Samuel de Champlain, qui avait déjà passé quelques années en Acadie, fonda Québec. En 1620, cent deux membres d'une secte protestante anglaise, portant le nom de *Pilgrim Fathers*, débarqueront à Plymouth Rock, au Massachusetts. Puis en 1621, les Hollandais fondèrent la Nouvelle-Amsterdam, aujourd'hui New-York, sur l'île de Manhattan.

Les autres colonies européennes en Amérique seront ensuite établies dans l'ordre suivant: Salem, au Massachusetts, fondée en 1628 par Endicott; Boston, en 1630 par Winthrop; le Maryland sera constitué en seigneurie au profit de Lord Baltimore, en 1632; Trois-Rivières, au Canada, sera établie par La Violette, en 1634; Montréal sera fondée par Maisonneuve en 1642; la Caroline du Sud sera cédée à Sir Berkeley et à Lord Shaftesbury, en 1663; enfin, la Pennsylvanie sera concédée à Guillaume Penn, en 1681.

Rappeler les dates de fondation de ces diverses colonies, rend plus facile à saisir le sens et les causes des principaux événements de l'histoire acadienne. En effet, plusieurs colonies anglaises d'Amérique, tout particulièrement le Massachusetts, situé à proximité de l'Acadie, constitueront un danger constant pour cette colonie française, isolée de Québec par des centaines de milles et de la France par l'immensité de l'océan.

De fait, les premières attaques armées contre l'Acadie viendront, dès 1613, de la Virginie. À diverses autres époques, notamment en 1654, en 1690 et en 1710, l'Acadie succombera sous le poids des forces anglo-américaines.

Enfin, en 1755, ce sont des troupes venues du Massachusetts qui seront chargées d'opérer l'historique déportation des Acadiens, et disperseront des milliers de ces infortunés dans les colonies anglaises de l'Atlantique «*comme des feuilles dans le vent d'automne*».

Les raisons de l'émigration en Amérique

Au début de l'ère coloniale, les Européens fondaient des établissements dans le Nouveau-Monde, en pratiquant le système féodal du vieux continent. Une charte royale concédait, à un personnage ou à une société, un territoire déterminé, avec mission de le peupler, de le coloniser et d'en exploiter les ressources.

Les colons d'origine française étaient pour la plupart recrutés dans des familles de laboureurs, de marins ou de modestes artisans. En 1632, Richelieu avait exigé que les colons destinés à l'Acadie soient «Français, catholiques et de mœurs irréprochables».

Ces pionniers devaient sans doute s'imposer de lourds sacrifices en quittant le sol de leur patrie française pour traverser les mers et s'établir en cette lointaine Acadie. Mais leur courage était soutenu par l'espoir d'obtenir, pour eux et pour leurs enfants, des terres de bonne étendue, qui leur étaient souvent inaccessibles en France en raison des conditions économiques et sociales qui prévalaient à l'époque.

En émigrant dans un pays neuf, dont les diverses richesses étaient souvent exagérées par les nouvellistes du temps en Europe, ils entrevoyaient de meilleures perspectives d'avenir pour eux-mêmes et pour leurs descendants.

Les préjugés de race et de religion

D'autres considérations entraient parfois en ligne de compte. Pendant que les uns fuyaient la persécution religieuse, d'autres s'éloignaient des guerres civiles qui, à l'époque, ravageaient fréquemment la France et l'Angleterre. En traversant l'Atlantique, au moyen des voiliers de l'époque, Français ou Anglais, catholiques ou protestants, espéraient

17

pouvoir retrouver, une soixantaine de jours plus tard, la paix qu'ils cherchaient en vain en Europe.

Ainsi, pendant que les *Pilgrim Fathers* fuyaient les persécutions religieuses dont ils étaient l'objet en Angleterre et se dirigeaient vers Plymouth Rock, sur leur légendaire *Mayflower*, des réfugiés puritains et huguenots s'établissaient à la baie de Massachusetts.

À leur tour, des catholiques anglais, persécutés dans leur pays, émigraient au Maryland, grâce à la protection de Lord Baltimore. Enfin les *Quakers* s'installaient à Philadelphie, en Pennsylvanie. Ils y furent bientôt rejoints par des Écossais de l'Ulster, des Allemands luthériens et des Gallois.

En 1664, les Anglais ayant conquis la colonie hollandaise de la Nouvelle-Amsterdam, à l'instigation du duc d'York (d'où le nom de New York) et s'étant plus tard emparés du Delaware, colonisé par les Suédois, vers 1690, toutes les colonies de l'Amérique du Nord, à l'exception du Canada et de l'Acadie, étaient devenues possessions britanniques.

Les colons anglais et protestants du Nouveau-Monde, surtout ceux du Massachusetts, étaient vivement contrariés d'assister au développement d'une colonie française et catholique en Acadie, non loin de leurs établissements. Les Européens émigrés en Amérique, il ne faut pas l'oublier, avaient apporté avec eux la semence des conflits religieux qui avaient déchiré la France et l'Angleterre depuis la réforme ainsi que des préjugés, sinon des haines, qui se transmettaient de père en fils. De plus, les innombrables guerres déclenchées à l'époque entre les Couronnes de France et d'Angleterre, avaient contribué leur part à entretenir, entre Français et Anglais du nouveau continent, un antagonisme qu'il est difficile, de nos jours, d'imaginer.

La répercussion des guerres européennes

Tout conflit armé, déclenché entre la France et l'Angleterre, avait d'inévitables répercussions dans les colonies françaises et anglaises d'Amérique. Guerre en Europe signifiait guerre de l'autre côté de l'Atlantique.

Par surcroît, les Indiens, alliés de l'un ou de l'autre des établissements coloniaux, participaient, sans trop en connaître les motifs, à ces conflits meurtriers et en tiraient profit par des expéditions de pillage. Aussi longtemps que la guerre durait en Europe, la crainte et, souvent, la terreur régnaient dans les colonies d'Amérique[2].

C'est dans cette atmosphère de luttes incessantes que devront vivre, sauf en de rares accalmies, les colons français établis en Acadie.

---

2. Une intéressante conférence intitulée « Indians and Some Indian Raids on Massachusetts about 1690-1704 » a été prononcée par Pierre Belliveau, devant la *Société Historique Acadienne*, de Moncton, le 12 mars 1962 et publiée, en cette même année, dans le deuxième cahier de cette société.

2. LA FONDATION DE PORT-ROYAL

En 1603, Pierre du Gast, sieur de Monts, gentilhomme de la cour de France, originaire de la Saintonge, avait obtenu d'Henri IV le titre de « vice-roy et capitaine-général, tant en mer qu'en la terre du pays de Cadie, du Canada et autres terres de la Nouvelle-France, du 40e au 46e degré, Tadoussac, rivière du Canada (fleuve Saint-Laurent) tant d'un côté que de l'autre, avec mission de peupler, cultiver et fortifier lesdites terres et en convertir les indigènes », avec droits exclusifs pendant dix ans « de trafiquer avec les sauvages desdites terres ».

En 1599, lors d'un premier voyage en Amérique, le sieur de Monts avait accompagné à Tadoussac, sur le fleuve du Saint-Laurent, le capitaine Pierre Chauvin de Tonnetuit, qui avait installé là un poste français.

Le sieur de Monts forme une société, la Compagnie de l'Acadie, dont le capital est souscrit, partie par lui-même et partie par des négociants de Saint-Malo, Rouen, La Rochelle, Saint-Jean-de-Luz et il organise son départ pour l'Acadie.

Le 7 avril 1604, l'expédition s'embarque au Havre, sur quatre voiliers, pour le nouveau continent. De Monts est accompagné de Jean de Biencourt, sieur de Poutrincourt, un frère d'armes ; de Samuel de Champlain, un compatriote de la Saintonge, « géographe du Roy » ; de Dupont-Gravé, armateur de Saint-Malo ; de Louis Hébert, apothicaire de Paris et d'autres gentilhommes français, ainsi que de 120 engagés divers.

Deux des navires se dirigent vers Tadoussac alors que les deux autres, favorisés par un temps clément, arrivent en vue des côtes de l'Acadie, quatre semaines plus tard.

De Monts entre dans une grande baie, à laquelle il donne le nom de baie Française (Fundy) et l'explore minutieusement avant de revenir à l'île Sainte-Croix (Dotchet Island), dans la baie de Passamaquoddy, où il débarque en juillet.

La première colonie d'Amérique

Au cours de cette exploration, Poutrincourt avait remarqué un endroit qui lui parut bien situé pour établir le fief que M. de Monts lui concéda en septembre 1604 et que, d'un commun accord, ils appelèrent Port-Royal (Annapolis Royal).

Pendant que de Monts et Champlain s'organisent pour passer l'hiver sur l'île Sainte-Croix, Poutrincourt retourne en France avec Dupont-Gravé, afin de mettre ordre à ses affaires et faire lui-même le choix des colons qui le seconderont dans son entreprise.

Au printemps de 1605, après avoir perdu trente-six hommes, morts du scorbut au cours de l'hiver, de Monts décide, sans préjudice aux droits éventuels de Poutrincourt, de transporter son établissement de l'île Sainte-Croix à Port-Royal, considéré comme beaucoup plus avantageux.

La colonie de Port-Royal est donc établie sur une pointe de terre dominant légèrement le port, à l'endroit précis où se trouve de nos jours Lower-Granville, soit du côté nord de la rivière. C'était là le premier établissement colonial durable en Amérique du Nord et le seul existant à cette époque, au nord du golfe du Mexique.

Le grand chef indien, Membertou, de la tribu des Micmacs, fit aux colons français un accueil chaleureux. Les Micmacs seront par la suite les alliés fidèles et précieux des Français établis en Acadie. Dans l'intervalle, Dupont-Gravé était revenu de France avec une nouvelle équipe d'une quarantaine d'hommes et des approvisionnements pour la colonie.

À l'automne de 1605, le sieur de Monts retourne à son tour en Europe, ramenant avec lui les hommes dont le terme d'engagement est expiré ainsi qu'une quantité considérable de fourrures troquées avec les Indiens. C'est alors que Dupont-Gravé s'installe à Port-Royal, pour y passer l'hiver 1605-1606, en compagnie de Champlain et de l'abbé Aubry, missionnaire attaché à l'expédition. Au cours de l'hiver une douzaine d'hommes meurent du scorbut.

Une nouvelle équipe de laboureurs

Au printemps, Poutrincourt part de La Rochelle, sur *Le Jonas*, pour retourner en Acadie, avec une nouvelle et nombreuse équipe d'ouvriers et surtout de laboureurs. Il apporte de France tout ce qui est indispensable à la colonie: provisions, outils, grains de semence et bestiaux.

Il arrive à Port-Royal le 27 juillet 1606, après une longue traversée de deux mois et demi. C'était là le hasard de la navigation à voile à l'époque.

Parmi les compagnons de Poutrincourt, sur *Le Jonas*, se trouvait un avocat du Barreau de Paris, du nom de Marc Lescarbot, qui avait tenu à visiter le Nouveau-Monde afin d'être témoin de l'établissement de la colonie acadienne de Port-Royal. Écrivain à ses heures, il laissa à la postérité une narration à la fois pittoresque et détaillée de cette première tentative de colonisation française en Amérique, intitulée *Histoire de la Nouvelle-France*.

Avant son départ sur *Le Jonas*, Poutrincourt avait rencontré le Sieur de Monts en France et en avait profité pour se faire octroyer par ordonnance royale, en date du 25 février 1606, le fief de Port-Royal que M. de Monts lui avait concédé verbalement en 1604.

Un jour, visitant son domaine, il «explore le bassin des Mines, dans la région de Grand-Pré, où il s'émerveille de voir une vieille croix de bois moussu qui témoigne du passage en ces lieux des premiers explorateurs ou pêcheurs chrétiens[3]».

---

3. Lauvrière, *La Tragédie d'un peuple.*

3. LES MALHEURS S'ABATTENT SUR LA COLONIE

Grâce à l'expérience acquise, aux récoltes de blé, aux cultures maraîchères et aux provisions que les colons avaient pu accumuler, le troisième hiver, celui de 1606-1607, se passa bien. Il y eut toutefois sept décès attribués au scorbut, le grand ennemi de la colonie depuis le premier jour.

On a vu qu'en 1603, le sieur de Monts avait obtenu le privilège exclusif du commerce en Acadie, pour une période de dix ans. Or certains marchands et armateurs de Dieppe et de La Rochelle intriguèrent si bien auprès de la Cour de France, que cette concession fut annulée en 1606, précisément au moment où la colonie naissante offrait déjà les perspectives les plus encourageantes.

« Ce fut une grande tristesse sans doute », écrit Marc Lescarbot, « de voir une si belle et si sainte entreprise rompue; que tant de travaux, de périls passés ne servissent de rien et que l'espérance d'établir là le nom de Dieu et la foi catholique s'en alla évanouie. Néanmoins, après que le sieur de Poutrincourt eut longtemps songé sur ceci, il dit: que quand il devrait venir tout seul avec sa famille, il ne quitterait point la partie ».

Privé de ses privilèges en Acadie, le sieur de Monts abandonna Poutrincourt à ses propres ressources. De concert avec Champlain, son associé de la première heure, il dirigera désormais son activité vers le Canada. C'est ainsi que naîtra Québec, fondé par Champlain en 1608.

De son côté, Poutrincourt retourne en France avec tous ses compagnons, le 16 août 1607, en vue de recueillir les fonds nécessaires pour donner un nouvel essor à la colonie de Port-Royal.

Il avait confié au chef micmac Membertou et à sa tribu la garde des établissements de Port-Royal. Son séjour en France devait durer deux ans.

La loyauté des Micmacs

Ce n'est qu'en 1609 que Poutrincourt parvint à se faire ratifier le don de Port-Royal, à se trouver de nouveaux bailleurs de fonds et à organiser son retour en Acadie.

Le 25 février 1610, il peut enfin lever l'ancre de Dieppe, emmenant cette fois avec lui ses deux fils, Charles de Biencourt et Jacques de Salazar, l'abbé Jessé Fléché, Louis Hébert, Claude de Latour de Saint-Étienne et Charles de Latour de Saint-Étienne, le fils de Claude alors âgé de 17 ans, de même que Thomas Robin de Coulogne, fils du gouverneur de Dieppe. Ce dernier avait financièrement contribué à cette nouvelle expédition qui comprenait, en outre, vingt-trois colons.

En entrant à Port-Royal, Poutrincourt eut la joie de retrouver ses établissements en excellent état. Les Indiens micmacs avaient même pris soin de ne déplacer ni meubles, ni ustensiles. Ces Sauvages furent transportés de joie en revoyant leurs anciens amis.

Le missionnaire Fléché, se servant d'interprètes, trouva un terrain bien fertile pour effectuer des conversions. En l'espace de quelques semaines vingt et un Micmacs se convertirent au catholicisme, dont le grand chef Membertou, qui reçut le baptême en grande pompe, le 24 juin 1610. Le tricentenaire de cet événement a été célébré en 1910, à la mission indienne des Micmacs de Sainte-Anne de Ristigouche, dans le comté de Bonaventure, en présence des grands chefs de cette nation.

Le 28 juillet 1610, Poutrincourt renvoie en France son fils Charles de Biencourt avec mission d'aller chercher de nouveaux ravitaillements pour la colonie. Ce jeune homme inexpérimenté se heurte à des difficultés tout à fait imprévues.

26

En effet, la Cour de France avait décidé d'envoyer en Acadie avec de Biencourt, deux Jésuites, les pères Ennemond Massé et Pierre Biard, afin de hâter la conversion des Indiens au catholicisme. Or, les marchands huguenots de Dieppe, qui finançaient l'entreprise de Poutrincourt, s'y opposaient vigoureusement. Les négociations n'aboutirent à rien. Loin d'accorder les nouveaux crédits demandés, ces bailleurs de fonds de foi protestante finirent par exiger, du fils de Poutrincourt, le remboursement des avances qu'ils avaient jusque là consenties et qui s'élevaient déjà à la somme de quatre milles livres.

En désespoir de cause, le jeune Charles de Biencourt décide de transiger avec une grande dame de la Cour de France, Antoinette de Pons, marquise de Guercheville, dame d'honneur de Catherine de Médicis, dont le directeur spirituel est précisément l'un des Jésuites désignés pour se rendre en Acadie: le père Pierre Biard.

Madame de Guercheville rembourse les marchands huguenots et, désireuse de collaborer à la conversion des Sauvages, elle fait cadeau aux pères Massé et Biard des droits qu'elle avait ainsi acquis. Les deux religieux deviennent les associés de Poutrincourt.

Conflits d'autorité et d'intérêts

Le jeune Charles de Biencourt pouvait enfin repartir de Dieppe en direction de l'Acadie. Il s'embarqua sur le *Grâce de Dieu*, le 26 janvier 1611, avec sa mère, Madame de Poutrincourt (Jeanne de Salazar), qui fut ainsi l'une des premières européennes à se rendre en Amérique du Nord. Les pères Massé et Biard faisaient également partie de l'expédition, qui comptait un personnel de trente-six hommes.

La traversée de l'Atlantique, en cette mauvaise saison, fut si affreusement longue, soit quatre mois dont deux passés au milieu des banquises, que le fils de Poutrincourt n'arriva à Port-Royal que le 22 mai 1611. Au surplus, les passagers avaient été forcés de consommer une forte partie des approvisionnements destinés à la colonie.

Poutrincourt, en proie aux plus mortelles inquiétudes, avait cependant réussi à passer l'hiver tant bien que mal, avec ses colons, grâce à l'aide des Micmacs et à la culture d'une plante indigène, le topinambour, dont se nourrissaient les Sauvages.

De malheureux conflits d'autorité et d'intérêts s'élevèrent bientôt entre les Poutrincourt et leurs nouveaux associés, les pères jésuites. Laissant à Port-Royal vingt-deux personnes, y compris son fils Charles de Biencourt et les deux Jésuites, Poutrincourt retourne une fois de plus en France, le 11 juillet 1612, afin de tenter de négocier une entente convenable avec Madame de Guercheville. Mais celle-ci reste inébranlable.

Par surcroît, pendant l'absence de Poutrincourt, de nouvelles et violentes controverses s'élèvent entre son fils, Charles de Biencourt, et les deux missionnaires. Mise au fait de ces mésententes, la marquise de Guercheville décide à son tour de retirer son appui à Poutrincourt et de fonder son propre établissement.

Privé de ressources financières, les colons de Port-Royal durent, au cours de l'année 1612, se tirer d'affaires grâce à des prodiges d'ingéniosité. Puis, le 12 mai 1613, le *Fleur de May*, équipé par Madame de Guercheville et ayant une cinquantaine de personnes à son bord, sous les ordres de M. de la Sausaye, entre à Port-Royal où «on s'empare des réserves et des provisions, même des ornements d'église donnés par la reine».

Après avoir pris à bord les pères Biard et Massé, M. de la Sausaye, abandonnant les colons de Port-Royal à leur sort, se dirige vers les Monts-Déserts, de Pentagoët (Pénobscot, Maine), pour y fonder la nouvelle colonie de Saint-Sauveur.

Premières attaques anglaises

La Virginie, fondée par les Anglais en 1607, comptait déjà, six ans plus tard, plusieurs milliers de colons qui estimaient, à tort ou à raison, qu'en vertu des découvertes attribuées à Jean Cabot et à son fils Sébastien sur les côtes de Terreneuve, en 1497 et en 1498, les nouveaux établissements français, dans l'Est du pays, empiétaient sur les droits de la Couronne d'Angleterre.

Aussi en juillet 1613, quelques mois à peine après la fondation de la nouvelle colonie de Saint-Sauveur par les envoyés de Madame de Guercheville, une flotte partie de la Virginie sous le commandement du capitaine gallois, Samuel Argall, tombe à l'improviste sur cette jeune colonie, qui est détruite de fond en comble.

Argall s'empare du *Fleur de May* et massacre plusieurs colons qui tentent de résister. Parmi les Jésuites envoyés de France par Madame de Guercheville, le Frère du Thet est tué sur place, d'autres sont conduits en captivité en Virginie. Le père Massé et quinze de ses compagnons sont abandonnés au gré des flots sur une barque non pontée. Ils sont heureusement sauvés par des pêcheurs. De cette colonie fondée par la généreuse marquise de Guercheville, il ne reste plus rien.

Thomas Dale, alors gouverneur de la Virginie, encouragé par ce premier succès d'Argall, décide de chasser tous les Français des côtes de l'Atlantique.

En octobre 1613, alors que Charles de Biencourt est au loin chez les Sauvages et que la plupart des colons de Port-Royal sont aux champs, à quelque cinq ou six milles en amont de la rivière, Samuel Argall apparaît avec une flotte devant Port-Royal. Les Anglais s'emparent de tout le bétail et des approvisionnements qui leur tombent sous les yeux et mettent le feu aux habitations.

Situation désespérée

Après le départ d'Argall, Charles de Biencourt et ses compagnons se hâtent de construire des abris temporaires pour l'hiver déjà proche, et d'accumuler des provisions de topinambours et autres plantes comestibles. Ils s'approvisionneront de viande, au jour le jour, de la chasse aux orignaux et autres bêtes de la forêt qui abondaient dans la région. Heureusement, le moulin à farine, construit dans le haut de la rivière, avait échappé à la destruction.

Les colons français étaient habitués à se suffire à eux-mêmes, mais jamais ils n'avaient eu à faire face à une situation aussi désespérée. De nouveau les Micmacs furent d'un secours indispensable à la colonie de Port-Royal.

Charles de Biencourt avait eu la prévoyance d'emmagasiner, en lieux sûrs, une grande quantité de fourrures que son père serait heureux de trouver à son retour de France. En effet, on attendait d'un mois à l'autre le retour de Poutrincourt, qui arriva enfin à Port-Royal le 21 mars 1614, avec des approvisionnements. Complètement délaissé par Madame de Guercheville, il avait réussi, cette fois, à obtenir le concours financier de marchands de La Rochelle.

Poutrincourt retourna presque aussitôt en France afin de disposer des fourrures amassées par son fils Biencourt. Il emmenait avec lui Louis Hébert, qui venait de passer quatre années à Port-Royal. Ni l'un ni l'autre ne devait revoir l'Acadie.

Poutrincourt perdit la vie, ainsi que son fils, Jacques de Salazar, dans la guerre civile qui sévissait en France, en luttant contre le prince de Condé. Ce fut une grande perte pour l'Acadie, en ces heures difficiles.

De son côté, Louis Hébert, de retour en France, y rencontra Samuel de Champlain, qui le décida à aller s'établir à Québec avec sa famille. On se souvient que Champlain et Hébert avaient été les compagnons du Sieur de Monts et de Poutrincourt, en 1604, lors de leur première expédition en Acadie.

La colonie végète

Charles de Biencourt reste en Acadie pour tenter d'y poursuivre l'œuvre de son père. Lui et ses compagnons n'entretiendront désormais de relations avec la France que par l'intermédiaire des pêcheurs normands, basques et bretons qui continuent de fréquenter les côtes de l'Atlantique. Ils installeront toute une série de postes d'observation sur divers points de la côte d'où, au moyen de signaux, ils attireront l'attention des navires de passage et troqueront ainsi leurs fourrures contre des munitions et des provisions.

Port-Royal deviendra ainsi un poste de commerce plutôt qu'une colonie agricole. Abandonnés par la Cour de France, dont l'attention était retenue par la lutte entreprise contre les protestants, Charles de Biencourt et ses compagnons vivront d'expédients. Avec les filles et les femmes indiennes, ils formeront des unions irrégulières d'où sortiront nombre de métis dont on rencontre de nos jours les descendants dans les réserves indiennes de l'Est du Canada.

Charles de Biencourt se maintiendra à Port-Royal ou dans les environs, avec une vingtaine de compagnons d'aventure, jusqu'en 1624, alors qu'il mourra prématurément à l'âge de trente et un an. Il sera inhumé à la Prée Ronde de Port-Royal (Round Hill).

Son camarade, Charles de Latour, alors âgé de 27 ans, s'appropriera aussitôt sa succession, comme seigneur de Port-Royal, en prétendant tenir ses droits du testament de Biencourt. Latour fortifiera le poste de Lameron (Yarmouth), près du Cap-de-Sable, et s'y installera au milieu des tribus sauvages.

4. EFFORTS DÉCISIFS DE LA FRANCE

COMME nous l'avons déjà rappelé, depuis les explorations des Cabot, père et fils, les Anglais ont toujours eu de vagues prétentions territoriales en Acadie et sur tout le littoral de l'Atlantique.

Jacques I d'Angleterre (ci-devant Jacques VI d'Écosse), profitant des guerres civiles qui déchiraient la France, agrandit, par décret royal du 3 novembre 1620, le territoire de la colonie du Massachusetts, où les *Pilgrim Fathers* s'étaient établis en cette même année, du 40e au 48e degré, englobant ainsi, non seulement l'Acadie, mais tout le Canada d'alors.

Le 10 septembre 1621, le roi Jacques concède, à titre de concession, l'Acadie et le Canada à Sir William Alexander, comte de Sterling et membre de la Chambre des Lords.

La Nouvelle-Écosse

À l'exception de quelques voyages de reconnaissance qu'il fait effectuer sur les côtes d'Acadie, en 1622 et en 1623, Sir Alexander attendra que les frères Kirke s'emparent de Québec en 1629, avant d'envoyer des colons écossais en Acadie. C'est alors que, pour la première fois, ce territoire prendra le nom de Nouvelle-Écosse.

Les colons écossais de Sir Alexander, au nombre d'une centaine, s'installeront à l'endroit où est maintenant situé Grandville. Ils y construiront un poste nommé Charles-fort, aussi connu sous le nom de Scotch Fort, à cinq milles d'Annapolis. Ils seront bientôt décimés par la maladie et les privations et il n'en restera plus que soixante-dix lorsque l'Acadie et le Canada seront rendus à la France en 1632, par le traité de Saint-Germain-en-Laye.

Fort inquiet de la tournure des événements, Charles de Latour qui, durant cette période, vivait avec ses compagnons à l'intérieur des terres, au milieu des Micmacs, décida de renouer des relations avec la France, par l'intermédiaire de son père, Claude de Latour. Porteur d'une lettre de son fils à l'adresse de la Cour de France, Claude de Latour partit pour l'Europe, le 25 juillet 1627.

Vraisemblablement capturé dans le golfe Saint-Laurent, par l'un des frères Kirke, Claude de Latour aurait été conduit en Angleterre auprès de Sir William Alexander. Le lord anglais lui aurait offert un titre de noblesse, ainsi qu'à son fils Charles, contre la remise des postes occupés par les Français en Acadie. On se souvient que Claude de Latour de Saint-Etienne, originaire de Champagne, et son fils Charles étaient venus en Acadie avec Poutrincourt en 1610.

Commission royale à Charles de Latour

Le rôle joué par les Latour, père et fils, à cette époque est bien obscur et a fait l'objet de nombreuses controverses. Les uns les qualifient de traîtres, les autres, de héros. Un fait demeure certain: c'est l'inscription des noms de Claude et de Charles de Latour sur la liste des baronnets de Sir William Alexander.

À l'époque, Charles de Latour et plusieurs de ses compagnons vivaient de façon désordonnée au milieu des Indiens. Voici ce qu'en pense d'Aulnay, selon un mémoire rédigé en 1644 et cité par Moreau dans son *Histoire d'Acadie*: « Après le décès dudit Sieur de Biencourt, ledit Latour courut par les bois avec dix-huit ou vingt hommes, se mêlant avec les sauvages et vivant d'une vie libertine et infâme, sans aucun exercice de religion, n'ayant même pas soin de faire baptiser les enfants procréés d'eux et de ces pauvres misérables femmes, au contraire les abandonnant à leurs mères, comme encore à présent font les coureurs des bois ».

L'union de Charles de Latour à une indienne micmac fut plus tard régularisée par un père Récollet. En effet, de

1619 à 1624, quatre Récollets, les pères Jacques de la Foyer, Louis Fontinier, Jacques Cardon et Sébastien étaient venus de France pour évangéliser les tribus sauvages d'Acadie.

Ils fondèrent une maison à Port-Royal, où demeurait alors Charles de Biencourt, en établirent une autre dans la région de la rivière Saint-Jean, au Nouveau-Brunswick actuel, et une troisième sur l'île Miscou, à l'entrée de la baie des Chaleurs, dès 1620.

En 1628, le père Sébastien mourut de misère dans les bois du nord du Nouveau-Brunswick, vraisemblablement dans la région de la ville actuelle de Campbellton. Ces courageux missionnaires parcouraient à pied tout le territoire occupé de nos jours par la Nouvelle-Écosse, le Nouveau-Brunswick, la Gaspésie, se rendant même jusqu'à Québec, en visitant les pêcheurs européens qui exerçaient déjà leur dur métier sur les côtes de l'Est du pays en tentant d'évangéliser les groupements épars de Sauvages rencontrés sur leur passage.

Au cours de ces randonnées, ils réussissaient à atteindre la plupart des *coureurs des bois* dispersés dans les solitudes acadiennes. C'est ainsi que l'une des filles de Charles de Latour, née d'une sauvagesse vers 1626, sera légitimée sous le nom de Jeanne de Latour.

Les métis, nés de Charles de Latour et de ses compagnons d'aventure, formeront à leur tour des familles de sang-mêlé. Très vaniteux du sang français qui coulait dans leurs veines, ils deviendront les alliés naturels des premières familles françaises qui s'établiront en Acadie.

En 1630, Charles de Latour envoie en France l'un de ses hommes de confiance, du nom de Krainguille, pour exposer à la Cour les sacrifices que Biencourt et lui-même s'étaient imposés pour maintenir l'Acadie en possession des Français, en dépit de tant de difficultés et d'épreuves.

Le roi de France décide d'accorder à Charles de Latour, « dont les bonnes intentions ont été certifiées », une commission royale, en date du 11 février 1631, le confirmant **dans son commandement au Cap-de-Sable et lui** assurant du ravitaillement ainsi qu'à son père, Claude de Latour, alors installé à la rivière Saint-Jean, au Nouveau-Brunswick actuel.

Lorsque l'Acadie sera formellement rendue à la France, par le traité de Saint-Germain-en-Laye, le 29 mars 1632, le Cardinal de Richelieu, alors ministre de Louis XIII, organisera deux compagnies de commerce, l'une pour Québec et l'autre pour l'Acadie. Richelieu enverra à Port-Royal son cousin et conseiller, Isaac de Razilly, originaire de Touraine, en qualité de « lieutenant-général en tout le pays de Nouvelle-France dit Canada » et gouverneur d'Acadie.

Razilly part d'Auray, en Bretagne, au mois de juillet 1632, à la tête d'une flotte composée de deux navires, chargés d'hommes et de provisions. L'expédition est bientôt rejointe, dans le golfe du Morbihan, par un troisième vaisseau en provenance de La Rochelle. Trois cents hommes d'élite, surtout originaires de Touraine, du Berry et de Bretagne, font partie du voyage, dont trois pères capucins qui, dès 1633, établiront à La Hève une école pour les Sauvages.

La colonie de la Hève

Après avoir débarqué son personnel à La Hève (La Have), le 8 septembre 1632, à l'endroit connu de nos jours sous le nom de Pointe-du-Fort, Razilly se rend ensuite prendre possession de Port-Royal et s'empare, par la force, du fort de Pentagoet (Penobscot, Maine).

Les familles écossaises qui restaient encore à Port-Royal sont rapatriées en Angleterre.

Razilly entame ensuite des négociations avec Charles de Latour qui voit d'un mauvais œil cette intrusion dans un territoire où il se croyait jusque là le seul maître. Et Razilly n'ignore pas que Latour exerce une influence considérable sur les Sauvages.

À la suite d'un compromis, Razilly installe ses colons à La Hève, du côté Est de la presqu'île, alors que Latour et ses compagnons, arrivés au pays sous Poutrincourt, continueront à se livrer au commerce des fourrures au Cap-de-Sable où ils sont d'ailleurs établis. Razilly accordera, de plus, à Latour la seigneurie de Jemseg, très riche en territoires de chasse, située sur la rivière Saint-Jean, au Nouveau-Brunswick actuel. Sur ce domaine, Charles de Latour construira le fort de Jemseg.

Deux des principaux associés de Razilly dans cette vaste entreprise, Charles de Menou de Charnisay, sieur d'Aulnay et Nicolas Denys, respectivement âgés de 36 et de 34 ans en 1632, vont jouer en Acadie un rôle de premier plan.

La culture, la pêche, les fourrures et le bois

D'Aulnay se consacre surtout à l'établissement des colons et à la direction des travaux agricoles. De son côté, Nicolas Denys, fils et petit-fils d'officiers de Tours, homme d'affaires averti et négociant infatigable, aura comme principale tâche l'exploitation des pêcheries de l'Acadie. Il s'occupera en outre du commerce des fourrures et du bois qu'il expédiera en France.

Nicolas Denys fut le premier seigneur des côtes et des îles du golfe du Saint-Laurent. Il reçut en fief le littoral s'étendant depuis le détroit de Canso, en Acadie, jusqu'à Cap-des-Rosiers, en Gaspésie. Il établit le centre de son commerce à Chédabouctou (Guysborough) et il ouvrit un poste de pêche à Port-Rossignol (Liverpool), qu'il plaça sous la direction de son frère, Simon Denys de la Trinité.

En 1633, soit un an après le retour de l'Acadie à la France, des commerçants anglais du Massachusetts établissent un poste avancé, pour la traite des fourrures avec les Indiens, à Machias, sur les côtes du Maine actuel. Craignant que cette concurrence ne soit nuisible à son établissement de Jemseg, Charles de Latour fait attaquer le poste anglais. Deux gardiens sont tués et trois autres sont emmenés en captivité au Cap-de-Sable. Les fourrures et les approvisionnements sont confisqués.

Les commerçants de Boston, vivement offusqués par ce qu'ils considèrent comme un acte de piraterie, crient vengeance contre Charles de Latour et les Français établis en Acadie.

L'année suivante, en 1634, un marchand de Boston, du nom d'Allerton, qui possédait des intérêts dans le poste de Machias, se rend à bord d'un navire armé pour réclamer les trois hommes que Latour garde prisonniers et les marchandises dont il s'est emparé. Charles de Latour riposte que,

Machias étant désormais situé en territoire français, il a agi au nom du roi de France.

Razilly profite de l'incident pour signifier aux autorités de la Nouvelle-Angleterre que, dans leur commerce avec les Indiens, elles ne devront plus dépasser l'embouchure de la rivière Kennebec, située non loin de Portland, Maine.

Mort soudaine de Razilly

En 1634, des pères jésuites s'établissent à Sainte-Anne du Cap-Breton et à Saint-Charles, sur l'île Miscou, à l'entrée de la baie des Chaleurs. L'année suivante, quelques Récollets iront s'installer dans la seigneurie de Jemseg, avec Charles de Latour.

Après bientôt quatre années de magnifiques efforts, la colonie de La Hève avait accompli de grands progrès, alors qu'en novembre 1635, Razilly meurt subitement, à l'âge de quarante-huit ans. Ses restes, d'abord inhumés à La Hève, furent transportés à Louisbourg en 1749.

D'Aulnay, qui avait été son collaborateur immédiat, recueillit sa succession. Ni l'astucieux Charles de Latour, ni l'entreprenant Nicolas Denys, ne prisèrent beaucoup cette investiture.

C'est alors que Latour se fera concéder par d'Aulnay le poste de Pentagoet (Penobscot) sur les côtes du Maine, en outre de ses établissements du Cap-de-Sable et de Jemseg. Son commerce de fourrures lui rapportera des bénéfices fabuleux. De son côté, Nicolas Denys poursuivra l'exploitation de son florissant commerce de pêche, de fourrures et de bois sur le littoral du golfe Saint-Laurent.

5. UNE IMPITOYABLE LUTTE FRATRICIDE

CHARLES D'AULNAY, tout en poursuivant l'œuvre de colonisation entreprise par Razilly à La Hève, se transporta à Port-Royal, en 1636, avec la plupart de ses colons. Il y trouva, entre autres avantages, une plus grande abondance de terre arable.

Enrichi par son commerce, Charles de Latour avait facilement trouvé de puissants protecteurs auprès de la Cour de France. C'est ainsi qu'il obtenait en 1638, conjointement avec d'Aulnay, le titre de lieutenant-gouverneur d'Acadie. Une longue et malheureuse lutte va désormais s'engager entre ces deux hommes, au détriment des intérêts de la colonie.

Dès 1639, Charles de Latour s'était emparé d'un navire de secours envoyé par d'Aulnay à Pentagoet, alors menacé par les Anglais. L'année suivante, Latour tente de surprendre Port-Royal avec deux vaisseaux de guerre. Mais il est lui-même capturé avec ses hommes par d'Aulnay qui, par un heureux concours de circonstances, revenait par eau de Pentagoet, au moment de l'attaque.

À la suite de ces actes de brigandages, la Cour de France révoque, en 1641, la commission qu'elle avait accordée à Charles de Latour, dix ans plus tôt, le somme de comparaître à Paris, ce qu'il n'a d'ailleurs jamais fait, et nomme d'Aulnay « gouverneur et lieutenant-général dans toute l'étendue des côtes de l'Acadie, du golfe Saint-Laurent aux Virginies ».

Comme Latour refuse de se soumettre au décret du Conseil royal, d'Aulnay reçoit l'ordre, le 21 février 1642, de se saisir de sa personne de force et de le faire escorter en France car « il est révoqué pour ses mauvais comportements ; il tient en désordre et confusion les affaires du pays d'Acadie ».

Charles de Latour se barricade dans son fort de Jemseg, sur la rivière Saint-Jean et, par l'intermédiaire de Desjardins, son agent en France, et de marchands huguenots de La Rochelle, il entre en relations avec les Anglais du Massachusetts, dont il s'efforce de se faire des alliés. Considérant déjà Latour comme un mauvais voisin, les Bostonnais refusent cette alliance.

Au cours de fréquents voyages qu'il avait faits en France, d'Aulnay avait recruté, pour l'Acadie, plusieurs familles et engagés divers, originaires surtout de Touraine, du Poitou, de l'Anjou, de la Saintonge et de la Champagne. Par contre, des colons de la première heure étaient retournés en Europe. En 1636, d'Aulnay avait épousé à Port-Royal, Jeanne Motin, arrivée en Acadie en cette même année, et dont le père, Louis Motin, avait contribué financièrement à l'entreprise de Razilly[4].

Vers 1645, quelques centaines de personnes étaient groupées à Port-Royal et dans les environs immédiats.

Les habitations, de plus en plus nombreuses, étaient construites en pièces de bois équarries, avec toiture d'écorce de bouleau ou de bardeaux faits au couteau. Les meubles étaient fabriqués sur place. Les fourrures achetées des Indiens durant l'hiver étaient exportées en France, en échange d'outils, de poudre et de plomb à fusil, d'étoffes, de fer et autres provisions essentielles.

À Port-Royal, on avait même déjà construit un monastère que les colons appelaient *séminaire* et où logeaient une douzaine de Capucins. Ces religieux desservaient la colonie, entretenaient et instruisaient en leur établissement une trentaine de fils de colons et autant de jeunes Indiens micmacs et abénaquis. En 1640, les Capucins avaient quatre missions en Acadie : Port-Royal, La Hève, Pentagoet et Canso, sur le détroit du même nom.

---

4. Geneviève Massignon, *Les parlers français d'Acadie*, Vol. I, Librairie C. Klincksieck, Paris.

Destruction du fort de Latour

Port-Royal connaissant alors un développement vraiment digne de la capitale de l'Acadie naissante. Tout eût été parfait n'eurent été les agissements de l'insaisissable Latour, qui avait enfin réussi à nouer des intrigues avec les Anglais du Massachusetts et constituait une menace sérieuse pour le développement normal de la colonie. À tout moment on pouvait craindre de nouveaux actes de piraterie de sa part, qui auraient mis en danger la vie des colons.

Voici ce que certifient huit Capucins de Port-Royal, le 20 octobre 1643 : « Après avoir harcelé d'Aulnay depuis sept ans, les Anglais de la Grande Baie (Plymouth), accompagnés de Latour, ont, le 6 août 1643, avec quatre navires et deux frégates armées, opéré une descente au Port-Royal, blessé sept hommes, tué trois autres et fait un prisonnier. Ils ont tué quantité de bestiaux et pris une barque chargée de pelleteries, poudre et denrées. »

Les Capucins demandent du secours pour d'Aulnay « afin qu'il exécute ses généreux desseins contre les ennemis de la vraie religion et en particulier contre le sieur de Latour, très mauvais français et beaucoup pire qu'eux par la vie scandaleuse qu'il mène, lui et ses gens, allant au prêche (sermon protestant), lorsqu'il est à la Grande-Baie. Des 18,000 livres provenant des pelleteries volées à Port-Royal, les Bostonnais eurent deux tiers et Latour un tiers[5] ».

D'Aulnay se rend de nouveau en France, en 1643, pour exposer la situation de la colonie et informer le Conseil d'État de la « traîtrise de Latour ».

Le 6 mars 1644, dans un dernier jugement, la Cour de France déclare Latour hors la loi. En décembre de la même année, d'Aulnay dépêche des messagers, dont deux Capucins, dans deux chaloupes, pour informer les compagnons de Latour qu'ils recevront « l'absolution de leurs crimes et le paiement de leurs gages », s'ils veulent bien revenir à de meilleurs sentiments. Tous refusent catégoriquement.

Au mois d'avril 1645, ayant reçu de nouveaux renforts de France, d'Aulnay décide de frapper un coup décisif

---

5. *Archives Nationales de France.*

contre la place forte de Latour, à Jemseg, sur la rivière Saint-Jean. Madame de Latour[6] soutient bravement l'assaut avec une cinquantaine d'hommes, en l'absence de son mari, qui est à Boston. Un combat meurtrier s'engage. D'aulnay perd trente-trois hommes mais il réussit à s'emparer du fort après trois jours d'attaques répétées, le lendemain de Pâques, le 17 avril 1645. Il s'empare de «bijoux, argenteries et ameublement évalués à 10 000 louis». Plusieurs compagnons de Latour, faits prisonniers, sont pendus sur place, après délibération du Conseil *pour servir d'exemple et de mémoire à la postérité, d'une si obstinée rébellion.*

Madame de Latour, elle-même prisonnière, avait assisté au supplice «la corde au cou», écrit Nicolas Denys. Elle est morte trois mois plus tard. Échappant au massacre, Latour se fait corsaire, dans les eaux du golfe du Saint-Laurent, puis il se réfugie à Québec, auprès du gouverneur, M. de Montmagny.

«Voici deux chefs français très distingués, écrit Beamish-Murdoch dans son histoire de la Nouvelle-Écosse, engagés dans un conflit acharné et illusoire, pour la domination d'une terre qui n'était encore (excepté un petit nombre de postes) qu'un désert sauvage. Tandis qu'au Canada le courage français se déployait dans une défense héroïque, contre les plus dangereux et les plus vindicatifs des sauvages, les solitudes de l'Acadie retentissaient de combats fratricides de Français contre Français».

Fin tragique de d'Aulnay

Enfin débarrassé de Latour, d'Aulnay devient, en 1647, gouverneur-général et seigneur d'Acadie, par proclamation royale et sous réserve des droits concédés antérieurement à Nicolas Denys. Héritier du commerce lucratif de Latour, d'Aulnay «traite jusqu'à 3000 orignaux par an, sans compter les castors, les loutres et autres menues fourrures».

Mais il ne devait pas vivre assez longtemps pour tirer vraiment parti de sa nouvelle situation et surtout pour rembourser ses créanciers. Car, pendant que Latour s'enrichis-

---

6. Marie Jacquelin que Latour avait épousée en secondes noces.

sait, d'Aulnay avait dû hypothéquer la plupart des biens qu'il possédait en France, pour combler les déficits de la colonie.

L'une des préoccupations de d'Aulnay avait été le dessèchement de grandes étendues de prairies que la haute mer recouvrait. Des colons français, originaires de l'Aunis et de la Saintonge, connaissaient les avantages qui pouvaient être tirés de ces prés salés, en les récupérant par des digues.

Or, le 24 mai 1650, d'Aulnay se rendant seul visiter ses travaux dans le haut de la rivière Port-Royal, eut le malheur de chavirer en canot. Il enfonça dans la boue du rivage où il mourut d'épuisement et de froid. Son corps fut trouvé par les Indiens qui le transportèrent dans une cabane. Il fut ramené au fort par le père capucin Ignace de Paris, qui a laissé un mémoire de cet accident.

La disparition tragique de d'Aulnay jeta la colonie dans la consternation. Il laissait sa veuve, Jeanne Motin et huit enfants en bas âge, dont quatre fils qui moururent tous sur les champs de bataille de France.

D'Aulnay avait été, avec Razilly, le véritable organisateur de la colonie acadienne. De 1632, date de l'arrivée de Razilly et d'Aulnay, jusqu'en 1650, une cinquantaine de familles françaises s'étaient établies en Acadie.

Grâce à ces deux intrépides colonisateurs, grâce surtout à d'Aulnay, qui a consacré près de vingt ans de sa vie au développement agricole de l'Acadie, les familles acadiennes auront dorénavant de profondes racines dans le sol de leur nouvelle patrie et pourront vivre de leurs durs labeurs.

Rameau de Saint-Père[7], s'inspirant d'une relation du père Ignace de Senlis, nous parle dans les termes suivants de ces premiers colons amenés en Acadie par Razilly et d'Aulnay :

« Le dimanche, on voyait déboucher de tous les replis de cette charmante vallée les fermiers acadiens, les uns en canot, les autres sur leurs chevaux, amenant en croupe leurs femmes ou leurs filles, tandis que de longues files de Micmacs, couverts d'ornements bizarres et de peintures voyantes, se croisaient avec eux.

_____

7. *Une Colonie féodale en Amérique.*

« Autour du manoir et de l'église, d'Aulnay avait ménagé de grands espaces de terre et de prairie, qu'on appelait les champs communs où les arrivants attachaient leurs montures et déposaient leurs bagages.

« En sortant des offices, on s'attardait volontiers, durant la belle saison, sur les champs communs, en devisant sur les récoltes, sur la chasse, sur les défrichements de chacun, sur les travaux entrepris par le seigneur et aussi sur les mille incidents de la vie privée, ainsi qu'il est d'usage de commérer dans tous les pays français...

« D'Aulnay se mêlait souvent lui-même entremis ces propos. Il racontait ses aventures de mer ou de bataille et ses courses dans le pays indien. Plus d'un vieux routier qui avait chevauché avec Latour et Biencourt, voire avec Poutrincourt, lui donnaient la répartie et de vénérables sagamos micmacs intervenaient quelquefois avec solennité dans la conversation.

« C'était une occasion propice pour s'informer de ce qui advenait dans chaque famille. Tout en plaisantant, il fomentait les mariages et discutait l'établissement des nouveaux ménages dans de nouvelles fermes. Car c'était un de ses soucis dominants de multiplier ces foyers domestiques, qu'il considérait avec raison comme la base essentielle, la force vitale de la seigneurie et de la colonie. »

6. L'OCCUPATION ANGLAISE DE 1654 À 1667

LA MORT soudaine de d'Aulnay avait laissé l'Acadie dans le plus grand désarroi. Parmi ses principaux créanciers se trouvait Emmanuel LeBorgne, riche marchand de La Rochelle, qui réclamait la forte somme de 260 000 livres de la succession. Cette réclamation fut cependant contestée devant les tribunaux de Paris. Un autre montant de 14 000 livres était dû à la succession Razilly. Nicolas Denys, qui avait eu sa part de démêlés avec d'Aulnay, réclamait lui aussi. La pauvre veuve d'Aulnay ne savait plus où donner de la tête et comment se tirer d'une situation aussi précaire.

Le père de d'Aulnay, René de Menou de Charnisy, très avancé en âge et demeurant à Paris, fut nommé tuteur des enfants mineurs. Il s'employa tant bien que mal au règlement de la succession. En Acadie, l'administration des biens de la succession avait finalement été accordée à la veuve d'Aulnay, conjointement avec Germain Doucet dit Laverdure, l'homme de confiance de d'Aulnay à Pentagoet.

En 1651, Emmanuel LeBorgne, principal créancier, envoie à Port-Royal son représentant, le sieur de Saint-Mas, avec instruction de s'emparer du fort. Les pères Capucins interviennent aussitôt pour protéger les intérêts de la veuve et des orphelins. Puis le vieux tuteur des enfants mineurs, René de Menou de Charnisy meurt à Paris, le 10 mai 1651.

Latour, réhabilité, épouse la veuve d'Aulnay

C'est à ce moment que réapparaît Charles de Latour. Il s'était fait héberger au château Saint-Louis, à Québec,

pendant quatre ans, par le gouverneur de Montmagny. Latour avait livré à Québec un navire de petit tonnage que lui
avait confié Winthrop, gouverneur du Massachusetts, après
la destruction par D'Aulnay de son fort de Jemseg, sur la
rivière Saint-Jean.

Profitant de la mort inopinée de son rival d'Aulnay,
Latour se rend en France où il réussit à se faire réhabiliter
par la Cour. Absout de «tout crime de rébellion», il est
nommé gouverneur d'Acadie, par lettres patentes de Louis
XIV, en février 1651.

Pressé de retourner en Acadie, Charles de Latour se
choisit un lieutenant en la personne de Philippe Mius d'Entremont[8], gentilhomme de la région de Cherbourg, se hâte
de réunir un groupe d'engagés et repart pour la colonie.

À son arrivée à Port-Royal, déjà pillé par le représentant de LeBorgne, Charles de Latour présente ses lettres
de créances à la veuve d'Aulnay et la somme de lui remettre
son ancienne possession du fort Jemseg sur la rivière Saint-
Jean. Comme elle n'y peut rien, Latour a recours aux
grands moyens. Il s'empare de Jemseg, le 23 septembre
1651, et commande à son lieutenant, Philippe Mius d'Entremont, de s'établir dans son ancien fief du Cap-de-Sable,
laissant à la veuve d'Aulnay Port-Royal et la région envi-
ronnante.

À la suite de ces coups d'audace, de sérieux démêlés
s'élèvent entre Latour et la veuve de son plus grand ennemi. Mais, jamais pris au dépourvu, Charles de Latour règle
d'un seul coup ces pénibles litiges en épousant, en troisiè-
mes noces, le 24 février 1653 et à l'âge de soixante ans, la
veuve d'Aulnay, qui lui donnera plusieurs enfants.

On se souvient que Latour était devenu veuf de sa
deuxième femme quelques mois après la prise du fort de
Jemseg par les hommes de d'Aulnay, le lundi de Pâques
1645. Aussi invraisemblable que cela puisse paraître, c'est
précisément à Jemseg que Latour amène sa nouvelle épouse.

---

8. En 1964, dans le sixième cahier de *La Société Historique Acadienne*, Clarence J.-d'Entremont, prêtre, a publié une étude documentée
sur *Le Manoir et les Armoiries de la famille Mius-d'Entremont
d'Acadie*.

Grâce à son mariage à la veuve de celui qui avait précipité sa ruine, Charles de Latour devient le seul maître de l'Acadie, à l'exception du fief de Nicolas Denys.

Mais d'autres événements allaient compliquer davantage les affaires d'Acadie.

Au printemps de 1652, Emmanuel LeBorgne, de concert avec un autre marchand de La Rochelle, du nom de Guilbaut, également créancier de d'Aulnay, obtient un jugement contre la succession. Les deux marchands s'emparent à main armée des établissements de Nicolas Denys à Chédabouctou, alors que ces biens ne font pas partie de la succession de d'Aulnay, ils incendient La Hève et, se rendant à Saint-Pierre-du-Cap-Breton, ils trouvent Nicolas Denys et le font prisonnier. Emmanuel LeBorgne débarque enfin à Port-Royal dont il prend possession en qualité de seigneur.

La guerre éclate de nouveau

Pour comble de malheur, en cette même année 1654, la guerre éclate entre la France et l'Angleterre.

Une flotte anglaise, venue de Boston, sous les ordres du major Sedgwick, avait reçu l'ordre de Cromwell de chasser tous les Français de l'Acadie. Après s'être emparé du fort occupé par Charles de Latour, à Jemseg, sur la rivière Saint-Jean, Sedgwick se porte vers Port-Royal, où commande Emmanuel LeBorgne, et s'en empare.

Des quatre Capucins qui s'y trouvaient, le père Léonard de Chartres, supérieur, est tué, le père Joseph D'Angers se réfugie chez les Abénaquis, qu'il évangélise jusqu'à sa mort en 1667, et les deux autres religieux retournent en France.

Les Anglais laissent alors Port-Royal sous la direction d'un conseil des habitants de l'endroit, présidé par Guillaume Trahan.

Jamais à bout de ressources, Charles de Latour se rend à Londres où, grâce à l'appui de John Kirke, il réussit à obtenir de Cromwell, le 9 août 1656, une part du partage de l'Acadie conjointement avec Sir Thomas Temple, héritier de Sir William Alexander, et Willam Crowne, de Boston. À son ami John Kirke, son précieux intermédiaire auprès de Cromwell, Charles de Latour remet 5000 livres sterling et prend l'engagement de lui envoyer vingt peaux de castors et vingt peaux d'orignaux par année.

Charles de Latour revient s'établir au Cap-de-Sable où il meurt dix ans plus tard, en 1666, à l'âge de soixante-treize ans.

La fin de Nicolas Denys

On sait déjà que Nicolas Denys, de concert avec son frère, Simon Denys de Vitré, avait organisé un florissant commerce sur les côtes de l'est de l'Acadie, dans le golfe du Saint-Laurent et la baie des Chaleurs. Il avait eu, lui aussi, sa part de démêlés avec d'Aulnay qui, à tort ou à raison, avait soupçonné Denys d'intelligence avec les Anglais de Boston et l'avait accusé de majorer ses créances. En guise de règlement de comptes, d'Aulnay avait même, en 1648, détruit un poste de commerce que Nicolas Denys avait établi à l'entrée de la baie des Chaleurs, à l'île Miscou, trois ans plus tôt. À partir de ce moment, Denys s'était ligué avec Latour contre d'Aulnay.

Après la destruction de ses établissements de Saint-Pierre-du-Cap-Breton, par Emmanuel LeBorgne en 1652, Nicolas Denys avait été emmené en captivité à Port-Royal. Libéré à l'automne de cette même année, il va s'établir à Nipisiquit (Bathurst, N.-B.) à la baie des Chaleurs. Deux ans plus tard, LeBorgne vient s'emparer de son nouveau poste de commerce et le fait de nouveau prisonnier.

Libéré une deuxième fois, Nicolas Denys se rend en France exposer ses griefs contre LeBorgne. Il réclame 53 000 livres de dommages et il obtient, du gouvernement de Louis XIV, de rentrer en possession des droits et privilèges qui lui avaient été antérieurement concédés sur les côtes de l'A-cadie.

LeBorgne a été sommé de restituer à Denys les postes qu'il lui avait enlevés. Mais LeBorgne est déjà lui-même prisonnier des Anglais du Massachusetts qui, profitant de l'état de guerre entre la France et l'Angleterre, se sont emparé des principaux établissements d'Acadie.

Les Anglais resteront maîtres du pays jusqu'au traité de Bréda, en 1667, alors qu'Alexandre LeBorgne, fils d'Emmanuel, recevra, en 1668, le titre de gouverneur provisoire de l'Acadie, sous le nom de LeBorgne de Belle-Isle.

Nicolas Denys pourra toutefois habiter de nouveau à Saint-Pierre, du Cap-Breton, jusqu'en 1669, alors qu'à la suite de l'incendie de ses établissements, il se retirera à son poste de Nipisiguit, à la baie des Chaleurs. Il y est décédé dans la pauvreté, en 1688, à l'âge avancé de quatre-vingt-dix ans. C'est là qu'il repose, à l'ombre d'un monument élevé à sa mémoire en 1926.

Son fils Richard, né en 1655, épousa d'abord une Indienne, Anne Parabego, dont il eut deux enfants. Il épousa, en 1689, en secondes noces, Françoise Cailleteau, de Québec, dont il eut un fils, Louis, qui ne laissa pas de descendant. Richard Denys périt dans un naufrage deux ans plus tard.

Simon Denys de Vitré, le frère et l'associé de Nicolas Denys, s'était réfugié à Québec dès 1652, après avoir été fait prisonnier par LeBorgne l'année précédente. Il obtint le poste de receveur-général pour la Compagnie de la Nouvelle-France et fit partie du Conseil souverain, en 1664, sous le gouverneur de Mésy.

Deux de ses fils, Charles Denys de Vitré et Paul Denys de Saint-Simon, seront également appelés à faire partie du même Conseil. Son fils aîné, Pierre, sieur de la Ronde, devint en 1672 le premier seigneur de Percé, en Gaspésie, où il demeurait avec son fils, le père Joseph Denys, missionnaire récollet. Pierre Denys de la Ronde aura également un établissement de pêche à Petite-Rivière, dans le comté actuel de Gaspé-Sud. Ces deux établissements seront détruits par l'amiral Phipps, en 1690.

Nicolas Denys laissa un mémoire intitulé *Description Géographique et Historique des côtes de l'Amérique septentrionale* et un ouvrage: *Histoire naturelle des peuples, animaux et plantes de l'Amérique septentrionale et de ses climats*, tous deux publiés en France en 1672.

L'histoire lui rend le témoignage qu'il s'efforça sans cesse de propager les enseignements du christianisme, en attirant, dans ses divers établissements, de nombreux missionnaires.

Les missionnaires

On sait déjà que, dès 1620, des Récollets de Port-Royal, dont le père Sébastien, avaient établi une mission à l'île Miscou, à la baie des Chaleurs. En 1635, trois ans après l'arrivé de Razilly en Acadie, les Jésuites avaient continué l'œuvre des Récollets à l'île Miscou et y avaient établi vingt-trois Français.

De 1635 à 1662, sans doute sous l'égide de Nicolas Denys, de nombreux missionnaires jésuites, dont les pères Turgis, Du Marché, Jacques de la Place, Nicolas Gondain, Claude Quentin et de Lyonne se succédèrent à l'établissement de Miscou. C'est à partir de cet endroit qu'ils exercèrent leur apostolat sur les côtes de l'Est et dans la partie Nord du Nouveau-Brunswick actuel ainsi qu'en Gaspésie. De plus, de 1650 à 1660, le père Balthazar, capucin de Paris, avait son pied-à-terre à Nipisiguit (Bathurst) et parcourait lui aussi les côtes du golfe du Saint-Laurent et les deux rives de la baie des Chaleurs.

De nouveau, à partir de 1673, les Récollets remplacent les Jésuites. Ce sont les pères Guesnin, Dethunes et Chrestien Le Clercq qui s'établissent à Percé. Ce dernier passa douze ans en Gaspésie et publia, en 1691, un mémoire intitulé *Nouvelle Relation de la Gaspésie*. En 1682, le père Juneau fut chargé de la mission de Percé. Le père Joseph Denys, fils de Pierre Denys de la Ronde, le remplaça en 1685. Enfin, le jeune frère convers Didace Pelletier, « notre charpentier récollet », construisit à cette époque les églises de Percé et de Plaisance, à Terreneuve.

L'Acadie est rendue à la France

Pendant l'occupation anglaise, qui durait depuis la prise de Port-Royal par Sedgwick, en 1654, les colons français s'étaient transportés dans le haut de la rivière Port-Royal. Comptant que l'Acadie serait éventuellement rendue à la France, Colbert, ministre de Louis XIV, leur avait défendu de quitter le pays sans autorisation.

En vertu du traité de Bréda, signé le 31 juillet 1667, l'Angleterre remettait effectivement l'Acadie à la France.

L'année suivante, Marillon du Bourg, vint en reprendre possession au nom du roi de France.

C'est également en 1668, comme on l'a vu précédemment, qu'Alexandre LeBorgne, sieur de Belle-Isle et fils d'Emmanuel LeBorgne, le créancier de d'Aulnay, fut nommé gouverneur provisoire et lieutenant-général de l'Acadie. Il épousera Marie Motin-Latour, l'aînée des enfants issus du mariage de Charles de Latour et de la veuve d'Aulnay.

En compensation des pertes subies par sa famille, Alexandre LeBorgne de Belle-Isle reçut une concession seigneuriale dans la région du bassin des Mines, où était situé Grand-Pré, jusqu'à dix lieues de profondeur dans les terres ainsi que le monopole du commerce, pendant trois ans, de Canso jusqu'à la Nouvelle-Angleterre.

Puis, le 20 février 1670, Hubert d'Andigny, chevalier de Grandfontaine, officier français résidant déjà au Canada, fut nommé gouverneur d'Acadie. Il avait été le compagnon de Tracy aux Antilles et à Québec.

Contrairement à ses prédécesseurs en Acadie, Grandfontaine ne sera pas un concessionnaire mais bien le représentant attitré du roi de France. Cependant, comme tous les autres gouverneurs français qui se succéderont ensuite en Acadie, Grandfontaine recevra ses instructions du gouverneur du Canada, son supérieur hiérarchique.

Le 6 août 1670, Grandfontaine s'établit à Pentagoët (Penobscot, Maine). Le 27 août, par l'intermédiaire de son lieutenant, Joybert de Soulanges, il prend possession du fort de la rivière Saint-Jean, l'ancien Jemseg de Charles de Latour. Enfin le 2 septembre, il entre à Port-Royal.

Le régiment de Carignan

Le nouveau gouverneur de l'Acadie s'était fait accompagner, à Pentagoët et à Port-Royal, par de jeunes officiers de valeur tels que le capitaine Jacques de Chambly, du régiment de Carignan qui, en 1665, avait construit le fort Chambly, sur la rivière Richelieu; le lieutenant Pierre Joybert, sieur de Soulanges, dont la fille Élisabeth, née en Acadie en 1673, deviendra l'épouse du marquis de Vaudreuil, quatorzième gouverneur du Canada; l'enseigne Sébastien de

Villiers et l'un des plus remarquables de tous, le capitaine Vincent de Saint-Castin.

Des détachements du régiment de Carignan, dont plusieurs soldats s'établiront en Acadie, après leur licenciement, faisaient partie de l'expédition.

Port-Royal, le Cap-de-Sable et La Hève (La Have) étaient les seuls endroits habités à l'époque par les familles de colons acadiens. Miramichi, Nipisiguit (Bathurst) et Chédabouctou (Guysborough) étaient des postes de pêche exploités par les Denys. La famille Mius d'Entremont occupait Pobomcoup (Pubnico) alors que Pentagoet (Penobscot), Jemseg et Passamaquoddy étaient des postes fortifiés.

Grandfontaine fera de Pentagoët le centre de son activité. Il accorde le commandement de cette place-forte à Saint-Castin, qui s'y installe en permanence, après avoir épousé Marie Pidikiwamiska, la fille d'un chef Abénaquis. Saint-Castin deviendra rapidement le chef estimé de cette tribu sauvage, alliée traditionnelle des Français. Le fils de Saint-Castin, Anselme, marchera sur les traces de son père, avec les mêmes résultats heureux pour la colonie. M. de Soulanges assumera le commandement de Jemseg, l'ancien fort de Latour, sur la rivière Saint-Jean. En 1676, il obtiendra les territoires de Jemseg et de Nashwaak comme concessions seigneuriales.

L'occupation anglaise avait eu pour effet de priver l'Acadie de toute immigration nouvelle depuis 1654. Par surcroît, plusieurs familles acadiennes étaient retournées en France ou passées au Canada. Quelques branches de certaines familles acadiennes, telles les Martin, les Petitpas, les Lejeune, les Guidry s'étaient alliées aux Micmacs ou aux Abénaquis et certains de leurs descendants, devenus métis, ne paraîtront plus aux recensements.

Mais, au printemps de 1671, l'immigration française peut enfin reprendre en Acadie. Sur les instructions de Colbert une cinquantaine de nouveaux colons sont envoyés de France. Ils quittent La Rochelle sur le navire *L'Oranger*. D'autres colons viendront aussi du Canada. Enfin des soldats licenciés, dont un certain nombre avaient accompagné M. de Grandfontaine en Acadie, s'établiront également en Acadie.

7. LES PREMIÈRES FAMILLES ACADIENNES

LE PREMIER recensement de la colonie, celui de 1671, fut effectué par le père Laurent Molin, religieux cordelier, avant l'arrivée à Port-Royal, au printemps de cette même année, du premier contingent de colons français venus de France en Acadie après l'occupation anglaise. Il y avait alors à Port-Royal, d'après ce recensement, 59 chefs de familles, comprenant 320 personnes.

En divers autres endroits des côtes acadiennes, sur le littoral allant de Port-Royal au détroit de Canso, vivait une population flottante composée, en majeure partie, de familles métisses issues des alliances contractées par les compagnons de Biencourt et de Latour, arrivés en Acadie en 1610.

D'autres recensements seront tenus en Acadie, nous permettant de suivre l'augmentation de la population sous le régime français. Ainsi le recensement de 1686 donne 885 personnes ; celui de 1693, 1,068 ; celui de 1707, 1,484. En 1714 la population est évaluée à 2,500 habitants.

Sur le *Saint-Jehan* en 1636

De toute évidence, il n'y avait pas de familles dans le contingent des « trois-cents hommes d'élite », ayant accompagné Razilly, de France en Acadie en 1632. Il n'y en avait pas davantage dans le groupe parti de Dieppe, le 12 mars 1633, dont la *Gazette* de Renaudot annonce le départ pour l'Acadie.

Par ailleurs, à l'exception de Charles de Latour, on ne trouve aucune trace, sauf chez les métis, des compagnons de Poutrincourt et de Biencourt. Ce n'est qu'après 1636 que la présence de familles françaises sera signalée en Acadie.

«Les liasses de l'Amirauté de La Rochelle, écrit Geneviève Massignon[1], renferment pour l'année 1636, en date du 1er avril, le «Rolle» du *Saint-Jehan*, vaisseau transportant en Acadie un certain nombre de colons et d'engagés en provenance de Champagne, d'Anjou, de Dijon, de La Rochelle, ainsi que quelques Basques et Bretons. Trois d'entre eux se retrouvent au recensement de l'Acadie, en 1671 ; ce sont *Pierre Martin*, de Bourgeuil, *Guillaume Trahan*, de Bourgueil et *Issac Pesselin*, de Champagne. Deux autres patronymes : Bugaret (basque) et Blanchard (rochelais) s'y retrouvent aussi, sans que l'identification puisse être établie ; parmi les dizaines d'autres, certains étaient déjà rentrés dans leur région natale, en France, dès 1637. En tête du rôle des passagers figure Jeanne Motin, fille de Louis Motin (l'associé d'Isaac de Razilly) qui épousera en Acadie Charles d'Aulnay, compagnon d'Isaac de Razilly et son successeur à la tête de la colonie... Le «Rolle» du *Saint-Jehan* est d'autant plus important que ce navire transporta probablement les premières *familles* françaises installées en Acadie : en effet, le premier-né en Acadie, *Mathieu Martin*, y naquit peu après (le recensement de 1671 lui donne 35 ans). On pourrait s'étonner qu'aucune naissance n'ait été enregistrée depuis 1632, année de l'arrivée d'Isaac de Razilly, avec «*trois-cents hommes d'élite*», à moins que ces trois cents hommes aient été des soldats et des bâtisseurs, plutôt que des colons arrivés avec femmes et enfants.»

C'était d'ailleurs aussi l'opinion du père Archange Godbout, généalogiste, bien qu'un certain nombre de «*ces hommes d'élite*» aient subséquemment épousé des Françaises et se soient définitivement établis en Acadie.

Première mention de familles acadiennes

Dans un mémoire daté de 1644 et relatant ce que Charles d'Aulnay avait accompli en Acadie[9], on peut lire qu'il

---

9. Cité par Geneviève Massignon dans *Les parlers français d'Acadie*, Vol. I.

y entretenait «deux cents hommes, tant soldats, laboureurs, qu'autres artisans, sans compter les femmes et les enfants, ni les Capucins, ni les enfants sauvages. Il y a en outre vingt *ménages français qui sont passés avec leurs familles*, pour commencer à peupler les pays, dans lesquels ledit sieur d'Aulnay en ferait passer bien davantage, s'il avait plus de bien.» Ce document constitue la première mention de familles françaises installées en Acadie, sous Razilly ou d'Aulnay.

On sait que Charles de Menou, sieur d'Aulnay, tirait son noble nom du village d'Aulnay, en Loudunais, province de la Vienne, où lui-même et sa mère possédaient de vastes domaines, comprenant les villages d'Angliers, d'Aulnay, de Martaizé et probablement de La Chaussée[10].

Or, grâce à un intelligent et laborieux travail de recherche qu'elle a effectué en France, Geneviève Massignon est en mesure d'attester que plusieurs des familles françaises, arrivées en Acadie de 1636 à 1650, étaient originaires des villages où étaient situées à l'époque les seigneuries que d'Aulnay et sa mère, Nicole de Jousserand, possédaient dans la région de Loudunais, en France.

Elle écrit[11]: «Les recherches que j'ai entreprises au sujet des seigneuries du successeur de Razilly, en 1635, Charles de Menou d'Aulnay de Charnisay... m'ont menée à l'identification certaine de familles sorties de ses terres de France, pour s'établir en Acadie: ces identifications sûres ont entraîné mon hypothèse d'un large recrutement de Charles d'Aulnay sur ses terres, hypothèse qui s'est trouvée corroborée par la *coïncidence d'une vingtaine des noms de familles acadiens du recensement de 1671 avec une vingtaine des noms de famille des cultivateurs de la Seigneurie d'Aulnay recensés en France, entre 1634 et 1650.*» D'autant plus que le mémoire de 1644, cité plus haut, indique que d'Aulnay avait, à cette époque, installé *vingt ménages français*, avec leurs familles, à Port-Royal.

Après avoir procédé à l'examen des registres paroissiaux de La Chaussée, situé près du village d'Aulnay, en

---

10. *Les parlers français d'Acadie*, Vol. I, Librairie Klincksieck, Paris.
11. Ibid.

France, Geneviève Massignon écrit que : « plus de la moitié des actes, de 1626 à 1650, concernent des noms de famille qu'on retrouve parmi les 53 noms de famille recensés en 1671 en Acadie : Babin, Belliveau, Bertrand, Bour, Brault (au féminin Braude), Brun, Dugast, Dupuy, Gaudet (au féminin Gaudette), Giroire, Joffriau, Landry, LeBlanc, Morin, Poirier, Raimbaut, Savoie, Thibodeau ; en outre, les noms de Chevrat, Gautier, Guion (Dion), Lambert et Mercier — portés par les femmes des colons de 1671 — y apparaissaient également... Les noms de Blanchard, Bourg, Brault, Giroire, Godet, Guérin, Poirier, Terriot figurent parmi les censitaires de la mère de Charles d'Aulnay. »

La seigneurie d'Aulnay comprenait la commune de Martaizé, en Vienne. S'il faut en juger par les noms des femmes qu'ils ont épousées, avant leur départ de France pour l'Acadie, les ancêtres des Aucoin, Boudrot, Doucet et Lejeune viendraient également de cette même région.

Les autres recrues venues en Acadie

Charles de Latour fit aussi venir de France des colons et des engagés divers pour ses établissements d'Acadie, en particulier à Jemseg, sur la rivière Saint-Jean. Ainsi « le premier Bernard qui vint en Acadie fut *André Bernard*, maçon, natif de Beauvais-sur-Mer, en Poitou (il doit s'agir de Beauvoir-sur-Mer, en Vendée) qui s'engage en 1641 pour aller servir en l'habitation du sieur Charles de La Tour. En 1645, épargné par d'Aulnay lors de la reddition du fort de la rivière Saint-Jean en Acadie, il en signe l'attestation[12] ». Il est vraisemblablement le père de René Bernard qui s'est établi à Beaubassin, vers 1689.

Les Mius d'Entremont arrivèrent de France, en 1651, avec une expédition de Charles de Latour. Une branche de cette famille porte de nos jours le nom de Miousse.

Les Melanson (et Melançon) ont pour ancêtres Pierre Melanson[13], né en 1633 et son frère Charles, né en 1643,

---

12. Geneviève Massignon dans *Les Parlers français d'Acadie*, Vol. I, Librairie Klincksieck, Paris.
13. Il signait : P. Mellanson.

mentionnés aux recensements à partir de 1671. Tous deux auraient pu arriver en Acadie lors de l'expédition du major Sedgwick en 1654, ou encore sur l'un des vaisseaux de Sir Thomas Temple, en 1657. Ils ont abjuré le protestantisme avant leur mariage à Port-Royal. D'après un mémoire de Lamothe-Cadillac daté de 1692 et faisant mention de «deux Écossais» demeurant en Acadie, «dont la mère vivait à Boston», il semble que les deux frères Melanson seraient venus d'Angleterre en Acadie, par Boston, où ils auraient laissé leur mère.

L'ancêtre des Granger, Laurent Granger, originaire de Plymouth, Angleterre, arriva en Acadie en 1657, sur l'un des vaisseaux de Thomas Temple, probablement en même temps que les frères Melanson.

Roger Kuessey (Caissy et Quessy), un Irlandais qui aurait été fait prisonnier par les Anglais, se réfugia en Acadie vers 1665 et épousa une acadienne.

L'ancêtre des Forest, Michel de Forest, est arrivé en Acadie vers 1659, sous l'occupation anglaise, probablement sur l'un des navires de Thomas Temple, alors gouverneur de Boston. Plusieurs membres de la famille de Michel de Forest[14], originaire d'Avesnes, dans les Flandres françaises, possédaient des titres de noblesse pour avoir participé aux croisades. Cette famille était passée au protestantisme lors de la Réforme, comme d'ailleurs la plupart des habitants d'Avesnes, à l'époque.

Jean de Forest, marié vers 1575, à Anne Maillard, habitait Avesnes. Il eut un fils du nom de Jessé, marié en 1601, à Marie DuCloux, qui, en 1624, devint le chef d'un important groupe d'émigrés huguenots de Hollande et des Flandres françaises, qui allèrent s'établir sur la rivière Hudson, à proximité de l'endroit où sera fondée Nouvelle-Amsterdam

14. Les notes qui suivent, sur l'origine de cette famille, ont été extraites de *L'Histoire de la Famille Forest, de ses origines jusqu'à nos jours*, par le père Vincent-de-Lérins, cistercien de l'abbaye de Rougemont, au Québec. Avant d'entrer en communauté le père de Lérins était l'abbé Jean Forest, originaire de Bonaventure, qui pendant de nombreuses années fut un auxiliaire précieux aux évêchés de Rimouski et de Gaspé, au Québec.

(New York), en 1926, par Peter Minuet, un Hollandais d'origine française.

En 1924, un monument fut inauguré à Avesnes, en l'honneur de Jessé de Forest, par M. Raymond Poincaré, alors président de la République française. Ce monument porte l'inscription suivante: «À la mémoire de Jessé DeForest, sa famille et ses vaillants compagnons du pays Wallon qui, cherchant un nouveau monde où ils pourraient en paix affirmer leurs croyances et pratiquer librement la religion réformée, ont contribué puissamment à la fondation de New-York, où les enfants de Jessé: Isaac, Henri et Rachel s'établirent en 1624.»

Jessé De Forest était calviniste. Son fils Henri, né en 1606, mourut à Nouvelle-Amsterdam quelques mois après son mariage en 1637. Sa veuve épousa un Hollandais du nom de Hudde, qui retourna de Nouvelle-Amsterdam à Leyde, en Hollande, où Michel de Forest, fils posthume d'Henri de Forest, est né en 1638.

En 1654, Michel de Forest, alors âgé de 16 ans, traversa l'Atlantique, probablement en compagnie de son oncle, le Dr Jean de la Montagne, marié à sa tante Rachel et qui avait la garde des propriétés laissées à Nouvelle-Amsterdam (New York), par son père, lors de son décès. Vers 1659, Michel de Forest décida d'aller s'établir en Acadie, tombée aux mains des Anglais en 1654. Comme les Melanson, il se convertit au catholicisme et maria une acadienne. À Port-Royal, Michel de Forest avait obtenu une concession de terre, d'une étendue d'un mille de front par deux milles de profondeur, à un endroit situé à une dizaine de milles à l'est du port, connu de nos jours sous le nom de Tupperville.

Parmi les Français établis en Acadie signalons aussi Jacques Bourgeois, le chirurgien de d'Aulnay, arrivé à Port-Royal vers 1640, et Pierre Thibodeau, le meunier de la Prée Ronde, près de Port-Royal, qui accompagna les Le-Borgne (Bélisle) en Acadie, en 1654.

À partir de 1654, des pêcheurs français, jusque-là au service de Nicolas Denys, tel que Robert Cormier, se sont établis en Acadie. Après 1670, plusieurs soldats licenciés du régiment de Carignan s'installeront également en Acadie, tels les Léger dit Larosette, Les Lord dit Lamontagne. Puis, en 1671, sur le navire *L'Oranger*, parti de La Rochelle, arriveront en Acadie une cinquantaine de nouveaux colons, envoyés sur les instructions de Colbert. Nous verrons alors apparaître de nouveaux noms tels que: Amirault dit Tourangeau, Arsenault (Arceneaux), Barriault, Benoît, Brossard (Broussard), Doiron, Garaut, LePrince (Prince), Levron dit Nantais, etc.

De 1671 à 1686 s'établiront en Acadie les Bergeron dit d'Amboise, Chiasson dit Lavallée, D'Amours, Dubreuil, Gourdeau, Haché dit Gallant, Henry, Labatte dit Le Marquis, Lebauve, Lagacé, Lapierre dit Laroche, Lambert, Mercier, Mignault, Mirande, Pelletier, Pinet, Porlier, Rivet, etc., dont plusieurs étaient originaires du Canada.

De 1686 à 1698 viendront les Alain, Aubois, Babineau dit Deslauriers, Bugeaud (Bujol, Bujold), Buot, Calvé dit La Forge, Célestin dit Bellemère, Coste (Côte), Devault, Guidry dit Grivois, Mazerolle dit Saint-Louis, Michel, Petitot, Préjean dit LeBreton, Renaud, Roy dit Laliberté, Saulnier, Simon dit Boucher, Triel dit Laperrière, Vanier dit Langevin, etc.

De 1698 à 1714, soit au cours des dernières années du régime français, les nouveaux habitants de l'Acadie porteront les noms de Bonnevie dit Beaumont, Blondin, Bodard, Boucher, Boutin, Boisseau, Braseau (Brasseur), Carré, Cellier, Champagne (Orillon), Darois (DeRoy), Duon, Fontaine, Fougère (Fugère), Gauthier, Garceau, Gentil, Gousil (Goupil), Héon, Herpin dit Turpin, Lalande, Langlois, Lavergne, Mouton, Moyse dit Latreille, Naquin, Nuirat, Olivier, Orillon, Oudy (Audy), Poitevin dit Parisien, Poitiers, Prieur dit Dubois, Savary, Surette, Tillard, Toussaint, Véco, Vignault etc.

Après la cession de Terreneuve à l'Angleterre, en même temps que l'Acadie, par le traité d'Utrecht en 1713, plusieurs familles françaises habitant jusque là Plaisance, à Terreneuve, suivirent leur gouverneur, Pastour de Costebelle, à l'île Royale (Cap-Breton) où la France décida alors d'établir la place forte de Louisbourg.

Par la suite, et jusqu'à la chute définitive de Louisbourg en 1758, un grand nombre de Français viendront s'établir dans les îles Saint-Jean (Prince-Édouard) et Royale (Cap-Breton) restées possessions françaises.

À la suite de la prise de Louisbourg par les Anglais, en 1758, plusieurs de ces familles seront transportées en France grâce à l'initiative du gouverneur de l'île Saint-Jean. D'autres se réfugieront au Canada ou en Louisiane, d'autres encore seront faites prisonnières par les Anglais et subiront, en 1758, le même sort que les autres familles acadiennes en 1755.

Nous trouvons leurs descendants en grand nombre de nos jours au Canada et aux États-Unis, notamment dans la province de Québec, les provinces maritimes et en Louisiane.

Des familles, habitant aujourd'hui les provinces maritimes, parfois le Québec, et portant les noms de Cossette, Essiambre, Guité, Goguen, Héon, Hugon, Losier, Loubert, Malenfant, Ouellet, Paulin, Provençal, Querry (Kiery), Robineau, Saintonge, Vautour, etc., ont pour ancêtres, soit des soldats, pêcheurs ou marins venus isolément en Acadie, après le traité d'Utrecht, ou qui se trouvaient aux postes français de Beauséjour, Gaspareau, Miramichi ou Petite-Rochelle (Ristigouche), au moment de l'effondrement de la résistance française en Acadie, soit des prisonniers capturés par les Anglais sur les côtes de l'Atlantique ou en haute mer, soit encore des Canadiens-français du Québec, émigrés après la conquête dans l'Est du pays.

C'est ainsi que diverses sources d'émigration tardive ont créé plusieurs nouveaux noms de famille au sein du peuple acadien.

Ainsi les ancêtres des Guité et des Loubert auraient été capturés lors de la prise d'un vaisseau français par les Anglais. L'ancêtre des Héon s'est marié à Beaubassin en 1723. Vers la même époque l'ancêtre des Hugon s'établissait également à Beaubassin. Les Querry (Kiery) habitaient Beauséjour en 1754. L'ancêtre des Goguen, Joseph Gueguen, nom qui se traduit de nos jours par de nombreuses variations, tant au Canada qu'en Louisiane, était le petit-fils de Pierre Gueguen et d'Anne Lescornot, de la paroisse de Plougenver, évêché de Trégnier, près de Sainte-Mélaine de Morlaix, en Bretagne et le fils de Jacques Gueguen et d'Anne

Hamenez, du même endroit. Né le 2 mai 1741, Joseph Gueguen fut baptisé à Sainte-Mélaine. Il passa en Acadie en 1752 comme protégé de l'abbé Manach, qui se chargea de son éducation. Après avoir étudié les hautes mathématiques et la navigation, à Québec, nous le trouvons plus tard aux îles Saint-Pierre et Miquelon, où il épousa Anne Arsenault, fille de François et d'Anne Bourgeois, dont il eut quatre enfants. En 1768 il s'est établi à Cocagne, au Nouveau-Brunswick, où il se maria en deuxième noces, en cette même année, à Marie Caissy, fille de Joseph, dont il eut trois filles. Devenu veuf de nouveau, il se remaria, en 1808, à Anne Surette, veuve de Casimir Melanson, dont il eut deux fils et deux filles.

Enfin, pendant le séjour en France, particulièrement à Belle-Isle-en-Mer, des réfugiés acadiens, qui avaient auparavant passé sept années de captivité en Angleterre, plusieurs Acadiennes ont épousé des Français qui, plus tard, ont émigré en Louisiane où ils ont fait souche. Exemple: Jean Deline, né vers 1700 à Ambleville, Seine-et-Oise, France, marié à Michelle Petit, dont le fils, Pierre, né en 1721, épousa, à Saint-Servan de Saint-Malo, en 1764, Rosalie Bonnier, née en 1739, à Pisiguit, fille de Pierre Bonnier et de Madeleine Forest, qui étaient à l'île Saint-Jean, au recensement de 1752.

Des Acadiennes ont aussi épousé des Irlandais, soit en Angleterre même, soit en Irlande, notamment à Cork, pendant leur détention dans les Îles britanniques de 1755 à 1763, qui ont été transportées en France après le traité de paix de 1763 et dont les enfants se sont plus tard établis en Louisiane. Il y a eu, par exemple, Jean Tiernay, fils d'André et de Marguerite Ryan, de la paroisse Saint-Bernard, province de Limerick, Irlande, marié à Liverpool, Angleterre, vers 1762, à Madeleine-Pélagie Hébert fille de Jean et de Marguerite Trahan, de Pisiguit, dont les fils André, né à Morlaix, France en 1764 et Daniel, né au même endroit en 1765 se sont plus tard établis en Louisiane avec les Acadiens qui y ont émigré en si grand nombre vers 1785.

De même, des Acadiens qui ont pu se rendre en Irlande, lors de leur séjour en Angleterre, à la suite de la déportation de 1755, ont, en certains cas, épousé des Irlandaises.

Certains d'entre eux, ou leurs descendants, ont plus tard émigré au Canada ou aux États-Unis. Ainsi, lorsqu'un Johnson explique que ces ancêtres viennent de Cork, en Irlande, c'est sans doute exact. Mais comme c'est précisément à Cork, en Irlande, qu'un bon nombre d'Acadiens allèrent séjourner, pendant leur détention dans les Îles britanniques, de 1755 à 1763, et qu'un si grand nombre de Jeanson acadiens, originaires de Port-Royal, sont de nos jours connus sous le nom de Johnson, par exemple en Gaspésie, il est fort plausible que le Johnson de Cork, en Irlande, ait été un Jeanson acadien, déporté en Angleterre, lors de la dispersion.

Il en est de même des Martin acadiens qui ont séjourné à Cork. Certains d'entre eux proclament de nos jours qu'ils sont des Martin irlandais. Ils n'ont que partiellement raison.

Le même cas s'applique à de nombreux autres Acadiens qui, déportés en 1755 dans les colonies anglo-américaines du sud, notamment en Virginie, puis transportés en Angleterre où ils ont été détenus jusqu'au traité de Paris de 1763, ont séjourné en Irlande catholique, surtout à Cork, où ils ont épousé des Irlandaises de leur foi.

Pareillement, lorsqu'un planteur de canne à sucre de la Louisiane ou un pêcheur des côtes de l'Atlantique, portant tous deux des noms typiquement acadiens, nous informent que leurs ancêtres venaient de Bretagne, cela peut être historiquement vrai. Mais ce qui est sans doute plus rigoureusement exact, c'est qu'avant de se réfugier sur les côtes de Bretagne, notamment à Belle-Isle-en-Mer, leurs ancêtres, originaires d'Acadie, victimes de la déportation de 1755, avaient été détenus en captivité pendant sept ans en Angleterre.

La recherche des origines

C'est grâce aux copies des nombreux recensements tenus en Acadie, notamment ceux de 1671, 1678, 1686, 1714, et 1752, de même qu'aux copies des registres paroissiaux de diverses localités d'Acadie, conservés aux archives, qu'il nous a été possible de reconstituer la généalogie des familles acadiennes, depuis le début de la colonie jusqu'au lendemain de la dispersion des Acadiens.

Les registres paroissiaux de la plus ancienne paroisse d'Acadie, Saint-Jean-Baptiste de Port-Royal, sont conservés à Halifax. Ils couvrent les années 1702 à 1755. Ceux de la paroisse de Saint-Charles-des-Mines (Grand-Pré) ont suivi les déportés acadiens pour échouer un jour dans la cave du brave curé de Saint-Gabriel-d'Iberville, en Louisiane, où l'inondation de 1893 les a endommagés. Ce qui en reste, pour les années allant de 1707 à 1748, est conservé à l'archevêché de Baton Rouge.

Au début du siècle, on a heureusement retrouvé à La Rochelle, en France, la plus forte partie des registres de Beaubassin, couvrant la plupart des années de 1712 à 1748.

Les registres de trois autres paroisses d'Acadie, Cobequid (Truro), Pisiguit (Windsor) et Saint-Joseph-de-la-Rivière-aux-Canards, sont disparus. Ceux de Cobequid auraient été brûlés par les Anglais en 1755. Ceux de Pisiguit n'ont pu être retrouvés, alors que les registres de Rivière-aux-Canards furent apportés par les exilés acadiens en Virginie, en Angleterre, puis en France. Mgr Tanguay les aurait découverts par hasard, à Paris, en 1867. Mais, de nouveau disparus, ils restent introuvables. Enfin, l'archevêché de Québec possède quelques originaux de registres paroissiaux de Beaubassin, datant de la fin du 17ième siècle.

Fort heureusement, presque toute la population de Cobequid et une forte partie de celle de Pisiguit s'est réfugiée à l'île Saint-Jean (île du Prince-Édouard), vers 1750, alors que le comportement des Anglais à l'endroit des Acadiens déclencha une vague de panique en Acadie. C'est ainsi qu'au recensement de Laroque, datant de 1752, à l'île Saint-Jean, nous retrouvons la plupart des familles de Cobequid et de Pisiguit, ce qui compense, dans une grande mesure, la perte des registres de ces deux localités.

Quant à la reconstitution des noms des familles acadiennes habitant Saint-Joseph-de-la-Rivière-aux-Canards, à l'époque de la déportation des Acadiens, un événement providentiel nous en facilite la tâche.

En effet, vers la fin du siècle dernier, l'abbé H.-R. Casgrain, historien, put obtenir, des archives de Paris, la copie d'importants documents qui venaient d'y être découverts, touchant la généalogie des familles acadiennes (dont un grand nombre étaient précisément originaires de Saint-Joseph-de-la-Rivière-aux-Canards, dans la région de Grand-Pré), qui avaient été déportées en Virginie, puis envoyées en captivité en Angleterre et, enfin, transportées en France après le traité de paix de 1763.

Ces documents consistaient en des déclarations, faites sous serment par les Acadiens établis à Belle-Isle-en-Mer, au large des côtes de Bretagne, touchant leur filiation. C'est le moyen qu'avait décidé de prendre le gouvernement français, à défaut des registres paroissiaux, pour accorder un état civil officiel aux Acadiens alors réfugiés en France.

Chacune de ces déclarations assermentées constitue une source précieuse de renseignements facilitant la reconstitution des généalogies des familles acadiennes originaires des localités dont les registres paroissiaux sont introuvables.

Publiées par les soins de l'abbé Casgrain, dans la revue *Le Canada Français* (1889-1890), ces attestations sont du plus vif intérêt, en particulier pour les descendants d'Acadiens établis en Louisiane, puisque, dans un si grand nombre de cas, elles réfèrent à leurs propres ancêtres qui, de France, sont allés s'établir définitivement sur les rives du Mississipi, surtout à partir de 1785.

8. LES DIVERS ÉTABLISSEMENTS DE L'ANCIENNE ACADIE

À LA FIN de l'année 1671, Port-Royal et les régions avoisinantes comptaient une population de 373 habitants répartis en 68 familles. Ces familles composeront l'essentiel du peuple acadien. Parmi ces pionniers, plusieurs arrivaient déjà à leur troisième génération.

Grâce au recensement commencé à la fin de l'année 1670 et terminé au début de 1671, par le père Laurent Molin, religieux de l'Ordre des Cordeliers, sur les instructions du nouveau gouverneur, M. de Grandfontaine, il est possible de retracer les principaux postes alors établis en Acadie et les noms des familles acadiennes de l'époque.

Ce même recensement nous informe également que les colons de Port-Royal possédaient, en 1671, quelque 650 bêtes à cornes, 425 moutons, des chevaux, des porcs et 400 arpents de terre en culture, sans compter les prairies naturelles où s'alimentaient les animaux.

Au Cap-de-Sable, aussi connu sous le nom de seigneurie de Pobomcoup (Pubnico), appartenant à la famille d'Entremont, il y avait vingt-cinq personnes, dont les deux fils de Charles de Latour, Jacques et Charles, qui demeuraient avec Philippe Mius d'Entremont, le vieux lieutenant de leur père.

Sur les côtes de l'Est, dans la région de La Hèvre, il y avait une vingtaine de familles françaises et métisses, dont les noms ne paraissent pas au recensement.

À Pentagoët (Penobscot), une dizaine d'hommes étaient sous les ordres du baron Jean Vincent de Saint-Castin.

À Jemseg, l'ancienne forteresse de Charles de Latour, sur la rivière Saint-Jean, commandait Pierre Joybert de Soulanges. Il y avait quelques familles de colons et un certain nombre de soldats.

Vers 1672, Jacques Bourgeois[15], de Port-Royal, commença une exploitation agricole, connue d'abord sous le nom de colonie Bourgeois, à Chignectou, dans le fond de la baie Française (Fundy). En 1676, un gentilhomme canadien, né aux Trois-Rivières en 1640, Michel LeNeuf de la Vallière, obtiendra une importante concession seigneuriale dans cette même région et donnera à Chignectou le nom de Beaubassin. Marié à la fille unique de Nicolas Denys, Marie, le sieur de la Vallière épousera en secondes noces la fille de Simon Denys de Vitré, frère de Nicolas Denys.

Le développement de la région de Grand-Pré, dans le bassin des Mines, commencera avec Pierre Melanson et Pierre Terriot qui s'y établiront successivement vers 1680 et 1682. De cette région, les colons rayonneront ensuite jusqu'à Pisiguit (Windsor).

Puis, en 1689, la seigneurie de Cobequid (Truro) sera concédée à un simple agriculteur acadien, de Port-Royal, du nom de Mathieu Martin, «le premier Français né en Acadie». Une dizaine d'années plus tard, soit en 1698, les fiefs de Chipoudy (Hopewell-Hill) et de Petitcoudiac (Hillsborough) seront colonisés respectivement par Pierre Thibodeau et Guillaume Blanchard, tous deux de Port-Royal. Puis, des colons s'établiront par la suite à divers autres endroits sur la rivière Petitcoudiac, de même que sur la rivière Memramcook.

Vers 1714, quelques centaines d'Acadiens vivaient, en outre, dans plusieurs autres postes éloignés tels qu'à Ékoupag et Nashwaak, sur la rivière Saint-Jean, au Nouveau-Brunswick actuel; Passamaquoddy, Chibouctou (Halifax), Mistigouèche (Mahone-Bay), Canso, sur le détroit du même nom, Miramichi, Chébouctou (Guysborough), Nipisiguit (Bathurst), l'île Miscou et Percé en Gaspésie.

Ces régions éloignées étaient rarement l'objet de recensements. Par ailleurs, plusieurs Acadiens, pratiquant le commerce des fourrures avec les Indiens, s'éloignaient de Port-Royal, souvent avec leurs familles, pendant de longs

---

15. Il figure sous le nom de *Jacob Bourgeois* dans les recensements.

mois. D'autres chassaient pour leur propre compte à l'intérieur des bois. C'est ce qui explique, en partie, certaines omissions que nous avons constatées aux divers recensements lorsqu'ils sont comparés avec les registres paroissiaux ou les recensements subséquents.

Lorsque l'Acadie fut redevenue possession française, en vertu du traité de Bréda, en 1667, Colbert, ministre de Louis XIV, donna instruction d'y établir de nombreuses mais petites seigneuries, pouvant avoir en moyenne quelques lieues carrées: d'où le grand nombre et la dispersion des divers postes en Acadie, à l'époque.

Ainsi, Alexandre LeBorgne de Belle-Isle (Bélisle), héritier de son père Emmanuel, demeurera seigneur de Port-Royal et de la région de Grand-Pré, dans le bassin des Mines pendant plusieurs années. Au Cap-de-Sable, les Mius d'Entremont conserveront la seigneurie de Pobomcoup, concédée en 1653, par Charles de Latour, à son lieutenant Philippe Mius d'Entremont.

Parmi les autres seigneuries qui furent constituées à l'époque, mentionnons celles des frères D'Amours, sur la rivière Saint-Jean, au Nouveau-Brunswick actuel. Louis, René et Mathieu D'Amours étaient les fils de Mathieu D'Amours, né d'un *Conseiller du Roy,* de la paroisse de Saint-Paul, de Paris. Mathieu D'Amours, le père, était venu au Canada vers 1640, au service de la Compagnie des Cent-Associés. Il fit partie du Conseil Souverain de Québec. Père de seize enfants, ses descendants sont nombreux au Canada.

L'aîné de ses fils, Louis D'Amours, sieur Deschoffours, né en 1655, reçut une première concession seigneuriale sur la rivière Richibouctou, en 1684, puis un deuxième fief, celui de Jemseg, sur la rivière Saint-Jean, en 1690. Fait prisonnier par les Anglais en 1704, il mourait à Port-Royal en 1708.

René D'Amours, sieur de Clignancourt, frère de Louis, reçut à la même époque un important fief à Ékoupag, aussi appelé Méductic, sur la rivière Ékoupag.

Enfin, le troisième des frères D'Amours qui vint en Acadie, Mathieu D'Amours, sieur de Freneuse, né en 1657, obtint la concession seigneuriale de Nashwaak, près de Jemseg.

Il y avait encore sur la rivière Saint-Jean, au Nouveau-Brunswick actuel, la seigneurie de Maquapit, accordée en 1672 à Jeanne de Latour, fille métisse de Charles de Latour. Elle était mariée à Martin d'Apprendisteguy, sieur de Matignon.

La seigneurie de Miramichi fut concédée en 1686, au fils de Nicolas Denys, Richard Denys, sieur de Fronsac. Celle de Ristigouche, dans le comté actuel de Bonaventure, en Gaspésie, concédée également en 1686, à LeMoyne d'Iberville, fut transférée, peu de temps après, à Richard Denys, sieur de Fronsac.

Lamothe-Cadillac reçut la seigneurie des Monts-Déserts, dans le Maine actuel, en 1690. Enfin, la seigneurie de Passamaquoddy, sur la rivière Sainte-Croix, a été concédée à Chartier de Lotbinière, la même année.

La plupart de ces concessionnaires, qui s'attribuaient le titre ronflant de seigneur, tout en prenant un nouveau nom, comme marque de noblesse, étaient le plus souvent de simples *capitaines de sauvages,* qui entraînaient les Indiens à la défense des territoires qui leur étaient confiés.

Le plus célèbre de ces *capitaines de sauvages* fut le baron Jean Vincent de Saint-Castin, venu en Acadie avec le gouverneur Grandfontaine, en 1670. Après son mariage à la fille d'un grand chef Abénaquis, en 1680, Saint-Castin fonda, à Pentagoët, une sorte de principauté féodale à demi sauvage. Il devint bientôt le chef suprême de toute la tribu des Abénaquis, exerçant sur ses sujets une autorité dictatoriale.

L'appui précieux que les gouverneurs français d'Acadie obtenaient de ces multiples seigneuries, confiées à d'astucieux *capitaines de sauvages,* était indispensable à la colonie, en période de guerre contre les Anglais. Ce système ingénieux de la défense du territoire acadien et l'intégration des tribus indiennes dans les cadres d'une telle organisation compensaient l'infériorité numérique des colons acadiens devant la forte population des colonies anglaises de la Nouvelle-Angleterre, en particulier le Massachusetts, alors voisin de l'Acadie.

Lorsque la guerre éclatait, ces *capitaines de sauvages* appelaient sous les armes les Indiens soumis à leur autorité et les utilisaient, soit pour repousser les attaques ennemies, soit pour porter la terreur de terribles représailles jusqu'au cœur des établissements anglais.

Malheureusement, les expéditions des *capitaines de sauvages* et de leurs troupes en territoire ennemi ne relevaient pas toujours des impératifs de la défense territoriale. La paisible population des colons acadiens dut souvent en subir les contre-coups douloureux. En effet, que d'animosités et de haines ont été accumulées contre l'Acadie à cause de ces raids cruels frappant à l'improviste les colons anglais de la Nouvelle-Angleterre, du Massachusetts en particulier.

9. BEAUBASSIN, CHIPOUDY, PETITCOUDIAC, MEMRAMCOOK ET LE COUDE

JACQUES BOURGEOIS, un des habitants les plus prospères de Port-Royal [16], avait commencé, vers 1672, le développement d'une nouvelle colonie, sur l'un des prolongements de la baie Française (Fundy), connu de nos jours sous le nom de Cumberland Basin, à un endroit que les Indiens appelaient Chignectou.

Venu en Acadie sous d'Aulnay vers 1640, en qualité de chirurgien, Jacques Bourgeois s'occupait de cabotage sur la baie Française et de commerce avec les Indiens. En 1672, il était âgé de 53 ans.

L'établissement qu'il fonda à Chignectou porta d'abord le nom de colonie Bourgeois et était situé sur une élévation de terrain, longeant la rive sud de la petite rivière Missagouèche, soit entre la pointe Beauséjour et la ville actuelle d'Amherst.

Les premiers colons de Beaubassin

Sur son domaine, Jacques Bourgeois avait installé deux de ses fils, Charles et Germain, qui épouseront respectivement Anne et Madeleine Dugas, deux filles d'Abraham Dugas, de Port-Royal. Son troisième fils, Guillaume, bien que possédant des terres et des animaux dans cette colonie, continuera à demeurer à Port-Royal.

Jacques Bourgeois y installa aussi ses trois gendres: Pierre Cyr, Germain Girouard et Jean Boudrot; puis Jacques

---

16. Il possédait déjà 33 bêtes à cornes et un troupeau de moutons, en 1671.

Belou, marié à Marie Girouard (sœur de Germain) et Thomas Cormier, marié à Madeleine Girouard (sœur de Marie et de Germain). En peu d'années, Thomas Cormier deviendra le colon le plus prospère de la nouvelle colonie.

Sur le navire *L'Oranger,* parti de La Rochelle au printemps de 1671 et apportant à l'Acadie le premier contingent de colons français, depuis l'occupation anglaise de 1654, se trouvait un jeune homme de vingt-deux ans, du nom de Pierre Arsenaut. Dès son arrivé à Port-Royal, il entre, comme pilote, au service de Jacques Bourgeois qui, comme on l'a vu, s'occupait de cabotage sur les côtes de la baie Française.

Pierre Arsenaut devint ainsi l'un des principaux collaborateurs de Jacques Bourgeois dans l'établissement des colons à Chignectou. Marié en 1676, à Port-Royal, à Marguerite Dugas, fille d'Abraham, Pierre Arsenaut était donc beau-frère de Charles et de Germain Bourgeois, deux des fils de Jacques Bourgeois. Sa femme décéda après lui avoir donné deux fils: Pierre et Abraham. Pierre Arsenaut se remaria en 1688, à Marie Guérin, fille de François et d'Anne Blanchard, dont il eut plusieurs enfants.

Il seconda vigoureusement l'œuvre de colonisation entreprise par Jacques Bourgeois en recrutant la jeunesse de Port-Royal et en la dirigeant vers la nouvelle colonie Bourgeois, sur le navire dont il était pilote et capitaine.

À la même époque, les prêtres des Missions Étrangères, qui avaient remplacé les Récollets en Acadie, favorisaient aussi l'émigration de la jeunesse de Port-Royal vers cette nouvelle colonie. Les bonnes terres à culture se faisaient de plus en plus rares à Port-Royal, alors que Beaubassin, perdu dans le fond de la baie de Chignectou, offrait l'avantage additionnel d'être plus à l'abri que Port-Royal des incursions des Anglais.

De la Vallière à Beaubassin

Non loin de l'établissement de Jacques Bourgeois, un gentilhomme canadien, originaire des Trois-Rivières, Michel LeNeuf de la Vallière, avait établi un poste de commerce des fourrures à Chignectou. Il avait successivement été le gendre de Nicolas Denys et de Simon Denys. Au mois d'octobre 1676, de la Vallière obtint une concession seigneuriale, de grande étendue, à Chignectou, auquel il donna alors le nom de Beaubassin.

Les titres du seigneur de Beaubassin renfermaient cependant une réserve en faveur « des habitants de la province qui se trouvaient en possession de terres et héritages qu'ils cultivent, habitent et font valoir ou font cultiver ».

Pour exploiter sa seigneurie, de la Vallière fit venir, du Canada, des colons et des engagés. Parmi eux se trouvaient les Chiasson, Cottard, Labarre, Lagacé, Mercier, Mignault, Mirande, ainsi qu'un jeune homme exceptionnellement bien doué, du nom de Michel Haché dit Gallant, qui deviendra le premier lieutenant de la Vallière et épousera Anne Cormier, fille de Thomas Cormier, de Beaubassin.

Il exista donc deux établissements différents à Beaubassin, dès le début de la fondation de cette colonie. Le premier, organisé par Jacques Bourgeois qui, avec l'aide de ses fils et de son pilote, Pierre Arsenaut, recrutait ses colons à même le vieux fonds acadien de Port-Royal ; l'autre, dirigé par le seigneur de la Vallière dont les engagés, venus du Canada, arrivaient à Beaubassin par la baie Verte et l'isthme de Chignectou. Ces deux éléments ne tardèrent pas à se fondre en un seul groupement de population.

L'un des premiers soins de Jacques Bourgeois avait été de construire, sur son domaine, un moulin à farine et une scierie qu'il s'était procuré à Boston. Beaubassin importait alors une partie du ravitaillement nécessaire à sa population, du Canada ou encore des Anglais du Massachusetts. En temps de paix, les anglo-américains commerçaient volontiers sur les côtes de la baie Française. Rares étaient les navires arrivant de France en Acadie à cette époque.

Les premiers arbres fruitiers avaient été apportés de Port-Royal à Beaubassin, par un jeune réfugié irlandais, Roger Kuessey (Caissy et Quessey), habitant Port-Royal en 1671, où il avait épousé une acadienne, Marie-Françoise Poirier. Il alla par la suite s'établir à Beaubassin avec sa famille, précisément à l'endroit connu de nos jours sous le nom de Butte à Roger.

Vers 1686, Beaubassin fut constitué en paroisse. Un Sulpicien, le Père Claude Trouvé, venu de Québec, y construisit la première église.

Les habitants de Beaubassin jusqu'en 1714

Les premiers colons de Beaubassin avaient donc été, vers 1672, Jacques Bourgeois, ses fils, Charles et Germain, son pilote, Pierre Arsenault, puis Jacques Belou, Jean Boudrot, Thomas Cormier, Germain Girouard et Pierre Cyr (Sire).

De 1676 à 1678, arrivèrent les engagés du seigneur de la Vallière : Gabriel Chiasson, que le recensement de 1714 indique comme étant veuf et ayant huit enfants ; Jacques Cochu, Robert Cottard, Michel Haché dit Gallant, Jean Labarre, Lagacé, François Léger, Pierre Mercier, Jean Aubin-Mignault, Emmanuel Mirande, Perthuis, l'armurier de M. de la Vallière, etc.

Grâce à des copies de fragments de registres, dont les originaux sont conservés à l'archevêché de Québec, ainsi qu'à divers autres documents, il nous a été possible de signaler la présence à Beaubassin des autres colons, dont les noms suivent, qui durent arriver entre les années 1678 et 1686.

Vers 1678, Laurent Godin dit Chatillon, Jean Campagna[17], et François Pellerin ; vers 1681, Martin Aucoin, que l'on retrouve à la rivière aux Canards, à Grand-Pré, en 1686 ; vers 1682, Michel Poirier et Pierre Morin, dit Boucher ; vers 1684, Roger Caissy (Quessey).

De 1686 à 1714, parmi les jeunes colons de Port-Royal qui s'établissent à Beaubassin, mentionnons Michel Bourg (Bourque), Pierre Douaron (Doiron), François Doucet, Louis Doucet, Jean-Baptiste Forest, Augustin Gaudet et Antoine Gaudet, son frère, Abraham Gaudet et Claude Gaudet, deux frères, Pierre Hébert et Jacques Hébert, deux frères, Martin Richard et son fils Martin.

---

17. Jean Campagna a été l'objet d'un retentissant procès pour sorcellerie, relaté en 1685, et dont copie se trouve dans les registres judiciaires de la bibliothèque de l'Assemblée nationale du Québec.

D'autres colons, venus soit de la rivière Saint-Jean ou d'autres points de l'Acadie, du Canada ou de France, ou encore des soldats licenciés, s'établiront à Beaubassin, de 1686 à 1714. Ce sont : René Bernard, Michel Deveau, François Labauve, Philippe Lambert, François Lapierre dit Laroche, Jean-Baptiste Véco, etc.

Viendront ensuite les Buot, Dugas, Gravois, Granger, Héon, Landry, Lebrun, Poitiers, Terriot, Vigneault, etc.

L'intendant De Meulles à Beaubassin

Lors de son voyage d'inspection de 1685 en Acadie, l'intendant De Meulles, du Canada, débarqua à la baie Verte où M. de la Vallière l'attendait sur le rivage, avec des chevaux.

Après avoir traversé l'isthme de Chignectou, à travers les bois, De Meulles se rendit d'abord à Beaubassin. Il s'embarqua ensuite sur le *Saint-Antoine,* voilier appartenant à M. de la Vallière, pour se rendre à Grand-Pré, dans le bassin des Mines, ainsi qu'à Port-Royal, en longeant les côtes de la baie Française.

Voici la description que M. De Meulles fit de la colonie naissante de Beaubassin [18] :

« La baie de Beaubassin a un quart de lieue dans son entrée, deux lieues de profondeur et une de large. Il y a tout autour de Beaubassin une si grande quantité de prairies qu'on pourrait y nourrir cent mille bêtes à cornes. L'herbe qui y vient s'appelle « misette », très propre pour engraisser toutes sortes de bestiaux.

« Aux deux côtés desdites prairies, ce sont de douces côtes toutes couvertes de bois francs. On y a déjà fait plus de vingt-deux habitations, sur de petites éminences que les habitants y ont choisies pour avoir communication dans les prairies et dans les bois.

« Il n'y a aucun de ces habitants qui n'ait trois ou quatre corps de logis, assez raisonnables pour la campagne. La plupart ont déjà douze à quinze bêtes à cornes et même vingt,

---

18. *Mémoire de M. De Meulles sur l'Acadie*, aux Archives Nationales, Ottawa.

dix à douze cochons et autant de bêtes à laine. Ils ne se donnent pas la peine de les faire venir dans l'étable, hors de deux ou trois mois de l'année et lorsqu'ils en ont affaire pour les tuer, ce qui est cause qu'ils en perdent beaucoup par les chiens sauvages (loups), qui les mangent.

« Ils n'ont pas encore grande quantité de terres labourées, mais lorsqu'ils seront parvenus d'en avoir assez pour recueillir leurs provisions de blé, ils seront très heureux et se pourront passer des étrangers.

« La plupart des femmes font elles-mêmes des étamines (tissus de laine ou de lin), dont elle s'habillent et leurs maris aussi. Elles font presque toutes des bas pour leur famille et se passent d'en acheter. Ils ne se servent tous que de souliers sauvages qu'ils font eux-mêmes. Il vient tous les ans dans ce lieu une barque anglaise (sans doute de Boston) qui leur apporte le reste de leurs petites nécessités qu'ils achètent pour des pelleteries qu'ils ont eues des sauvages. Il s'y fait aussi de la toile de lin.

« Le portage d'une lieue, entre la baie Verte et Beaubassin, se peut facilement couper par un fossé, parce que toutes les terres y sont fort basses. En ce cas, l'on ferait une communication de la baie Française avec le fleuve Saint-Laurent, qui abrégerait le chemin de Québec pour aller au Port-Royal, de deux cents lieues au moins. Cette voie de communication donnerait lieu à plusieurs habitations qui se formeraient en peu de temps. Cela permettrait aux gens de Québec de faire tout le commerce que les Anglais font sur ces côtes et qui est assez considérable, puisque tous les étés il y vient au moins trois ou quatre barques de Boston qui vendent, à tels prix qu'elles veulent, toutes leurs denrées aux habitants de l'Acadie... »

« M. de la Vallière en est le seigneur, lequel depuis six ou sept ans qu'il y est établi a attiré par sa considération beaucoup d'habitants. Il y a fait bâtir un moulin à ses dépens... »

Avant son départ pour Québec et la France, l'intendant De Meulles ordonna la tenue d'un deuxième recensement en Acadie, qui fut dressé au cours de l'année 1686.

Quant au sieur de la Vallière, notons qu'en 1683, il avait été, sur la recommandation du gouverneur Frontenac, nommé gouverneur de l'Acadie. Mais il ne demeura qu'un an à Port-Royal dans l'exercice de ses fonctions. Son séjour à Beaubassin même ne dépassa pas une quinzaine d'années. Dès 1687, il « n'y tenait ni feu ni lieu ». Il était retourné au Canada, après avoir cédé son domaine à son neveu, Sébastien de Villieu.

Visite pastorale de Mgr de Saint-Vallier

Au cours de l'année 1686, Mgr de Saint-Vallier visita toute l'Acadie pour y administrer le sacrement de confirmation et s'enquérir sur place de la situation des Acadiens au point de vue religieux.

Il partit de Québec le 2 avril 1686. Il visita la pointe Lévis, le cap Saint-Ignace, les Trois-Saumons, la Bouteillerie (Kamouraska) et Rivière-du-Loup. De là, il repartit à travers les bois en direction de la rivière Saint-Jean, au Nouveau-Brunswick actuel. Le 18 mai, il arrivait à Méductic (ou Ékoupag), sur la seigneurie de René D'Amours. Il visita ensuite Port-Royal, Grand-Pré et Beaubassin d'où il alla à Miramichi pour s'embarquer à bord d'un voilier qui le transporta à Percé, en Gaspésie, où il arriva le 26 août. De Percé, il contourna la péninsule de Gaspé et remonta le fleuve jusqu'à Québec. La tournée pastorale de Mgr de Saint-Vallier en Acadie avait duré cinq mois. Il avait parcouru plus de dix-sept cent milles dans des conditions souvent pénibles.

Mgr de Saint-Vallier adressa une lettre spéciale à la population de la jeune colonie de Beaubassin, à la suite de sa visite. Nous en extrayons le passage suivant:

« Dans le peu de séjour que nous avons fait dans votre habitation, nous avons remarqué avec bien de l'édification le zèle que vous faites paraître pour la religion, par le soin que vous avez eu de nourrir votre missionnaire et celui que vous avez pris d'élever une petite chapelle... Il y a lieu d'espérer, qu'avec le secours d'un seigneur aussi pieux et aussi religieux que le vôtre, vous pourrez dans peu de temps bâtir une église où l'on puisse faire les fonctions curiales. »

À Percé, Mgr de Saint-Vallier n'eut pas que des consolations. Le lettre circulaire qu'il adressa « aux habitants de l'île de Percé », au lendemain de son séjour à cet endroit, portait sur les abus qu'il y avait constatés: l'«inobservance du dimanche, le vol des filets ou les autres choses qui peuvent empêcher la pêche...» Il signalait «la facilité qu'on a eue de donner depuis bien des années de la boisson aux sauvages et sauvagesses». Il déplora aussi d'y trouver «si peu de paix, d'union et de charité dans un lieu où il serait si aisé de l'établir».

À chaque endroit qu'il visita, au cours de son long et périlleux voyage en Acadie, Mgr de Saint-Vallier se fit l'apôtre de la tempérance. Il dénonça énergiquement la traite de l'eau-de-vie, le fléau du temps, qu'exerçaient certains commerçants de fourrures avec les Indiens.

Dès les premières années de sa fondation, Beaubassin devint le point de jonction entre le Canada et l'Acadie. On arrivait par eau du golfe du Saint-Laurent. Après le débarquement à la baie Verte, on traversait, à dos de cheval ou autrement, la distance peu considérable séparant la baie Verte de la baie de Beaubassin, à travers l'isthme de Chignectou.

Chipoudy, Petitcoudiac, Memramcook et Le Coude

En jetant un coup d'œil sur la carte de la partie sud-est du territoire actuel du Nouveau-Brunswick, on constate que la baie de Chignectou forme deux bassins: l'un portant le nom de Cumberland Basin (l'ancien Beaubassin) et l'autre de Shepody Bay (baie de Chipoudy). C'est dans cette baie de Chipoudy que se déversent les trois rivières Chipoudy, Petitcoudiac et Memramcook.

Or, vers 1698, deux petites colonies acadiennes prirent naissance sur la rivière Petitcoudiac. Chipoudy (Hopewell-Hill) était fondé par Pierre Thibodeau et Petitcoudiac (Hillsborough), par Guillaume Blanchard. Plus tard, les pionniers de ces deux nouveaux établissements rayonneront jusqu'en amont du site actuel de la ville de Moncton, au Nouveau-Brunswick.

Pierre Thibodeau, meunier de la Prée Ronde, située à quelque six milles de l'embouchure de la rivière Port-Royal, était venu en Acadie, on se souvient, avec Emmanuel Le-Borgne. Il érigea à Chipoudy une église, sur un site connu de nos jours sous le nom de *Church Creek* et un moulin à farine qui était situé à l'endroit où se trouve aujourd'hui *Mill Creek*.

Il installa à Chipoudy ses fils, Pierre, Jean, Antoine, Michel et Charles et y amena plusieurs de ses concitoyens de Port-Royal, dont Jean-François Brossard, André Martin, Jacques Martin, Jean Pitre, François Pitre, Germain Savoie, Julien Lord et six engagés dont un nommé Lanoue. Mais tous ces pionniers ne s'établirent pas définitivement à Chipoudy.

À la même époque, Guillaume Blanchard, de Port-Royal, s'établit un peu plus loin, sur la rivière Petitcoudiac, où il fonda un établissement, portant le nom de Petitcoudiac, situé approximativement où se trouve Hillsborough de nos jours. Il avait été l'un des premiers compagnons de Pierre Thibodeau à Chipoudy.

Guillaume Blanchard était accompagné de trois de ses fils, René, Antoine et Jean; de son gendre, Olivier Daigre (Daigle); d'Antoine Gaudet, de Germain Gaudet et de Guillaume Gaudet, trois fils de Pierre Gaudet, de Port-Royal, beau-frère de Guillaume Blanchard.

Pierre Thibodeau et Guillaume Blanchard ne réussirent pas à garder avec eux tous les pionniers de Chipoudy et de Petitcoudiac dont ils s'étaient entourés au début de la colonisation de ces deux localités. Les uns, en compagnie d'autres recrues venues de Port-Royal, se dirigeront sur la rivière Memramcook, où un important établissement acadien fut fondé vers 1700. Les autres essaimeront sur les rives de la rivière Petitcoudiac et fonderont, au cours des années, divers postes connus sous les noms de Le Cran (Stony-Creek), Silvabro, du nom de Sylvain Brault, (aujourd'hui Dieppe), Le Coude, portant aussi les noms de Terre-Rouge et de La Chapelle, (sur le site actuel de la ville de Moncton), le village des Beausoleil (Boudary Creek), le village des Babineau, à l'embouchure de la rivière Coverdale, dans la région actuelle de Salisbury, et autres établissements de moindre importance.

Vers ces territoires neufs se dirigeront les fils et les petits-fils des pionniers de cette région, entre autres les Amirault, Bertrand, Blanchard, Bourg (Bourque), Brossard, Comeau, Daigle, Doucet, Dubois, Garçeau, Hébert, Landry, Lapierre dit Laroche, LeBlanc, Léger, Levron, Lord, Martin, Mirand, Pitre, Préjean, Rousse, Saulnier, Savoie, Thibodeau et Trahan.

Les Brossard dit Beausoleil

Jean-François Brossard, de Port-Royal, qui avait suivi Pierre Thibodeau à Chipoudy en 1698, ne s'y était pas établi. Quelques années plus tard, il était revenu à Port-Royal, où il est décédé en 1716. Marié à Catherine Richard, il avait eu une nombreuse famille, dont six garçons.

Or, vers 1724, deux de ses fils, Joseph, né en 1702, et Alexandre, né vers 1703, mariés respectivement aux deux sœurs, Agnès et Marguerite Thibodeau, filles de Michel Thibodeau, de Port Royal, et petites filles de Pierre Thibodeau, s'établiront à Chipoudy. Joseph et Alexandre Brossard portaient tous deux le surnom de Beausoleil, du fait qu'ils étaient nés au petit village Beausoleil, situé à une douzaine de milles en amont de la rivière Port-Royal.

Vers 1740, Alexandre Brossard dit Beausoleil alla s'installer à Petitcoudiac, colonie fondée par Guillaume Blanchard, alors que son frère, Joseph Brossard dit Beausoleil, se dirigea encore plus au nord, sur la rivière Petitcoudiac, et s'établira à un endroit alors appelé Le Cran, connu de nos jours sous le nom de Stoney Creek. Plus tard, les Brossard fonderont le village portant alors leur nom, qui est devenu aujourd'hui Boundary Creek, sur la rive nord de la rivière Petitcoudiac, à une dizaine de milles de la ville actuelle de Moncton. Nous retrouverons plus tard Joseph Brossard dit Beausoleil, devenu une figure légendaire tant chez les Acadiens des provinces maritimes que chez ceux de la Louisiane.

Aux origines de la ville de Moncton

L'importante rivière Petitcoudiac, en passant devant Moncton, oblique brusquement vers le sud, pour se diriger vers les baies de Shepody et de Chignecto, avant d'atteindre la baie de Fundy. Ce changement subit du cours de la Petitcoudiac, à la hauteur de Moncton, prend la forme du coude d'un bras à demi plié. D'où le nom primitif de Le Coude, que les premiers Acadiens ont donné à l'endroit où se trouve aujourd'hui Moncton.

Moncton sera aussi connu sous le nom de Terre-Rouge. Mais, à l'époque de la dispersion des Acadiens, c'est surtout le terme *La Chapelle* qui sera plus fréquemment employé pour désigner cette localité.

En effet, une chapelle avait été construite en cet endroit pour desservir les Acadiens établis dans cette région de la rivière Petitcoudiac. Lors d'une conférence qu'il prononçait au congrès acadien de 1927, le généalogiste Placide Gaudet affirmait qu'en 1755 « il y avait une chapelle au Coude (Moncton) dont on reconnaissait encore les traces de l'emplacement en 1884. Je l'ai constaté moi-même, dit-il, en compagnie de plusieurs des principaux de la ville, un certain dimanche après-midi, à l'automne de 1884. Sept ou huit ans auparavant, des vieillards fort intelligents et possédant bien la tradition recueillie de la bouche de leurs pères et grand-pères, m'avaient raconté qu'à la Terre-Rouge, devant l'ancien quai des Harris, il y avait eu une chapelle. Or, un dimanche après-midi, me trouvant à l'hôtellerie de feu Onésime S. Léger (maintenant Parkview Motel), à quelques centaines de pas du quai des Harris, je fis part à ceux qui étaient avec moi de la tradition... Nous décidâmes d'aller visiter ce lieu et, à notre grande surprise, nous découvrîmes environ une dizaine de pierres posées en forme de rectangle. C'était à n'en plus douter l'emplacement de la chapelle de la Terre Rouge. L'ancien quai des Harris est situé à une courte distance à l'ouest de Hall's Creek et sur le bord de la rivière Petitcoudiac [19]. »

Le journal *Transcript* de Moncton, en date du 11 décembre 1889, signalait que « les ruines d'une ancienne chapelle avaient été trouvées près d'une vieille raffinerie et que, dès 1839, un certain James Beaty senior avait trouvé les restes de seize cercueils, en creusant les fondations de sa

---

19. Cité par Adrien Arsenault, dans un article publié sur les *Origines acadiennes de Moncton*, en 1961, dans le premier cahier de la *Société historique acadienne*.

maison, près du Bore Park». Ce vieux cimetière acadien se trouvait ainsi sur l'emplacement actuel du Parkview Motel.

Comme nous l'avons vu, les établissements acadiens sur la rivière Petitcoudiac s'étendaient non seulement jusqu'à la ville actuelle de Moncton, mais bien au-delà, en amont de la rivière.

10. GRAND-PRÉ, RIVIÈRE-AUX-CANARDS, PISIGUIT ET COBEQUID

À UNE SOIXANTAINE de milles de Port-Royal, sur la baie Française (Fundy), se trouvait le bassin des Mines (Minas Basin). Ce nom lui venait de ce que ses premiers habitants découvrirent, dans cette région, des dépôts d'un métal brillant, qu'ils confondirent avec du cuivre.

La paroisse de Saint-Charles-des-Mines, universellement connue sous le nom de Grand-Pré, était située sur le bassin des Mines.

Plusieurs rivières se déversaient dans ce bassin, dont la rivière aux Canards, sur les bords de laquelle une paroisse fut fondée sous le vocable de Saint-Joseph-de-la-Rivière-aux-Canards. Il y avait aussi les rivières Gasparaux, des Vieux Habitants, Saint-Antoine et Sainte Croix, aux embouchures desquelles des colons s'étaient établis.

Plus loin, sur le bassin des Mines, la fondation des établissements de Grand-Pré et de la rivière aux Canards avait donné naissance à deux autres postes importants: Pisiguit et Cobequid.

Grand-Pré et Rivière-aux-Canards

C'est vers 1680 que Pierre Melanson vendit ses propriétés de Port-Royal, pour aller s'établir avec sa famille à la *Grande Prée*. Marié à Marie Mius d'Entremont, fille du seigneur Philippe Mius d'Entremont, au recensement de 1686, il avait quatre fils et cinq filles. Un engagé du nom de Noël Labauve l'accompagnait. Il possédait, en 1686, 31 bêtes à cornes et un arsenal de douze fusils.

En 1694, Pierre Melanson fut nommé major des troupes de milice. Pendant plusieurs années, il occupa les fonctions de représentant du seigneur Alexandre LeBorgne de Belle-Isle, auprès des habitants de la région du bassin des Mines.

Travailleur, économe, mais d'un caractère ombrageux, il avait refusé de répondre aux questions du père Laurent Molin, chargé d'effectuer le recensement de 1671. En peu de temps, Pierre Melanson parvint à se créer un domaine considérable. D'origine écossaise, il avait, comme on l'a déjà vu, abjuré le protestantisme avant son mariage. Il ne semble pas qu'au début, ses concitoyens de Port-Royal se soient intéressés à son projet de colonisation ou l'aient suivi dans son nouvel établissement.

En 1682, Pierre Terriot, de Port-Royal, alors âgé de vingt-six ans, fils de Jean et de Perrine Bourg, fonda sur la rivière Saint-Antoine, dans la région du bassin des Mines, un établissement agricole complètement indépendant de celui de Pierre Melanson. Il était marié à Cécile Landry, fille de René et de Marie Bernard, mais n'eut pas de descendants.

Jeune, industrieux, plein d'ambition, d'un caractère jovial, Pierre Terriot fut immédiatement suivi dans son entreprise par Claude Landry et Antoine Landry, ses beaux-frères; René LeBlanc, fils de Daniel; Étienne Hébert, fils de la veuve Étienne Hébert; Claude Boudrot, fils de Michel et l'un de ses neveux, Jean Terriot, qui n'avait que seize ans au recensement de 1686. La plupart des compagnons de Pierre Terriot, de jeunes hommes de vingt à vingt-cinq ans, étaient mariés et déterminés à se créer un avenir.

Un mémoire de 1694[20] signale que: «Ledit Pierre Terriau est le plus considérable des Mines (Grand-Pré), dont il est comme le fondateur, ayant avancé presque tous ceux qui sont venus s'y installer. Sa maison étant l'asile de tous: veuves, orphelins et gens nécessiteux, on ne doit pas être surpris si son neveu (Jean Terriot) reste chez lui[21] puisque trois ou quatre de ses autres neveux en ont fait de même, en attendant que leur habitation fut logeable...»

---

20. Lettre de Mathieu Desgoutins, greffier à Port-Royal.
21. La rumeur voulait que le neveu Jean Terriot accordât trop d'attentions à la femme de Pierre Terriot.

84

Le 2 octobre 1702, le même greffier de Port-Royal rédigeait à l'intention du gouverneur un autre rapport dans les termes suivants:

« Le sieur de la Vallière [seigneur de Beaubassin] a importuné les habitants qui ont commencé à s'établir aux Mines [Grand-Pré], où il prétendait avoir ses bornes, ce qui retarda de trois années l'établissement. M. l'intendant De Meulles, passant en ce pays [en 1685] et faisant droit aux remontrances du sieur LeBorgne, débouta le sieur de la Vallière de ses indues prétentions et les nommés Pierre Terriau, Claude et Antoine Landry et René LeBlanc continuèrent leurs établissements. Le premier étant à l'aise et surtout ayant beaucoup de blé, qu'il avait amassé à Port-Royal, le distribuait aux autres qui lui ont remis sans intérêts. Le sieur LeBorgne [Alexandre LeBorgne de Belle-Isle] qui en était le seigneur, n'y a contribué en rien et ce sont ces gens-là qui ont mis les Mines [Grand-Pré] en état qu'il est. »

Pierre Terriot fut donc l'âme dirigeante de l'établissement agricole de Grand-Pré, qui compta bientôt deux paroisses: Saint-Charles-des-Mines et Saint-Joseph-de-la-Rivière-aux-Canards.

Les premiers colons de Grand-Pré

Les premiers habitants de Grand-Pré furent donc: vers 1680, Pierre Melanson et sa famille; en 1682, Pierre Terriot, Claude Landry, Antoine Landry, René LeBlanc, Étienne Hébert, Claude Boudrot et Jean Terriot.

De 1690 à 1710 s'établirent dans la région de Grand-Pré le notaire Alain Bujeaut, dont les descendants portent les noms de Bugeaud, Bujol, Bujold, etc.; le chirurgien Jean Mouton, dont l'un des descendants fut gouverneur de la Louisiane en 1843, après avoir été sénateur à Washington; et le forgeron André Célestin dit Bellemère.

Le notaire Alain Bujeaut qui épousa, vers 1696, Isabelle Melanson, fille de Pierre et de Marie Mius d'Entremont, s'est établi près de son beau-père. Décédé en 1709, sa veuve se remaria à René LeBlanc, notaire royal.

Feront ensuite partie de la paroisse de Saint-Charles-des-Mines, à Grand-Pré: les Alain, Babin, Bélisle, Bertrand,

Blanchard, Boisseau dit Blondin, Boucher, Boudrot, Bourg et Bourque, Brasseaux, Cellier, Clouâtre, Daigle, David, Doucet, Dugas, Dupuis, Élie, Gautreau, Granger, Hébert, Landry, Lapierre, LeBlanc, Mongeau dit Saint-Germain, Marchand, Mazerolle, Meunier, Part, Pichet, Pinet, Pitre, Prieur, Renaud, Richard, Robichaud, Savage, Sire, Suret, Tebault et Thibault, Têtard dit Paris, etc.

S'établiront dans les limites de la paroisse de Saint-Joseph-de-la-Rivière-aux-Canards : les Aucoin, Benoît, Bourg, Brault, Comeau, Daigle, Darois et Deroy, Duon, Dupuis, Granger, Hébert, Landry, LeBlanc, Richard, Saulnier, Thériault, Thibodeau, etc.

Le sol de Grand-Pré et des régions sises sur le bassin des Mines était d'une fertilité remarquable. C'est pourquoi la jeunesse de Port-Royal ne tarda pas à s'y diriger en grand nombre. L'attirance des lieux était telle que, d'après un rapport de 1690, « plus de quarante jeunes gens sont allés à Beaubassin et aux Mines (Grand-Pré), ce qui causait du chagrin aux pères et aux mères de se voir abandonnés de leurs enfants ».

Jours heureux à Grand-Pré

Toute la région du bassin des Mines où était situé Grand-Pré, avait appartenu en propre à d'Aulnay. Lors de l'établissement des premiers colons dans ce vaste territoire, où allaient naître les deux paroisses de Saint-Charles-des-Mines et de Saint-Joseph-de-la-Rivière-aux-Canards, Alexandre LeBorgne de Belle-Isle (Bélisle) était le seigneur des lieux. Il concédait volontiers des terres aux colons moyennant le paiement d'une rente minime.

Autour des baies où s'établissaient les jeunes colons acadiens, se trouvaient de grandes étendues de terres basses, souvent noyées par les eaux de la baie de Fundy. Au moyen de troncs d'arbres et de terre glaise, ces pionniers construisaient des barrages, à mer basse, qu'ils appelaient *aboiteaux*. Ces terrains conquis de la mer, pied par pied, devenaient bientôt d'immenses champs, d'une grande fécondité, où croissaient facilement le blé, le chanvre et le foin.

86

Les habitations rustiques des colons étaient construites sur les coteaux, à proximité de la mer, mais non loin de la forêt. Les parents d'une même famille se groupaient afin de faciliter l'exécution de leurs travaux. Les fils d'une même famille, même mariés, demeuraient souvent sous le même toit que leur père ou se groupaient, sous l'autorité de ce dernier, dans le voisinage de la maison paternelle.

C'est ainsi que se sont profondément enracinées ces grandes vertus d'hospitalité, de déférence respectueuse pour les parents et de religieuse vénération pour les ancêtres, vertus qui existent encore de nos jours chez la plupart des descendants d'Acadiens.

Le célèbre auteur américain, Henry Longfellow[22], dans son poème *Évangéline,* a décrit de façon simple et touchante la vie des pionniers acadiens de Grand-Pré:

«C'est là, au milieu de ces fermes, que reposait le village.

«Ses maisons étaient joliment construites en chapente de chêne comme celles que les paysans de la Normandie bâtissaient sous le règne du roi Henri. Des lucarnes s'ouvraient dans leurs toits de chaume et le pignon, formant auvent, ombrageait et protégeait la porte.

«Sous le porche, dans les calmes soirées d'été, aux heures où le soleil couchant éclairait les rues du village et dorait le faîte des cheminées, les mères et les jeunes filles, coiffées de leurs bonnets blancs comme neige, ornées de leurs jupons rouges, bleus et verts, se tenaient assises, ayant à leur côté la quenouille chargée de lin, qu'elles filaient pour les métiers, et de l'intérieur, des navettes venaient mêler leur bruit au bourdonnement des roues et aux chansons des jeunes filles.

«Quand le curé de la paroisse descendait solennellement la rue, les enfants suspendaient leurs jeux pour baiser la main qu'il étendait pour les bénir. Il marchait gravement au milieu d'eux. Les mères et les jeunes filles se levaient à son approche, le saluaient d'un affectueux accueil.

---

22. Né à Portland, Maine, en 1807, il mourut à Cambridge, près de Boston, en 1882. C'est en 1847 qu'il publia son immortel poème *Évangéline.*

« C'est alors que les laboureurs revenaient des champs. Le soleil qui se couchait à l'horizon faisait place au crépuscule. Bientôt, l'Angélus sonnait à l'église. On voyait s'élever au-dessus des toits du village, des colonnes d'une fumée bleuâtre, semblable à des nuages d'encens qui sortaient d'une centaine de foyers, séjours de joie et de bonheur. C'est ainsi que vivaient les simples Acadiens, réunis dans l'amour de Dieu et des hommes.

« Ils étaient également étrangers à la peur qui règne sous les tyrans et à l'envie, vice des républiques. Point de serrures à leurs portes, point de barreaux à leurs fenêtres. Leurs demeures étaient ouvertes comme le jour et comme le cœur de leurs maîtres. »

Pisiguit

L'accroissement de la population, dans la région de Grand-Pré, avait été particulièrement rapide. Alors qu'il n'y avait que onze familles, comprenant, en 1686, cinquante-sept personnes, ce territoire comptait, en 1714, soit vingt-huit ans plus tard, plus de cent cinquante familles et près de mille habitants.

Dès 1701, soit une vingtaine d'années après sa fondation, Grand-Pré égalait déjà Port-Royal, en nombre de bestiaux et en terres en culture. Les fermes les plus considérables se trouvaient aux embouchures des rivières Saint-Antoine et aux Canards, colonisées dès les premières heures par Pierre Terriot et ses compagnons.

Lorsque les embouchures de la plupart des rivières se jetant dans le bassin des Mines furent toutes occupées, les nouveaux colons venus de Port-Royal, ou les fils des pionniers, durent se disperser plus loin, jusqu'à une quinzaine de milles de Saint-Charles-des-Mines, sur la rivière Pisiguit. C'est ainsi que naîtra Pisiguit (Windsor), où deux paroisses seront fondées: L'Assomption (Windsor) et Sainte-Famille (Falmouth).

Parmi les habitants de Pisiguit il y avait: les Arcement, Babin, Barriault, Benoît, Bodard, Boudreau, Boutin, Brault, Brossard, Chauvet, Corporon, Cyr, Daigle, Denis, Doiron, Forest, Gaudet, Gautreau, Giroir, Hébert, Landry, LeBlanc,

Lejeune, Lemire, Martin, Massier, Michel, Olivier, Prince, Rivet, Roy, Thibodeau, Tillar, Toussaint, Trahan, Vincent.

Cobequid

Le bassin des Mines s'avançait bien avant dans les terres, en formant une baie, celle de Cobequid. C'est dans cette région que Mathieu Martin, fils de Pierre[23] et de Catherine Vigneau, de Port-Royal avait obtenu un fief seigneurial, sur la rivière Wecobequitk, en 1689.

Ses titres de propriété mentionnent que cette concession lui est accordée, «*parce qu'il était le premier né en Acadie, parmi les Français du pays*».

Mathieu Martin connaissait bien la région de Cobequid, (Truro) pour l'avoir parcourue à titre de vérificateur des achats de fourrures effectuées par des négociants français en Acadie. Modeste colon, trafiquant de fourrures lui-même, Mathieu Martin devint, du jour au lendemain, gentilhomme et propriétaire d'une seigneurie s'étendant sur douze milles de front.

L'acte de concession de ce vaste domaine à Mathieu Martin se termine dans les termes pompeux suivants: «...et nous avons audit Sieur Mathieu de Saint-Martin, concédé ledit lieu de Saint-Mathieu, sur la rivière Wecobequit, à titre de fief, seigneurie et justice...»

Les trois premières familles qui ont suivi Mathieu Martin à Cobequid, sont celles de Martin Bourg, de Jérôme Guérin et de Martin Blanchard, tous de Port-Royal. Quand à Mathieu Martin, il demeura célibataire.

En 1707, dix-sept familles de colons acadiens, formant un total de quatre-vingt-une personnes, étaient établies à Cobequid, dont Robert Henry, Jean Benoît et Vincent Longuespée. Sept années plus tard, soit en 1714, nous y trouvons vingt-trois familles, comprenant cent soixante-quinze personnes, ayant pour noms: Aucoin, Blanchard, Bourg et Bourque, Carret, Diotte (Guillot), Doiron, Dugas, Gautreau,

---

23. Pierre Martin apporta les premiers arbres fruitiers de France à Port-Royal, en 1636.

Guidry et Guidry, Guérin, Guillot (Diotte), Hébert, Henry, Herpin dit Turpin, Lacombe, Longuespée, Robichaud, Terriot, Turpin, etc.

11. MODE DE VIE DES ANCIENS ACADIENS

LES DESCENDANTS des pionniers, formant déjà la troisième ou la quatrième génération en terre acadienne, étaient devenus des Acadiens. Ayant acquis de nouvelles coutumes et « unis par la tradition et les usages que la force des choses leur avait imposés en commun », ils formaient déjà un peuple nouveau.

La fécondité des berceaux était la grande richesse de ces paroisses naissantes. Elles n'étaient pas rares les familles acadiennes comptant dix, quinze et même vingt enfants. Les octogénaires étaient nombreux qui pouvaient compter sur une centaine de descendants: enfants, petits-enfants et arrière-petits-enfants.

« Plus je considère ce peuple, écrit en 1708 Subercase, le dernier des gouverneurs français d'Acadie, plus je pense que ce sont les gens les plus heureux du monde. » En l'absence des missionnaires, une « messe blanche » se célébrait tous les dimanches. Cette pieuse coutume, consacrée dans les colonies neuves, a persisté chez les Acadiens, même après leur dispersion, lorsqu'un prêtre ne pouvait les atteindre.

Tout le monde s'assemblait, soit dans une modeste chapelle, soit dans le lieu ordinairement affecté à la tenue des offices religieux. L'un des plus âgés du groupe, ordinairement un vieillard aux cheveux blancs, récitait les prières de la messe et entonnait les chants liturgiques auxquels répondait le chœur des assistants.

Les mémoires et les récits de voyages de l'époque nous permettent, à des siècles de distance, de retracer les étapes

91

de la création de la nation acadienne, du mode de vie des Acadiens. Nous pouvons évoquer leurs travaux et leurs coutumes, tout comme s'ils vivaient parmi nous.

En octobre 1685, comme on le sait déjà, l'intendant De Meulles, du Canada, visitait l'Acadie. Il en repartait au mois de mai 1686. En cette même année 1686, Mgr de Saint-Vallier y faisait une longue tournée pastorale. Tous deux ont laissé de touchantes relations de leur voyage en terre acadienne.

À la même époque, le gouverneur François Perrot ainsi que Lamothe-Cadillac[24] vécurent au milieu des anciens Acadiens. Diéreville[25] a passé les années 1699 et 1700 en Acadie. Ces personnes ont vu les Acadiens à l'œuvre, les ont observés de près, ont causé avec eux et ont fréquenté leurs modestes demeures. Plusieurs autres mémorialistes en ont fait autant. Ces narrations ne manquent jamais d'impressionner vivement ceux qui lisent ou relisent ces descriptions attachantes de la vie des pionniers acadiens.

Les Acadiens chez eux

D'après Rameau de Saint-Père[26], « Port-Royal consistait alors en un fort grossier, formé de quelques terrassements couronnés par de grosses palissades de bois. L'église et quelques maisons se trouvaient aux alentours. La plupart des fermes étaient répandues dans la campagne, chacun demeurant sur son terrain.

« Les maisons étaient faites de bois équarri ou construites au moyen de gros pieux, plantés en terre, dont les interstices étaient bouchés avec de la mousse et de l'argile. Les cheminées étaient montées avec des poteaux et de la terre glaise battue, et le toit couvert de joncs, d'écorces, parfois même de gazon. Le bois étant très abondant, toutes ces constructions étaient faciles à édifier et l'on pouvait, à la première alarme, les abandonner sans souci et les perdre sans regrets ; considération importante, car de fréquentes

---

24. *Mémoires de Lamothe-Cadillac sur les côtes de l'Amérique du Nord, en 1692.*
25. *Voyage en Acadie*, Amsterdam, 1708.
26. *Une colonie féodale en Amérique.*

92

incursions des Anglais inspiraient la méfiance et l'on s'efforçait de n'offrir aucune prise de quelque valeur à l'ennemi.

«Quand celui-ci se montrait en force, les habitants se sauvaient dans la forêt, sans inquiétude sur ce qu'ils laissaient derrière eux, car leurs petits troupeaux étaient dressés à la vie des bois et leur mobilier était d'un enlèvement facile : quelques marmites de fer, les armes, les outils et un paquet de hardes. Ceux qui étaient embarrassés de trop de richesses en enterraient une partie et emmenaient le reste. Mais tous connaissaient, dans les collines boisées, à quelques portées de fusil, de sûres retraites qui n'étaient pénétrables que pour eux et pour leurs amis fidèles, les Micmacs de l'intérieur. »

Les anciens Acadiens s'adonnaient à la culture, à l'élevage, à la chasse, à l'exploitation forestière et à la pêche. Les nombreux tonneliers signalés dans les recensements empaquetaient le poisson salé pour l'expédition en France.

Durant les longs hivers, les Acadiens tissaient leurs étoffes, avec la laine de leurs moutons ou avec le lin, récolté en abondance, surtout dans la région de Grand-Pré. Les anciens Acadiens préparaient eux-mêmes leur cuir et fabriquaient leurs propres chaussures de même que les harnais, qu'ils imbibaient d'huile afin de les rendre imperméables. Ils faisaient leur propre savon et la chandelle dont ils s'éclairaient. Étant d'une grande habileté à manier la hache et le ciseau, ils fabriquaient leurs meubles rustiques et des outils en bois.

Au printemps, les anciens Acadiens faisaient du sucre d'érable et de la bière d'épinette dont ils étaient très friands. Bien que, par leur propre industrie, ils se fournissaient d'une grande variété d'objets d'utilité courante, ils devaient néanmoins se procurer à l'étranger les métaux en barre, les armes et munitions, le sel, certaines étoffes, de même que les marchandises d'importation, dont ils se servaient dans leur commerce des fourrures avec les Indiens.

Le vert, le bleu et le noir étaient les seules teintures à leur portée. Pour obtenir des garnitures rouges, surtout pour leurs robes et leurs manteaux, les Acadiennes se procuraient des étoffes anglaises qu'elles charpissaient en *défesures*, cardaient, filaient et tissaient sur leurs rustiques métiers.

L'instruction chez les Acadiens

Sous le régime français, soit jusqu'en 1713, une quarantaine de religieux et de prêtres séculiers vinrent en Acadie. Ils furent tout à la fois directeurs de conscience, ministres du culte, guides politiques, arbitres dans la plupart des litiges d'intérêt privé et aussi instituteurs.

En 1701, une école fut ouverte à Port-Royal, sous la direction de sœur Chausson, religieuse de la Congrégation de la Croix, qui était venue directement de France. La première école régulière fut cependant fondée à Port-Royal, en 1703, par le père Patrice René. Une autre école sera établie plus tard à Saint-Charles-des-Mines (Grand-Pré), par l'abbé Louis Geoffroy.

Avant l'ouverture de ces écoles, les missionnaires s'étaient faits instituteurs, pour enseigner à lire et à écrire aux jeunes Acadiens qui offraient les meilleures dispositions. Il arriva aussi que plusieurs Acadiens, parmi les plus fortunés, envoyèrent leurs enfants parfaire leur instruction en France.

Il y eut aussi en Acadie plusieurs notaires. Signalons maître Domanchin, qui exerçait, dès 1651, les fonctions de *substitut de notaire et garde-notes* ; Guillaume LeBel fut, vers la même époque, grand-prévost de justice en Acadie ; Claude Petitpas remplissait, en 1680, les fonctions de greffier et de *notaire royal* ; maîtres Couraud et Loppinot exercèrent leur profession à Port-Royal, entre 1690 et 1710.

Dans la région de Grand-Pré, il y eut le notaire Alain Bujeaut qui s'établit près de son beau-père, Pierre Melanson, vers 1696. Plus tard, nous y voyons le notaire Alexandre Bourg et le notaire René LeBlanc, immortalisé par Longfellow, dans son poème *Évangéline*. Alexandre Bourg et René LeBlanc avaient sans aucun doute étudié en France. Enfin, le notaire Louis de Courville exerça sa profession en Acadie, notamment dans la région de Beaubassin, à Beauséjour, en 1754 et 1755. Dans la masse des *papiers* de ce tabellion, qui pratiqua sa profession à Québec, de 1756 à 1758, puis à Montréal, de 1758 à 1781, il se trouve dix-sept contrats, les seuls, peut-être, qu'il dressa en Acadie.

L'idée de la patrie acadienne

Rameau de Saint-Père, dans l'ouvrage déjà cité, trace un vivant portrait des anciens Acadiens. «Leurs joies, écrit-il, étaient celles du foyer domestique et, au dehors, les courses violentes et les pêches hardies. Ils aimaient les fêtes de l'Église, les longues guirlandes des processions fleuries et les chants solennels, auxquels répondait la grande voix de l'océan.

«Dans les veillées, ils retrouvaient encore quelques vieilles chansons de France, au milieu des joyeux propos, des récits de chasse et de flibuste. D'autres fois, songeurs solitaires, ils éprouvaient, aux accords mélancoliques de la mer, ces méditations rêveuses que la religion éveille dans les âmes les plus simples, aussi bien que chez les grands esprits. Ils en faisaient des légendes et des chants populaires et c'est dans ces premières ébauches de la vie intellectuelle que Longfellow a puisé l'idée-mère d'*Évangéline,* ce chef-d'œuvre charmant.

«Les caractères, cependant, n'étaient pas toujours faciles, parmi ces hommes grossiers, que venaient souvent aigrir les difficultés au milieu desquelles ils vivaient. Ils n'étaient pas exempts des défauts propres à la race française et que l'on retrouve partout où elle s'établit: une certaine légèreté d'esprit, qui s'inspire plus volontiers des impressions présentes que des prévisions d'avenir; une vanité individuelle, féconde pour quelques hommes qu'elle pousse aux grandes actions, mais qui, dans le commun de la vie, nous rend souvent insupportables les uns aux autres; peu de subordination, à moins qu'elle ne soit imposée par la force ou l'entraînement; enfin, un grand amour de la critique et du commérage, avec une jalousie innée de ses voisins, suites abusives de notre trop grande sociabilité...»

«Dans l'église, ils se groupaient moralement et matériellement. Ses fêtes étaient presque les seules fêtes de ces braves gens. Ils s'enthousiasmaient de ces mélodies, de ces cérémonies pompeuses, de ces réjouissances champêtres, dans lesquelles ils se comptaient, s'y retrouvaient plus sûrs les uns des autres, unis dans une même idée, une même confiance et une même sincérité sous l'œil de Dieu tout-puissant.

«C'est alors que leur curé trouvait, chez ces hommes rudes et grossiers, les esprits les mieux disposés à s'assouplir sous ses remontrances et à s'associer dans une action commune.»

À défaut de routes carrossables, les rivières constituaient leurs principales voies de communication à l'intérieur des terres. Durant la belle saison, ils se servaient de canots d'écorce de bouleau, de leur fabrication. L'hiver, sur la glace, ils pouvaient franchir de grandes distances au moyen de raquettes ou de traîneaux.

Les travaux des champs et des bois se faisaient en commun. En hiver, durant les longues veillées, alors que les bûches d'érable et de hêtre brûlaient lentement dans la cheminée, les Acadiens se livraient aux joies de l'hospitalité. Ils se réunissaient entre parents, amis et voisins, racontaient des histoires de la vieille France, que seuls les plus âgés avaient connue. Ils entonnaient les vieilles chansons d'autrefois, dansaient des danses rustiques et entretenaient ainsi la flamme vive de la sociabilité et de l'hospitalité française, dont sont encore marqués leurs descendants de nos jours.

C'est ainsi que se précisa l'idée de la patrie acadienne, parmi les fils et les petits-fils des premiers colons français arrivés en Acadie. Deux ou trois générations, parfois quatre, avaient déjà contribué à la formation d'un peuple distinct, possédant des coutumes et des traditions qui lui étaient propres. Le sentiment de la patrie acadienne avait pénétré leur âme. L'amour du sol acadien était entré dans leur cœur. Ils étaient devenus des Acadiens.

12. LES DERNIERS JOURS DE PORT-ROYAL

En 1688, la guerre éclate de nouveau entre la France et l'Angleterre. Deux ans plus tard, un riche commerçant et propriétaire de navires de Boston, Sir William Phipps[27], prend la direction d'une expédition contre l'Acadie.

Il se présente devant Port-Royal, le 19 mai 1690, y fait débarquer quatre cents hommes, désarme la petite garnison, convoque les habitants à l'église et, sous la menace de les faire tous prisonniers de guerre, il les force à prêter serment d'allégeance au roi d'Angleterre.

Après s'être emparé des fourrures et des marchandises trouvées dans les entrepôts, Phipps fait incendier une trentaine de maisons. Il se rend ensuite prendre possession de La Hève et de Chedabouctou et ramène comme prisonniers à Boston le gouverneur d'Acadie, M. Robineau de Menneval, deux prêtres, le curé de Port-Royal et son vicaire, le Sulpicien Claude Trouvé, ainsi que trente-huit soldats de la garnison.

Quelques semaines plus tard, ébloui par ses succès faciles en Acadie, Phipps forme le projet de s'emparer du Canada, à la tête de trente navires transportant deux mille hommes de troupes. Repoussé par Frontenac, Phipps, à son retour, perd une partie de sa flotte, lors d'une tempête. Un de ses lieutenants, le capitaine William Mason, se rend néan-

---

27. D'humble origine, William Phipps était né en Nouvelle-Angleterre, le 2 février 1651. Marié à une veuve fort riche, il réussit en 1687 à récupérer un trésor enfoui dans la cale d'un navire espagnol coulé au large d'Haïti. Cet exploit lui valut le titre de chevalier.

moins avec deux frégates détruire le village de Percé, en Gaspésie.

Le 7 octobre 1690, les autorités anglaises rattachent l'Acadie à la colonie du Massachusetts, par proclamation royale, et un gouverneur anglais, Edward Tyng, est nommé. L'année suivante, le 14 juin 1691, sur les ordres de Frontenac, le sieur Robineau de Villebon, neveu par sa mère de M. de la Vallière, s'empare à son tour de Port-Royal et emprisonne le gouverneur Tyng. Avec le concours de Saint-Castin et de ses Abénaquis, il déclenche une violente contre-offensive sur la colonie anglaise du Massachusetts. En cette même année, Villebon est nommé gouverneur français de l'Acadie.

En 1692, toute l'Acadie avait été reconquise par les Français, à l'exception de Pemaquid (Woolwich, Maine), où les Anglais avaient construit le solide fort William Henry, forteresse qui devait d'ailleurs tomber à son tour, le 14 août 1696.

Destruction de Beaubassin

En septembre 1696, les Anglo-américains, en guise de représailles, dépêchent le colonel Benjamin Church à la tête de cinq cents hommes et une cinquantaine d'Indiens du Massachusetts, qui tombent à l'improviste sur Beaubassin. Ils tuent les bestiaux, détruisent les récoltes et brûlent les habitations. La population de Beaubassin avait heureusement eu le temps de se réfugier dans les bois, à l'approche de l'ennemi, en emportant ce qu'elle avait de plus précieux.

S'étant ensuite dirigé sur Naswaak et Jemseg, sur la rivière Saint-Jean, Church fut repoussé par Villebon qui lui fit subir de lourdes pertes. À la nouvelle de ce désastre, les Anglais du Massachusetts, en proie à une violente colère, menacent de «capturer et déporter tous les Français d'Acadie».

Le 25 septembre 1697, le traité de Ryswick rend officiellement l'Acadie à la France et, grâce aux conquêtes de d'Iberville, Terreneuve et la baie d'Hudson deviennent aussi possessions françaises.

Nouvelle guerre

À peine les Acadiens sont-ils remis des dures épreuves qui viennent de s'abattre sur eux, qu'une nouvelle guerre, celle de la succession d'Espagne, éclate en 1701. Une fois de plus, la France et l'Angleterre étant en guerre, les colonies d'Amérique en subiraient le contre-coup. C'est en vain, en effet, que le nouveau gouverneur d'Acadie, Jacques de Brouillan, s'efforce de négocier un traité de neutralité avec les Anglo-américains.

En 1703, les Anglais du Massachusetts entreprennent une nouvelle conquête de l'Acadie. Ils s'attaquent en premier lieu à la place-forte du baron de Saint-Castin, Pentagoët, où ils sont repoussés.

En guise de représailles, Saint-Castin fait appel à Alexandre LeNeuf, fils aîné de M. de la Vallière, qui avait également des comptes à régler avec les Anglo-américains depuis la dévastation de Beaubassin en 1696, et organise une attaque générale contre le Massachusetts. Parti à la tête de ses Abénaquis, accompagné d'Alexandre LeNeuf, venu de Beaubassin avec un groupe d'Acadiens et d'Indiens malécites, Saint-Castin se jette sur les établissements anglais du Massachusetts et se rend jusqu'au fort Casco (Portland, Maine), répandant la terreur, la désolation et la mort.

Simultanément, le gouverneur du Canada, Vaudreuil, lance de Québec deux attaques contre les colonies de la Nouvelle-Angleterre. La première, sous le commandement d'Hertel de Rouville, et l'autre dirigée par Testard de Montigny. Rouville compléta l'œuvre de destruction de Saint-Castin, au village de Deerfield, au Connecticut, complètement incendié et où 200 Anglo-américains furent massacrés ou faits prisonniers, au cours de la nuit du 29 février 1704.

La population des colonies anglaises d'Amérique, terrifiée par de si cruelles représailles, crie vengeance et prépare en hâte une autre expédition contre l'Acadie. La lutte qui s'annonce sera dure. Elle sera sans merci.

Les Anglo-américains attaquent de nouveau

Au mois de mai 1704, trois vaisseaux de guerre, quatre transports, trente-six barques et une armée de 1300 hommes se dirigent vers l'Acadie sous le commandement du colonel Church, qui espère bien renouveler son exploit de Beaubassin, en 1696.

Le gouverneur Dudley, du Massachusetts, avait donné ordre de brûler toutes les maisons d'Acadie, de rompre les digues des terres cultivées, de façon à les inonder, de s'emparer de tout ce qui pourrait être transporté et de faire le plus grand nombre de prisonniers possible.

Church s'empare facilement de Pentagoët, alors que Vincent de Saint-Castin est en France et que son fils, Anselme, se trouve chez les Abénaquis. Il capture ou met à mort tous les habitants qui s'y trouvent. Il se rend ensuite à Passamoquoddy, à l'embouchure de la rivière Sainte-Croix, qu'il saccage de fond en comble.

Mais, arrivé devant Port-Royal, le 2 juillet 1704, il est forcé de battre en retraite, trois jours plus tard, grâce à la vive résistance de la garnison et des Acadiens commandés par le gouverneur de Brouillan. Church avait cependant eu le temps d'effectuer un débarquement, de piller et d'incendier plusieurs habitations et de faire une trentaine de prisonniers acadiens.

L'expédition anglo-américaine se dirigea ensuite vers Grand-Pré, dans la région du bassin des Mines, puis vers Beaubassin. Mais, à ces deux endroits, Church n'eut pas plus de succès qu'à Port-Royal. À Grand-Pré, les habitants avaient rompu leurs digues à l'approche de l'ennemi, rendant le débarquement impossible, et s'étaient réfugiés dans les bois. À Beaubassin, un groupe de soldats anglo-américains réussit à descendre sur le rivage à la faveur d'une brume épaisse. C'était le 28 juillet 1704. Ils incendièrent une vingtaine de maisons, tuèrent des animaux aux champs, mais n'osèrent pas trop avancer. Les Acadiens de Beaubassin, aidés des Indiens de la région, avaient organisé leur défense et forcèrent bientôt l'ennemi à se retirer. Beaubassin comptait alors quelque deux cents habitants.

Dans l'intervalle, M. de Brouillan, gouverneur d'Acadie, avait laissé le commandement à Simon-Pierre Denys de Bonaventure et était parti pour la France. Denys de Bonaventure, un officier de marine, était le fils de Pierre Denys, sieur de la Ronde, devenu en 1672 le premier seigneur de

Percé, en Gaspésie. Il était donc le petit-neveu de Nicolas Denys.

M. de Brouillan étant décédé en France, au cours de l'hiver 1704, il fut remplacé, en 1706, comme gouverneur d'Acadie, par Daniel Auger, sieur de Subercase.

Subercase défend Port-Royal

Humiliée par les échecs de Church devant Port-Royal, Grand-Pré et Beaubassin, la colonie anglaise du Massachusetts décida de préparer une nouvelle et puissante expédition contre l'Acadie, sous le commandement du colonel Marsh.

Les envahisseurs fondirent une fois de plus sur Port-Royal, le 6 juin 1707. Aidé d'Anselme de Saint-Castin, fils du célèbre baron, qui commandait une troupe de 150 Abénaquis, Subercase lança les soldats de sa garnison contre les assiégeants, qu'il repoussa. Une soixantaine de Canadiens étaient aussi venus de Québec, sous le commandement de Louis Denys de la Ronde, frère de Simon-Pierre Denys de Bonaventure, coordonner leurs efforts avec les soldats réguliers de Subercase, au nombre d'une centaine et d'autant de miliciens acadiens.

Après dix jours de siège, le colonel Marsh donna à ses troupes l'ordre de se rembarquer, laissant derrière lui une centaine de morts et autant de blessés. Il se retira temporairement à Casco (Portland), où le gouverneur Dudley lui dépêcha des renforts, de sorte que, le 20 août 1707, l'armée anglo-américaine réapparaissait devant Port-Royal, avec plus de 2000 hommes transportés par une vingtaine de vaisseaux. Le colonel Wainright avait remplacé Marsh en qualité de commandant et dirigeait cette nouvelle invasion.

Prévenu par un flibustier croisant sur les côtes, Subercase attendait l'offensive ennemie de pied-ferme. Anselme de Saint-Castin était resté à Port-Royal avec ses Abénaquis et on avait eu la précaution d'alerter les Latour du Cap de Sable, les d'Entremont de Pobomcoup, et les D'Amours de Jemseg. Des Micmacs de Chibouctou (Halifax) et des Indiens et Métis de La Hève étaient également venus prêter main-forte à Subercase. Tous étaient accourus à la défense de Port-Royal au nombre de plusieurs centaines de Français, d'Acadiens et d'Indiens.

Après seize jours de siège, les Anglo-américains furent contraints de se retirer après avoir subi de grandes pertes[28]. Ils repartaient en direction du Massachusetts le 4 septembre au soir. À la nouvelle de cet échec, la population de Boston fut saisie d'une telle colère qu'elle « voulait que l'on fît mourir le colonel Marsh, qui commandait les troupes de débarquement ».

La prudence, l'habileté et le courage de Subercase, alliés à l'ingénieuse coordination des groupes épars de miliciens acadiens et sauvages avaient réussi à sauver de nouveau l'Acadie, en ce péril extrême.

Seul recours : les corsaires

Sachant que l'ennemi reviendrait et imaginant bien quelles formidables forces les Anglo-américains mobiliseraient cette fois contre l'Acadie, Subercase écrit à Versailles : « Il est de la dernière importance que nous soyons secourus au plus tôt. »

Louis XIV traversait, hélas ! la période la plus critique de son règne et la France ne pouvait envoyer en Acadie « ni hommes, ni munitions, ni allocations pour les habitants ruinés, ni présents pour les sauvages lassés ». Seuls deux navires français de faible tonnage, la *Vénus* et la *Loire* arrivèrent en Acadie en 1708. Pour tout renfort, ils amenaient une centaine de jeunes Parisiens, dont l'âge variait entre treize et seize ans et, pour tout ravitaillement, quelques approvisionnements dérisoirement insuffisants.

« Si nous ne recevons pas de secours », écrit de nouveau Subercase, le 1er octobre 1709, « j'ai toutes les raisons de redouter quelque chose de funeste, tant de la part des habitants que des soldats. Les uns et les autres se désespèrent. Je ferai tout ce qui dépend de moi, mais vraiment Monseigneur [Pontchartrain], je vous prie de croire que je ne puis faire l'impossible. »

---

28. Diéreville a laissé un mémoire détaillé sur ce siège de Port-Royal, qui a été reproduit aux pages 206-209 de *L'Acadie des Ancêtres*, publié en 1955.

D'autant plus que la récolte avait été mauvaise à Port-Royal et qu'il ne restait plus un sou en caisse pour payer les soldats de la garnison. Subercase avait même dû s'engager pour des sommes considérables, en empruntant pour faire vivre la garnison depuis deux ans.

Abandonnée par la France, l'Acadie ne trouve plus son ravitaillement vital que grâce à la chasse entreprise par des corsaires tels que Pierre Morpain, Maisonnat dit Baptiste, Ricord, De la Croix, Robineau et autres, qui tombent à l'improviste sur les vaisseaux anglais naviguant dans les mers acadiennes ou les eaux du golfe du Saint-Laurent. Au cours de la seule année 1709, ces flibustiers capturent ou coulent 35 navires anglais, font 470 prisonniers et rapportent à Port-Royal d'innombrables et riches cargaisons.

Tout essentiel que ce genre de piraterie fût pour la survivance de Port-Royal en ces heures tragiques, les déprédations de ces corsaires ruinaient le commerce de Boston et soulevaient encore davantage la colère des Anglo-américains contre la population acadienne. «Ces croisières, écrit Rameau de Saint-Père, poussaient à bout les Américains et accroissaient de jour en jour l'irritation extrême qu'ils nourrissaient contre les Français et le désir haineux de se délivrer de leur fatal voisinage. L'animosité des Anglo-américains devenait alors une rage furieuse et le remède empirait le mal, jusqu'à la crise finale qui devait emporter le malade.»

Exaspérée par les deux échecs successifs de ses troupes devant Port-Royal, la population du Massachusetts pressa Londres d'envoyer des renforts suffisants pour s'emparer, non seulement de l'Acadie, mais encore du Canada.

Le sort en est jeté

Pour conclure des arrangements à cette fin, les colonies anglaises d'Amérique dépêchent à Londres deux délégués: Francis Nicholson, gouverneur de la Virginie, et Samuel Vetch, du Massachusetts. En fin de juillet 1710, dix navires arrivent de Londres à Boston portant «un régiment d'infanterie de marine, des officiers, des munitions de toutes sortes et les fonds nécessaires pour lever et organiser, dans la contrée même, quatre régiments».

Un orage terrible s'accumulait qui allait s'abattre sur l'Acadie alors que la garnison de Port-Royal ne comptait que quatre compagnies de marine, soit 160 hommes. Voici en quels termes Rameau de Saint-Père, dans l'ouvrage déjà cité, raconte cette ultime et héroïque défense de Port-Royal:

«Subercase fit bien appel à Saint-Castin, aux autres capitaines et aux Indiens, mais ces derniers étaient dégoûtés par la parcimonie et la négligence du gouvernement français. On ne leur faisait plus de présents, pas même les distributions normales de munitions de guerre. Ils se sentaient en outre découragés en comparant le petit nombre et le dénûment des Français avec la multitude toujours renaissante et toujours croissante des Anglais. L'absence complète de tout renfort achevait de grandir leur méfiance et il devenait très difficile de les mettre en mouvement.

«Saint-Castin et plusieurs autres vinrent donc, accompagnés d'un nombre d'hommes si restreint que l'on ne put songer à organiser une petite armée extérieure, comme on l'avait opérée avec tant de succès dans les sièges précédents. On pouvait d'autant moins y songer, que les Acadiens eux-mêmes étaient atteints par cette épidémie de découragement. Se sentant isolés et comme abandonnés dans le désert par la mère-patrie, en face de l'animosité persistante et passionnée des Anglais, ils étaient, à la fin, saisis d'une inquiétude vague qui ressemblait à de l'effroi.

«Seul M. de Vaudreuil, gouverneur du Canada, envoya à leur aide un détachement de milice canadienne. Mais cette faible troupe, peu exercée à la vie militaire et encore moins propre à résister aux influences de son entourage, fut d'un médiocre secours. Ces hommes se laissèrent aller à l'abattement général, plusieurs désertèrent, et c'est certainement à tort que Garneau, dans son Histoire si excellente d'ailleurs, reproche à Subercase de n'en avoir pas tiré meilleur parti.

Dernière résistance

«Telle était, poursuit Rameau de Saint-Père, la situation de l'Acadie à la fin de l'été 1710, lorsque la flotte anglaise,

104

partie de Boston le 18 septembre, atteignit l'entrée du bassin (Port-Royal), le 24. Elle portait trois mille quatre cents soldats. Nicholson, qui commandait l'expédition, fit aussitôt sommer Subercase de se rendre.

« Si celui-ci n'eut écouté que le sentiment de ceux qui l'entouraient, ce que l'on appelle l'opinion publique, il fût aussitôt entré en pourparlers avec le commandant anglais. Mais c'était un homme énergique, habile, plein de ressources. Il s'était déjà trouvé plus d'une fois en pareille aventure à Plaisance (Terreneuve) et à Port-Royal. Son courage et son sang-froid avaient certainement sauvé cette dernière place, malgré elle, lors de la première attaque de 1707. Il résista donc à l'entraînement, et bien qu'il eut conscience de toute sa faiblesse, il résolut de tenter encore la fortune, en dépit des circonstances, et répondit avec une certaine hauteur à Nicholson de venir chercher lui-même les clefs du fort.

« Les Anglais du reste n'avançaient qu'avec circonspection. La résistance victorieuse qu'ils avaient rencontrée jusqu'alors, les échecs inattendus et répétés qu'ils avaient subis, malgré la puissance de leur marine et la supériorité de leur nombre, les mettaient en garde contre toute témérité présomptueuse.

« Ce ne fut que le 6 octobre qu'ils commencèrent leur débarquement. Ils ne rencontrèrent aucune opposition. Subercase avait trop peu de monde pour les combattre, et d'ailleurs, comme il nous l'apprend lui-même, il était si peu sûr de ses hommes qu'il n'osait les faire sortir du fort, de peur qu'ils n'y rentrassent point. Il se contenta de diriger contre l'ennemi le feu de l'artillerie, ce qu'il fit avec assez de succès pour obliger celui-ci à se replier en arrière, après avoir perdu quelques hommes.

« Ayant alors changé la direction de leur attaque, les Anglais parvinrent, à la faveur d'un feu violent dirigé par leur flotte contre les remparts, à s'en rapprocher du côté du ruisseau de l'Aiguille. Mais le lendemain, Subercase fit un si judicieux usage de ses canons, qu'il contraignit encore les assaillants d'abandonner cette situation nouvelle, aussi bien que les travaux d'une batterie qu'ils commençaient à établir.

« Le 9, deux galiotes bombardèrent le fort, mais vainement. Le feu de la place atteignit encore les troupes anglaises et jeta un grand désordre dans leur camp. La résistance était donc opiniâtre et d'autant plus remarquable que le commandant français, n'ayant qu'une garnison très faible et mal disposée, entendant parler de tous côtés de capitulation, ne pouvait en quelque sorte compter que sur lui-même et sur quelques hommes d'élite qui le secondaient.

« Malgré ces circonstances défavorables, s'il eut pu être soutenu, comme en 1707, par une forte diversion au dehors ; s'il se fut trouvé, répandus dans la campagne, sept ou huit cents hommes, Acadiens, Indiens et réguliers bien armés et bien commandés, il n'est pas certain que les assiégeants, malgré leur nombre considérable, malgré leur puissante flotte et malgré leur artillerie, eussent eu un meilleur sort que ceux qui les avaient précédés.

« Mais c'est à peine si Saint-Castin, réduit à quelques Abénaquis, qui lui étaient personnellement dévoués, parvint à harceler l'ennemi de manière à gêner ses opérations. Le brave Subercase n'avait d'autres forces que sa garnison découragée, dans un fort à moitié ruiné. C'est dire que le temps de la résistance était nécessairement très limité.

« Le 9 et le 10 octobre, les Anglais poussèrent activement leurs tranchées, de manière à établir une batterie abritée qui fit le plus grand mal aux assiégés. Un des Latour du Cap-de-Sable (Charles de Latour) qui s'était joint à la garnison, fut dangereusement blessé sur les parapets et un angle du magasin à poudre fut emporté. Le feu devint si violent que cinquante habitants et sept soldats, forçant la consigne, parvinrent à se sauver hors de la place.

La capitulation

« Le 11, le reste des habitants épouvantés présenta à Subercase une pétition afin qu'il traitât avec les Anglais. Cependant celui-ci résistait toujours. Le 12 octobre, aiguillonnant le courage des uns, suscitant l'activité des autres, il répondit encore feu pour feu aux batteries ennemies qui commençaient à l'environner de toutes parts, mais il se sentait moralement abandonné de tout le monde. Il réunit donc ses officiers en conseil et, sur leur avis, il envoya un enseigne parlementaire demander que les femmes et les enfants réfugiés dans le fort puissent en sortir. Nicholson refusa d'adhérer à cette ouverture, mais il envoya vers Subercase le colonel Reading pour traiter directement de la reddition du fort.

« La capitulation fut signée le lendemain, 13 octobre. Il y avait dix-neuf jours que cette mauvaise bicoque de terre et de bois, hors de la portée de tout secours et privée de tout appui, résistait à l'armée et à la flotte anglaise. Cette résistance opiniâtre et héroïque fut du moins récompensée par les conditions très honorables qu'obtint le commandant de la place... »

L'une de ces conditions stipulait : « Les habitants, qui demeurent dans le rayon de Port-Royal, auront le droit de conserver leurs héritages, récoltes, bestiaux et meubles, en prêtant le serment d'allégeance. S'ils refusent, ils auront deux ans pour vendre leurs propriétés et se retirer dans un autre pays. »

Suivant les termes de la capitulation, la garnison française fut transportée en France, à La Rochelle. Des commerçants français et un certain nombre d'Acadiens retournèrent en leur pays d'origine. Ils débarquèrent à Nantes, le 1er décembre 1710. D'autres se dirigèrent vers le Canada. Port-Royal portera désormais le nom d'Annapolis-Royal, en l'honneur de la reine Anne d'Angleterre et l'Acadie reprendra le nom de Nouvelle-Écosse.

Après la capitulation, c'est le colonel Vetch qui resta à Port-Royal, en qualité de gouverneur intérimaire. Il avait sous son commandement 450 soldats de garnison. L'année suivante, soit en 1711, la flotte anglo-américaine, dirigée par l'amiral Hovenden Walker et forte de 61 navires, dont 15 vaisseaux de guerre, transportant près de 6000 hommes, fut lancée à l'attaque du Canada. Cette expédition se termina par un lamentable désastre. Une tempête d'une violence extrême jeta la flotte de Walker sur les récifs de l'île aux Oeufs, sur la côte nord du golfe du Saint-Laurent, au cours de la nuit du 2 au 3 octobre. Quinze cents hommes perdirent la vie. La Nouvelle-France était sauvée.

Puis, en 1713, le traité d'Utrecht mettra fin à la guerre de la succession d'Espagne, en Europe. L'Acadie et Terre-neuve seront définitivement cédés à l'Angleterre.

13. LES ACADIENS DÉCIDENT DE RESTER EN NOUVELLE-ÉCOSSE

LE CONSEIL DE GUERRE des vainqueurs, présidé par Samuel Vetch, se réunit le 14 octobre 1710 et décida: «que les termes de la capitulation ne s'appliquaient qu'aux 500 habitants de Port-Royal et de la banlieue, tous les autres habitants se trouvent entièrement à la discrétion des armes victorieuses de Sa Majesté et tant pour soumettre entièrement les Indiens à Sa Majesté que pour les convertir à la religion protestante, il faudra déporter tous les Français hors du pays, sauf ceux qui passeraient au protestantisme. Il serait fort avantageux pour la Couronne, que l'on procédât à cette mesure, avec toute la célérité possible et qu'on les remplaçât par des familles protestantes, envoyées de Grande-Bretagne ou d'Irlande...»

Les Acadiens de la région de Grand-Pré, de Beaubassin de Pisiguit, de Cobequid et autres endroits distants de Port-Royal n'avaient donc pas été compris dans les termes de la capitulation.

En 1711, Pontchartrain, ministre du roi de France, tente d'organiser une expédition de Canadiens qui auraient eu pour mission de reprendre Port-Royal. Ni le gouverneur du Canada, M. de Vaudreuil, ni M. de Beauharnois, auprès desquels Pontchartrain était intervenu, n'ont cru en l'opportunité d'un tel projet, appréhendant eux-mêmes une attaque imminente des Anglais contre Québec.

Le coup de Bloody Bridge

De leur côté, les Acadiens des régions de Grand-Pré et de Beaubassin, ayant appris que la maladie et les désertions avaient réduit, de plus de la moitié, la garnison anglaise de Port-Royal, avaient fait appel à Saint-Castin et à ses Abénaquis pour tenter d'organiser un assaut en vue de reprendre Port-Royal. Car la France et l'Angleterre étaient encore en guerre.

Parti de Pentagoët avec ses Indiens, Saint-Castin traversa la baie Française, devenue la baie de Fundy, afin de rejoindre un groupe d'Acadiens de la région du bassin des Mines, à Grand-Pré, vers la fin du mois de juin 1711. Dissimulant leur marche à travers les bois, les membres de l'expédition parvinrent à une dizaine de milles de Port-Royal, sans que leur présence fut soupçonnée des Anglais. Quatre-vingts soldats anglais, sortis du fort pour des manœuvres, furent pris à l'improviste. Un combat sanglant s'engagea aussitôt, à l'endroit encore connu de nos jours sous le nom de *Bloody Bridge*. Trente Anglais furent tués sur place et les autres, faits prisonniers. À cette nouvelle et sachant qu'il ne restait plus qu'une poignée de miliciens à la garnison d'Annapolis-Royal, plusieurs centaines d'Acadiens se joignirent bientôt aux Indiens de Saint-Castin.

On fit alors appel au gouverneur du Canada qui dirigea aussitôt une expédition de deux cents Canadiens vers l'Acadie. Le gouverneur de Plaisance (Terreneuve) fut aussi alerté. Il expédia les pièces d'artillerie indispensables pour attaquer le reste de la garnison anglaise retranchée dans le fort. Le corsaire Morpain, parti de Terreneuve avec les canons attendus, ne parvint jamais à destination. Son vaisseau ayant rencontré des navires anglais dans le golfe du Saint-Laurent, Morpain avait succombé après trois heures d'un combat désespéré.

Dans l'intervalle, la garnison anglaise d'Annapolis-Royal avait reçu des renforts de Boston. Prévenus par des éclaireurs de Saint-Castin, les soldats canadiens dépêchés par Vaudreuil durent rebrousser chemin, puisqu'il devenait inutile de tenter le siège de la forteresse, sans artillerie. Une occasion inespérée de reprendre Port-Royal avait été perdue.

Dispositions controversées du traité d'Utrecht

Le 11 avril 1713, le traité d'Utrecht mettait fin à la guerre entre le France et l'Angleterre et cédait définitivement l'Acadie et Terreneuve aux Anglais. Les îles Saint-Jean et Royale (Prince Édouard et du Cap-Breton) demeureraient cependant possessions françaises.

Certaines dispositions du traité d'Utrecht feront naître, par la suite, d'interminables controverses entre Français et Anglais, au grand détriment des Acadiens. Ainsi, l'article 10 du traité stipulait que: « Des commissaires seront nommés pour fixer les limites entre les possessions anglaises et les possessions françaises. »

Or, en 1713, les Français prétendaient que l'Acadie, telle que cédée aux Anglais, se limitait au seul territoire compris, de nos jours, dans la presqu'île de la Nouvelle-Écosse. De leur côté, les Anglais soutenaient que le territoire cédé devait englober toutes les anciennes possessions de d'Aulnay et de Latour, soit les régions s'étendant sur les deux rives de la baie de Fundy, une partie du Nouveau-Brunswick et du Maine actuels, en plus de la presqu'île de la Nouvelle-Écosse.

L'article 12 du traité se lisait comme suit: « Le Roi Très Chrétien (Louis XIV) devra livrer à la Reine de Grande-Bretagne (Anne) la Nouvelle-Écosse, ou Acadie toute entière, comprises en ses anciennes limites, et aussi la cité de Port-Royal, maintenant Annapolis-Royal, ainsi que tout ce qui dépend desdites terres et îles de ce pays. » Or, les commissaires français et anglais ne purent jamais s'entendre sur l'interprétation du terme: *anciennes limites.*

Dès le début, la France, en outre des îles Saint-Jean et Royale, se maintint en possession de la partie sud-est du Nouveau-Brunswick actuel, comprenant alors Chipoudy, Petitcoudiac et Memramcook ainsi que la région de l'embouchure de la rivière Saint-Jean et, dans le Maine actuel, le district de Pentagoët, où vivait Saint-Castin au milieu de ses Abénaquis. Les représentants français estimeront même, en 1753, que toute la région de Beaubassin et l'isthme de Chignectou étaient situés en territoire français.

Enfin, l'article 14 du traité d'Utrecht, sujet d'innombrables litiges, se lisait comme suit: « Dans toutes lesdites places et colonies cédées par le Roi Très Chrétien, les sujets du Roi auront la liberté de se retirer ailleurs, dans l'espace d'un an, avec tous leurs effets mobiliers. Ceux qui voudront néanmoins demeurer et rester sous la domination de la Grande-Bretagne, devront jouir du libre exercice de leur religion, conformément à l'usage de l'Église romaine, autant que le permettent les lois de la Grande-Bretagne. »

Privilèges accordés aux Acadiens

Louis XIV ayant consenti à libérer des prisonniers français condamnés aux galères en raison de leur attachement au protestantisme, la reine Anne accepta, en retour, d'accorder aux Acadiens le privilège de conserver leurs biens meubles et immeubles. La reine modifia aussi, en l'étendant, la limite prescrite par l'article 14 du traité d'Utrecht, quant au délai accordé aux Acadiens qui voudraient quitter le pays.

Une lettre royale adressée au gouverneur Nicholson de la Nouvelle-Écosse, en date du 23 juin 1713, confirmait ces privilèges, dans les termes suivants:

« Ayant égard à la bienveillance avec laquelle le Roy Très Chrétien a remis leurs peines, à plusieurs de ses sujets condamnés pour cause de leur attachement à la Réforme, c'est notre vouloir et bon plaisir, que tous ceux qui tiennent des terres sous notre gouvernement en Acadie et Terre-neuve, qui sont devenus nos sujets par le dernier traité de paix et qui ont voulu rester sous notre autorité, *aient le droit de conserver leursdites terres et tenures et d'en jouir sans aucun trouble, aussi pleinement et aussi librement que nos autres sujets peuvent posséder leurs terres ou héritages, et aussi qu'ils puissent les vendre de même, s'ils viennent à préférer aller s'établir ailleurs.* »

Conformément à ce décret de la reine Anne, les Acadiens qui décidaient de demeurer indéfiniment en Acadie, sous administration anglaise, avaient la garantie de droits égaux vis-à-vis les autres sujets de la couronne britannique. De plus, ceux qui projetaient de partir, pour aller s'établir ailleurs, pouvaient désormais le faire à leur entière discrétion, sans qu'une limite de temps leur soit imposée. C'est ce que les Acadiens crurent. Forts de cette assurance, ils estimèrent alors avoir tout le temps nécessaire pour organiser leur départ, le cas échéant.

Un certain nombre d'entre eux, se recrutant surtout parmi la jeunesse, allèrent immédiatement s'établir sur les rivières Chipoudy, Petitcoudiac et Memramcook, dans la partie sud du Nouveau-Brunswick actuel. Ils s'y croyaient en territoire français.

Les habitants de Beaubassin eux-mêmes finirent par se persuader, à défaut de limites territoriales bien définies, que l'isthme de Chignectou où se trouvait cette colonie, constituait un prolongement du territoire français, faisant partie du Canada d'alors. D'autant plus que les gouverneurs anglais ne cherchaient pas à exercer leur autorité ailleurs qu'à Port-Royal, et sa région immédiate, négligeant d'intervenir dans l'administration des autres parties du territoire de la Nouvelle-Écosse.

Obstacles au départ des Acadiens

Au mois de janvier 1714, Pastour de Costebelle, le dernier gouverneur français de Terreneuve, territoire cédé à l'Angleterre en même temps que l'Acadie, par le traité d'Utrecht, devint le premier gouverneur de l'île Royale (Cap-Breton), restée possession française. C'est là, au Cap-Breton, que la France érigera l'historique forteresse de Louisbourg, où s'établiront la plupart des Français ayant jusque là demeuré à Terreneuve.

Dès lors, les autorités françaises multiplieront leurs efforts en vue de convaincre les Acadiens de quitter l'Acadie, devenue possession anglaise, pour aller s'établir en territoire français, en particulier au Cap-Breton. De leur côté, les Anglais d'Annapolis-Royal recourront à tous les moyens possible pour retenir les Acadiens en Nouvelle-Écosse.

Voici ce qu'écrivait le lieutenant-gouverneur Samuel Vetch, le 24 novembre 1714, aux autorités anglaises : « Cent Français nés dans le pays, parfaitement habitués aux forêts, habiles à glisser sur les raquettes et à manœuvrer des canots d'écorce, sont de plus grande valeur et d'un plus grand service que cinq cents hommes nouvellement arrivés d'Europe. Il faut en dire autant de leur habileté à la pêche et à la culture du sol.

« Le passage des Acadiens et de leur bétail au Cap-Breton serait un grand renfort pour cette colonie. De même, ce serait pour la Nouvelle-Écosse une ruine totale, à moins que celle-ci ne soit pourvue d'une colonie anglaise. Mais cela exigerait plusieurs années...

« Il est donc d'un grand avantage pour la Couronne que les habitants français restent ici avec leur cheptel, pourvu qu'on trouve le moyen de les maintenir fidèles à leur allégeance, en cas de guerre avec la France. »

De leur côté, les Acadiens hésitaient beaucoup à abandonner leurs riches domaines qui leur avaient coûté tant de labeurs. Intéressés, en premier lieu, à se transporter au Cap-Breton, ils y avaient, au cours de l'été 1713, envoyé des délégués en tournée d'exploration.

« Il n'y a pas dans toute l'île, rapportent ces délégués, le 23 septembre 1713, de terres propres à l'entretien de nos familles, puisqu'il n'y a pas de prairies suffisantes pour la nourriture de notre bétail, d'où nous tirons notre principale subsistance... Ce serait nous exposer à mourir de faim, chargés de famille comme nous le sommes, que de quitter nos demeures et nos défrichements, sans autres ressources que de prendre de nouvelles terres incultes, dont le bois sur pied doit être enlevé sans aide ni avance. »

Ils décident de rester

Quelques rares familles acadiennes, parmi celles ne possédant que peu de propriété, émigrèrent au Cap-Breton vers 1714. Mais les autres ne pouvaient vraiment pas se décider à abandonner l'héritage qu'elles détenaient de leurs pères, pour aller s'établir en des lieux qui leur étaient inconnus et réputés incultes.

Puis, lorsqu'un certain nombre d'entre eux eurent, quand même, pris la décision de s'établir au Cap-Breton, les Anglais d'Annapolis-Royal, entre autres le gouverneur Nicholson, eurent recours à diverses mesures pour faire obstacle à leur départ ou, du moins, pour le retarder le plus longtemps possible.

Revenant à la charge, le lieutenant gouverneur Vetch, s'adressant aux *Lords of Trade* d'Angleterre, en mars 1715, s'exprime dans les termes suivants: «J'ose suggérer à Vos Seigneuries d'expédier au plus tôt des ordres pour empêcher une émigration des habitants français, avec leurs effets et leurs bestiaux, vers le Cap-Breton. Un pareil événement aurait pour effet de causer, en Nouvelle-Écosse, une ruine qui nous coûterait plus de 40 000 livres et de faire immédiatement, du Cap-Breton, une colonie populeuse et plus riche qu'elle ne pourrait le devenir en bien des années.»

Et il ajoute, dans un autre mémoire: «S'ils partent, le pays sera désert, la garnison sans vivres, la place exposée aux attaques des Indiens. Par contre, Louisbourg sera renforcé, ravitaillé, doublé de valeur...»

Les Acadiens étaient tiraillés, d'une part par les pressions exercées sur eux par des officiers français du Cap-Breton, délégués du gouverneur de Costebelle, comme Louis Denys de la Ronde et le sieur de Pensens, qui les incitaient à émigrer au Cap-Breton et, d'autre part, par les autorités anglaises d'Annapolis-Royal, qui leur proposaient des conditions non moins avantageuses que celles qu'ils pourraient trouver au Cap-Breton, ou multipliaient les obstacles pour retarder leur départ.

L'attachement des Acadiens à leur sol natal, au pays de leurs ancêtres, le vif regret qu'ils auraient éprouvé en abandonnant leurs terres si vastes et si riches, pesèrent lourdement dans la balance de leur destin. Puis, les appréhensions et les inquiétudes qu'ils entretenaient, dans les premiers temps du régime anglais, s'étaient peu à peu transformées en une sorte de confiance passive et résignée. Ils décidèrent de rester.

14. LE SERMENT D'ALLÉGEANCE ET DE NEUTRALITÉ

Les Acadiens de 1713 entretenaient l'espoir qu'à la faveur d'une nouvelle guerre et d'un nouveau traité, l'Acadie redeviendrait française. Leurs pères, nous l'avons déjà vu, avaient connu une situation semblable, lors de l'occupation anglaise de 1654 à 1667, et le traité de Bréda était venu rendre l'Acadie à la France.

Comptant que l'histoire se répéterait, ils voulaient, en attendant, s'efforcer de tirer le meilleur parti possible du régime étranger, tout en demeurant irréductiblement catholiques et français.

De leur côté, les Anglais d'Annapolis-Royal ne tardèrent pas à se rendre compte que, si le départ des Acadiens eut laissé la colonie dans un état précaire, leur présence en Nouvelle-Écosse ne pouvait manquer de susciter de sérieux embarras. En d'autres termes, les Anglais se trouvaient en possession d'un pays sur lequel ils ne pouvaient exercer leur entière juridiction, si l'on excepte Annapolis-Royal et les environs immédiats.

De fait, les gouverneurs anglais qui se succéderont en Acadie s'efforceront, mais sans succès, d'obtenir des Acadiens les prestations d'un serment pur et simple de fidélité à la Couronne d'Angleterre.

Motifs invoqués par les Acadiens

Les Acadiens refusaient de prêter le serment d'allégeance exigé d'eux par les autorités anglaises, parce que «cet acte eût impliqué, en quelque sorte, la renonciation de leurs droits et les eût laissés à la merci du gouvernement anglais ».

Devenus sujets britanniques, par la prestation d'un serment d'allégeance sans restriction, les Acadiens craignaient que leur mère-patrie, la France, n'eût plus le même intérêt à se porter garante du respect des clauses du traité d'Utrecht qui les touchaient, en particulier celle leur garantissant le libre exercice de leur religion.

De plus, considérant qu'en vertu du décret de la reine Anne, ils avaient tout le temps nécessaire pour décider, soit de demeurer en Acadie, soit de se retirer en territoire français, ils ne voyaient pas la nécessité de brusquer une décision qui pouvait avoir pour eux de graves conséquences. Ils croyaient donc plus sage de se laisser guider par le cours des événements.

Enfin, les Acadiens entretenaient la vive appréhension qu'advenant la prestation d'un serment d'allégeance, sans restriction, à la Couronne anglaise, ils pourraient être éventuellement appelés à prendre les armes contre des Français, au cours de nouvelles guerres entre la France et l'Angleterre.

Un serment conditionnel

La reine Anne étant décédée en 1714, le lieutenant-gouverneur de la Nouvelle-Écosse, Thomas Caulfield, profita de l'avènement du roi George Ier, en 1715, pour exiger des Acadiens le serment d'allégeance au nouveau souverain d'Angleterre.

Les habitants des régions de Grand-Pré et de Beaubassin ne consentirent à signer aucune des formules de serment qui leur furent proposées, alléguant que des pourparlers étaient en cours, à leur sujet, entre les Couronnes de France et d'Angleterre.

À Port-Royal, cependant, trente-cinq habitants signèrent l'engagement conditionnel suivant, le 13 janvier 1716: «*Moi je promès sincèrement et jure que je veut êstre fidelle et tenir une véritable allégeance à Sa Majesté le roi George, tant que je seré à Laccadie et Nouvel Ecosse, et qu'il me sera permy de me retiré là ou je jugeré a propos avec tous mes biens meubles et effets, quand je jugeré a propos sans que nulle personne puisse men empesché.* »

Au mois de novembre 1717, le capitaine John Doucett, un huguenot, administrateur de la province en l'absence du nouveau gouverneur Richard Philipps, tente un nouvel effort en vue d'obtenir la prestation du serment d'allégeance de la part de tous les Acadiens. Des représentants de la population de Grand-Pré, Pisiguit, Cobequid et Beaubassin, après s'être réunis pour discuter de cette question, lui font tenir la réponse suivante :

« Pour le présent, nous ne pouvons que répondre que nous sommes prêts à acquiescer aux demandes à nous proposées, dès que Sa Majesté nous aura fait la faveur de pourvoir aux moyens de nous protéger contre les tribus sauvages, toujours prêtes à nous molester... Sinon, nous ne saurions prêter le serment à nous demandé, sans nous exposer à être à tout moment égorgés chez nous, par ces sauvages qui en font menace. Si l'on ne trouve d'autres moyens, nous sommes prêts à jurer que nous ne prendrons les armes, ni contre Sa Majesté Britannique, ni contre la France, ni contre aucun de leurs sujets ou alliés. »

Les Indiens de l'Acadie, ennemis jurés des Anglais, craignant de perdre à jamais leurs territoires de chasse et de pêche, sous le nouveau régime, ne pouvaient accepter que les Acadiens, leurs alliés de toujours, sur lesquels ils comptaient pour les défendre de la rigueur possible des Anglais, pactisent avec leurs ennemis, en prêtant un serment d'allégeance sans condition au Souverain britannique.

Les Acadiens sont alarmés

Au cours du mois de mars 1718, l'administrateur Doucett menace la population de la région du bassin des Mines (Grand-Pré, Rivière-aux-Canards et Pisiguit) de lui interdire tout commerce et même le droit de pêche, si elle persiste dans sa détermination de ne pas prêter le serment d'allégeance, tel que proposé. Pris d'inquiétude, les Acadiens de la région de Grand-Pré, de Beaubassin et même de Port-Royal adressent à M. François de Brouillan de Saint-Ovide, gouverneur de Louisbourg, une requête conçue dans les termes suivants:

« Aujourd'hui, il semble qu'on veuille nous contraindre de prêter le serment de fidélité ou d'abandonner le pays. Il nous est absolument impossible de faire ni l'un ni l'autre. Nous sommes résolus de ne point faire de serment, parce que nous sommes de bons et vrais sujets du Roi Très Chrétien et nous ne pouvons abandonner, sans des facilités convenables, qui nous étaient promises de la part de la Cour de France et qui nous ont toujours été refusées de la part de la Cour d'Angleterre. Comme notre situation est très rude et que la conjecture dans laquelle nous nous trouvons est très épineuse, nous vous supplions de nous honorer de vos charitables conseils, au cas qu'il nous serait fait de nouvelles instances. »

Le 18 mai 1718, le capitaine Doucett, lieutenant-gouverneur à Annapolis-Royal, écrit à M. de Brouillan pour se plaindre du séjour prolongé des habitants français en Nouvelle-Écosse, vu qu'ils « empêchent de garnir les plantations avec des sujets de Sa Majesté ».

M. de Brouillan, dont la fermeté de caractère était bien établie, lui répond dans les termes suivants[29]:

« ... Le retardement du départ des Acadiens de la Nouvelle-Écosse a eu pour cause, comme vous avez dû le savoir, l'impossibilité dans laquelle M. de Nicholson et autres commandants de l'Acadie les ont mis de pouvoir exécuter les conventions que l'on avait faites. Les uns en ne voulant pas leur laisser emporter leurs biens, les autres n'ayant pas voulu permettre qu'il leur fut, par nous, envoyé des apparaux pour gréer les petits bâtiments qu'ils avaient construits et dont ils ont été obligés de se défaire, presque pour rien, aux marchands anglais... »

Au mois d'août 1717, le colonel Richard Philipps avait été nommé gouverneur-en-chef de la Nouvelle-Écosse, mais ce n'est qu'en 1719 qu'il viendra prendre son poste.

Le 29 avril 1719, soit peu de temps après son arrivée, le gouverneur Philipps convoque les dix membres de son Conseil, dont font partie les majors Armstrong et Masca-

---

29. Extraits de *Colonial Records,* à Londres.

rène[30], de même que le capitaine Doucett. Comme on le sait, ce dernier avait été chargé de l'administration de la colonie pendant l'absence du gouverneur.

Philipps convoque ensuite les délégués acadiens de Grand-Pré, de Beaubassin et de Port-Royal et promet aux Acadiens le libre exercice de leur religion et la possession définitive de leurs terres en échange de la prestation du serment d'allégeance. « Mais il est positivement défendu, proclame-t-il, à ceux qui choisissent de sortir du pays, de faire aucune sorte de dégât ou dommage à leurs maisons ou possessions ou d'aliéner, disposer ou emporter avec eux de leurs effets. » Une telle proclamation venait directement en conflit avec certaines dispositions, que nous avons vues, du traité d'Utrecht de même qu'avec les termes, déjà cités, du décret de la reine Anne, touchant les biens mobiliers et immobiliers des Acadiens.

De plus en plus alarmés, les Acadiens ont de nouveau recours aux conseils de M. de Brouillan, gouverneur de Louisbourg et, le 20 mai, les habitants de Port-Royal écrivent au gouverneur Philipps pour l'informer que, ne pouvant prêter le serment exigé d'eux, ils ont décidé de se retirer au Cap-Breton.

Menacés d'expulsion

Au mois de juillet 1720, Philipps fait parvenir au gouvernement de Londres les représentations suivantes:

« Les Français ont si bien tiré partie de notre négligence en ce pays que leur influence l'emporte sur la nôtre, tant auprès des habitants (Acadiens) qu'auprès des indigènes et l'autorité du Roi est à certains égard méprisée et raillée, car elle dépasse peu la portée de ce fort (Annapolis-Royal), faute de moyens pour étendre notre influence sur les diverses régions habitées. »

Le gouverneur Philipps décide cependant de temporiser et ne persiste pas dans sa première décision d'imposer immédiatement aux Acadiens un serment d'allégeance sans

---

30. Mascarène était un calviniste français émigré en Suisse, puis en Angleterre. Ses lettres sont aux archives de la Nouvelle-Écosse.

réserve. C'est alors qu'il donne instruction au capitaine Paul Mascarène de préparer un rapport complet, concernant les raisons qui ont motivé le maintien des Acadiens sur leurs terres, sans qu'ils aient prêté le serment d'allégeance pur et simple à la Couronne britannique.

Le rapport de Mascarène est résumé par Rameau de Saint-Père[31], dans les termes suivants:

«Premièrement, parce que leur retraite, laissant la garnison anglaise dans un isolement absolu, la priverait de tout approvisionnement proche et régulier.

«Deuxièmement, parce qu'en partant, s'ils coupaient les digues qu'ils avaient construites, ce serait un mal irréparable, le pays devenant incultivable pendant de longues années.

«Troisièmement, parce que les Indiens, abandonnés à eux-mêmes, dans ces paroisses désertées, ruineraient tout et deviendraient beaucoup plus dangereux qu'auparavant.

«Quatrièmement, enfin, parce que cette masse de population française, laborieuse et riche, transportée avec tous ses bestiaux sur le territoire canadien et notamment dans les îles du golfe, y créerait une force redoutable contre les colonies anglaises.»

Après avoir pris connaissance de ce rapport, Philipps recommande au gouvernement de Londres la rédaction d'une formule de serment qui soit acceptable aux Acadiens et il ajoute: «J'espère qu'il se formera quelque plan, dans la mère-patrie, pour peupler cette contrée avec des gens de la Grande-Bretagne, au printemps prochain. Les habitants, d'ici là, ne penseront point à s'éloigner, jouissant en ce moment du bénéfice du délai que je leur ai accordé, jusqu'à ce que j'aie reçu de vos nouvelles instructions.»

En date du 28 décembre 1720, le Bureau des Colonies d'Angleterre communique à Philipps les instructions suivantes: «Il nous semble que les Français de la Nouvelle-Écosse ne deviendront jamais de bons sujets de Sa Majesté... C'est pourquoi nous pensons qu'ils devront être expulsés du pays, aussitôt que les forces que nous avons dessein de vous envoyer seront arrivées dans la Nouvelle-Écosse... Quant

---

31. *Une colonie féodale en Amérique.*

122

à vous, ne vous hasardez point dans cette expulsion, sans un ordre positif de Sa Majesté à cet effet. Vous ferez bien de persister, vis-à-vis d'eux, dans la même ligne de conduite prudente et réservée. Tâchez de les détromper au sujet du libre exercice de leur religion, qui leur sera certainement accordé, si l'on juge que cela soit utile qu'ils restent sur les terres qu'ils occupent.»

La méfiance s'accroît entre Acadiens et Anglais

Établissant un régime de tolérance à l'endroit des Acadiens, le gouverneur Philipps ne soulève plus la question du serment d'allégeance jusqu'à son départ pour l'Angleterre en 1722. Pendant l'absence prolongée du gouverneur Philipps, Doucett devient administrateur de la colonie jusqu'en 1726, alors qu'il est remplacé par le major Lawrence Amstrong.

Sous l'administration de Doucett, soit jusqu'en 1726, les Acadiens ne sont pas importunés par cette question du serment d'allégeance. D'ailleurs, pendant ces quatre années, l'attention des autorités anglaises était concentrée sur la terrible guerre de répression dirigée contre les Abénaquis, dans les colonies anglo-américaines.

Deux graves incidents sont alors survenus qui ont contribué à accentuer la méfiance entre Acadiens et Anglais et à les indisposer davantage les uns envers les autres. Le 24 mars 1724, lors d'un assaut des Anglais contre le village des Abénaquis de Narantsouak, sur les côtes du Maine, le père jésuite, Sébastien Rasle, leur vieux missionnaire, est massacré. À la sortie de son église, il est criblé de balles, scalpé et son cadavre est mutilé par les Anglais.

À la même époque, une cinquantaine d'Indiens micmacs lancent une attaque-surprise contre la garnison anglaise d'Annapolis-Royal. Ils assassinent deux soldats anglais et en blessent gravement une douzaine. Soupçonnant les Acadiens d'avoir incité les Micmacs à attaquer la garnison, l'administrateur Doucett fait incendier plusieurs maisons appartenant à des Acadiens et renvoie à Louisbourg le père récollet Charlemagne Cuvier, curé de Port-Royal depuis 1720.

À l'automne de 1726, peu de temps après avoir remplacé Doucett en qualité d'administrateur de la colonie, Armstrong convoque une réunion des Acadiens de Port-Royal, en vue d'exiger d'eux la prestation du serment d'allégeance. De nouveau, les Acadiens refusent « à moins qu'il fût inséré une clause formelle suivant laquelle ils ne pourraient jamais être obligés de prendre les armes. »

Après avoir pris l'avis de son Conseil, Armstrong accepte que cette réserve soit insérée en marge, sur la traduction française, afin, écrit-il, « de surmonter par degré leur répulsion ». Or, c'est la copie anglaise du document qui est envoyée à Londres, sur laquelle la réserve consentie aux Acadiens de Port-Royal n'apparaît pas.

Armstrong profite ensuite de l'avènement de George II d'Angleterre pour envoyer, au mois d'octobre 1727, un jeune officier, du nom de Robert Wroth, auprès des Acadiens des régions de Grand-Pré et de Beaubassin, pour obtenir d'eux la prestation du serment d'allégeance. Mais le texte du serment conditionnel obtenu par Wroth contient de telles réserves que le Conseil d'Annapolis-Royal, siégeant le 13 novembre 1727, les déclare nulles, de nul effet et déshonorantes pour Sa Majesté. Robert Wroth en est vertement blâmé.

En cette circonstance les Acadiens avaient consenti, sous réserve des conditions qui suivent, à signer le serment suivant: « Je promets et jure sincèrement, en foi de chrétien, que je serai entièrement fidèle et obéirai vraiment à Sa Majesté, le Roy George second, que je reconnais pour le souverain seigneur de l'Acadie ou Nouvelle-Écosse. Ainsi que Dieu me soit en aide. »

Les réserves accordées par Robert Wroth, sous sa signature, se lisaient comme suit: « Je, Robert Wroth, enseigne et adjudant des troupes de Sa Majesté, promets et accorde aux habitants des Mines (région de Grand-Pré) qui auront fait et signé le serment de fidélité au roy George, le second, les articles ci-dessous qu'ils m'ont demandés, savoir:

« 1. — Qu'ils auront le libre exercice de leur religion et pourront avoir des missionnaires, dans les lieux nécessaires pour les instruire, catholiques, apostoliques et romains;

« 2. — Qu'ils ne seront nullement obligés à prendre les armes contre qui que ce soit et de nulle obligation en ce qui regarde la guerre ;

« 3. — Qu'ils demeureront en une véritable possession de leurs biens, qui leur seront accordés à eux et à leurs hoirs, dans la même étendue qu'ils en ont jouys cy-devant et en payant les mêmes droits accoutumés du pays ;

« 4. — Qu'ils seront libres de se retirer quand il leur semblera bon et de pouvoir vendre leurs biens et de transporter avec eux le provenu, sans aucun trouble, moyennant toutefois que la vente soit faite à des sujets naturels de la Grande-Bretagne, et lorsqu'ils seront hors du terrain de Sa Majesté, ils seront déchargés entièrement de leur signature du serment. »

Le Conseil d'Annapolis-Royal, très mécontent des conditions consenties par l'adjudant Wroth aux Acadiens de la région de Grand-Pré et de Beaubassin, laissa la question du serment d'allégeance en suspens pendant deux ans.

Des Français neutres

À la fin de l'automne de 1729, les autorités de Londres renvoient Richard Philipps à Annapolis-Royal, car il est toujours gouverneur en titre de la Nouvelle-Écosse. Moins d'un mois après son arrivée en Acadie, soit le 3 janvier 1730, Philipps écrivait déjà à Londres qu'il venait de recevoir la *soumission* de tous les habitants de Port-Royal âgés de plus de seize ans et, le 26 novembre 1730, il informait définitivement les autorités anglaises « que tous les Acadiens de toutes les paroisses » avaient prêté le serment d'allégeance à Sa Majesté britannique.

De Fontainebleau, le 10 juillet 1731, le président du Conseil de la Marine française écrit[32] que le gouverneur Philipps était en droit d'exiger ce serment et ajoute : « *Je suis bien aise que cela ait engagé environ 60 Acadiens de Beaubassin à aller marquer des terres à l'isle Saint-Jean, pour s'y établir et j'apprendray avec plaisir qu'ils s'y sont*

---

32. Archives Nationales de France ; Archives des Colonies, 1731, page 704.

transportez ce printems comme ils devoient le faire, il y a lieu de croire que le succès de la récolte qui y a esté faite l'année dernière les y engagera de plus en plus.»

Mais de quelle façon Philipps avait-il réussi à vaincre la résistance de ces Acadiens, jusque là si obstinés dans leur refus? Paul Mascarène, l'un des lieutenants de Philipps, nous le laisse entrevoir dans une lettre datée du 6 avril 1748, dans laquelle il déclare ce qui suit: «Bien que cette réserve de ne point prendre les armes n'ait point été insérée par Philipps en 1730, les Acadiens ont toujours soutenu que cette promesse leur avait été faite et je tiens de ceux qui ont assisté aux Mines (région de Grand-Pré), à la prestation du serment, qu'en effet une semblable promesse leur a été consentie.»

C'est d'ailleurs depuis cette date que les Acadiens sont mieux connus des autorités de Londres, comme des colonies anglaises de la Nouvelle-Angleterre, sous le nom de *French Neutrals* (Français neutres).

Au cours de recherches faites en 1887, au ministère des Affaires étrangères de Paris, par les historiens l'abbé H.-R. Casgrain et Rameau de Saint-Père, le procès-verbal de la réunion présidée par le gouverneur Philipps, à Grand-Pré en 1730, lors de la prestation de ce serment d'allégeance par les Acadiens, fut heureusement mis à jour. Cette preuve écrite de la promesse faite aux Acadiens par le gouverneur Philipps, datée du 25 avril 1730, porte les signatures de l'abbé Charles de la Goudalie, curé de Grand-Pré, de l'abbé Noël Noiville, prêtre-missionnaire et d'Alexandre Bourg Belle-Humeur, notaire. Elle se lit comme suit:

«Nous, Charles de la Goudalie, prêtre-curé, missionnaire de la paroisse des Mines (Grand-Pré) et Noël-Alexandre Noiville, prêtre, bachelier de la sacrée Faculté des théologiens de Sorbonne, missionnaire apostolique et curé de l'Assomption et de la Sainte-Famille de Pisiguit, certifions à qui il appartiendra, que Son Excellence le seigneur Richard Philipps, écuyer, capitaine-en-chef et gouverneur-général de la province de Sa Majesté, la Nouvelle-Écosse ou Acadie, a promis aux habitants des Mines et autres rivières qui en dépendent, qu'il les exempte du fait des armes et de la guerre contre les Français et les sauvages et que

126

lesdits habitants se sont engagés uniquement et ont promis de ne jamais prendre les armes dans le fait de la guerre contre le royaume d'Angleterre et son gouverneur.

« Le présent certificat, fait et donné et signé par nous cy nommés, le 25 avril 1730, pour être mis dans les mains des habitants et leur valoir et servir partout où besoin sera ou que raison en est. »

Mais que valait un tel document, ne portant pas la signature de Philipps, auprès des autres gouverneurs anglais qui se succéderont à Annapolis-Royal?

Il reste que, pendant une période de vingt ans, soit de la chute de Port-Royal en 1710 jusqu'en 1730, les Acadiens avaient vécu dans l'incertitude quant au sort qui leur était réservé sous le régime anglais. Mais l'administration du gouverneur Philipps en Nouvelle-Écosse et les garanties qu'il avait sans doute consenties aux Acadiens avaient contribué à ranimer leur confiance et à leur donner de nouvelles raisons de se cramponner à leurs terres.

D'ailleurs, à partir de 1730 jusqu'à l'arrivée du gouverneur Cornwallis, qui succéda à Philipps en 1749, la question du serment d'allégeance ne sera plus soulevée par l'administration anglaise en Nouvelle-Écosse.

Les Acadiens étaient alors fermement convaincus que le statut de *Français neutres* (French Neutrals) leur avait été officiellement accordé par le gouverneur Philipps en 1730, au nom de la Couronne britannique, dans toute guerre qui pourrait éclater.

15. ACCROISSEMENT RAPIDE DE LA POPULATION ACADIENNE

Au printemps de 1730, les Acadiens du bassin des Mines, dans la région de Grand-Pré, avaient présenté au gouverneur Philipps la requête suivante: « Les habitants des Mines et autres rivières qui en dépendent, supplient très humblement Son Excellence, que lesdits habitants qui auront prêté serment de fidélité à Sa Majesté le roy George II, de les assurer du libre exercice de leur religion, de permettre aux missionnaires de demeurer parmi eux pour les instruire et de leur accorder l'entière possession de leurs biens à eux et à leurs hoirs en payant les droits accoutumés dans le pays... »

En date du 25 avril 1730, Philipps leur avait répondu: « Sous condition que les susdits habitants se comportent avec soumission et fidélité au Roy, je leur accorde et à tous ceux au nom desquels ils se présentent de l'étendue des Mines, de la part du Roy, tout ce qu'ils ont demandé dans la présente requête. »

Conséquemment, à la condition d'observer une stricte neutralité, en cas de guerre, les Acadiens se trouvaient assurés du libre exercice de leur religion et de l'entière possession de leurs terres. C'est du moins l'assurance qu'ils croyaient sincèrement avoir reçue du gouverneur Philipps.

À compter de ce moment, les Acadiens ne songèrent plus à abandonner leurs terres. Il arriva cependant que, la population acadienne augmentant de façon étonnante, un grand nombre d'habitants se trouvèrent à l'étroit sur leurs anciennes propriétés. En 1732, le gouverneur Philipps estime qu'il y a déjà huit cents familles acadiennes en Nouvelle-Écosse et constate que la population a doublé en dix ans.

Un recensement datant de 1737 indique qu'il y a 7598 Acadiens en Nouvelle-Écosse et, le 15 novembre 1740, Mascarène écrit : « L'accroissement des habitants est tel qu'ils ont divisé et subdivisé, entre leurs enfants, les terres qu'ils possédaient. »

À l'île Saint-Jean

C'est alors que plusieurs colonies nouvelles furent établies du côté de Beaubassin, à travers l'isthme de Chignectou, en direction de la baie Verte. La jeunesse de Port-Royal et de Grand-Pré se porta aussi vers les colonies déjà établies sur les rivières Chipoudy, Petitcoudiac et Memramcook.

Les frontières délimitant les territoires anglais et français, dans la région de Beaubassin, n'ayant jamais été définitivement déterminées, les Acadiens s'établissant en ces nouvelles colonies se croyaient en territoire français. Si bien que ces établissements nombreux qui ont surgi à l'époque, tant au nord-ouest qu'au nord-est de Beaubassin, soit dans la partie sud-est du Nouveau-Brunswick actuel, prirent bientôt le nom d'*Acadie française*.

Quelques années plus tôt, une vingtaine de familles acadiennes de Beaubassin et de Pisiguit, surtout des jeunes mariés, avaient émigré à l'île Saint-Jean, alors possession française. La famille de Michel Haché-Gallant, de Beaubassin, s'était établie à Port-Lajoie (Charlottetown) dès 1720[33]. En cette même année, Pierre et Joseph Martin, fils de Jean Martin, de Pisiguit, s'étaient installés à la rivière du Nord-Est (Hillsboro River), à l'île Saint-Jean.

En 1721, Charles Haché-Gallant et son frère Pierre, fils de Michel, s'établissent à Port-Lajoie (Charlottetown). En 1722, Jean-Baptiste Haché-Gallant, un autre fils de Michel, s'installe à Port-Lajoie alors que Pierre Préjean et Étienne Poitevin s'établissent à Saint-Pierre-du-Nord (St. Peter's

---

33. Un rapport daté du 6 novembre 1721, au ministre de la Marine de France, indique qu'il y avait, à Port-Lajoie, 16 familles venant de France et 4 familles originaires de l'Acadie, dont celle de Michel Haché-Gallant.

Harbour). En 1724, c'est au tour de Joseph Haché-Gallant, fils de Michel, et de Joseph Précieux d'aller s'établir à Port-Lajoie. En 1726, Pierre Martin, fils, s'installe à la rivière du Nord-Est. En 1728, pendant que Michel Hébert et Pierre Buot vont s'établir à Port-Lajoie, François et Michel Boudrot, Jean Béliveau, Charles Bourque vont s'installer à Tracadie; François Blanchard, François Chiasson, Jacques Deveau et Jean Champagne vont au Havre aux Sauvages (Savage Harbour) et Pierre Arsenault, son frère Charles et Jean Lambert s'établissent à Malpèque.

En 1735, sur un total de 81 familles établies à l'île Saint-Jean, 35 d'entre elles, comprenant 240 personnes, étaient d'origine acadienne. Les autres étaient surtout des familles de pêcheurs venues directement de France ou de Louisbourg.

Appréhensions des Anglais

Comme on l'a déjà vu, l'émigration acadienne vers l'île Saint-Jean, à cette époque, s'explique surtout par les difficultés qu'éprouvaient les Acadiens à obtenir de nouvelles concessions de terres cultivables en Nouvelle-Écosse, alors que le nombre des familles se multipliait rapidement. «Ces habitants français se multiplient si vite, écrivait en 1732 l'arpenteur Dunbar, chargé d'établir des colons irlandais protestants en Nouvelle-Écosse, qu'il n'y aura bientôt plus de terres pour d'autres colons.»

Et Mascarène d'écrire, le 15 novembre 1740: «Si on refuse de nouvelles concessions (aux Acadiens), ils en seront réduits à vivre ici misérablement et, par la suite, causeront des troubles; ou bien, ils continueront de s'approprier des terrains qui leur sont interdits; sinon, ils seront forcés de se retirer dans les colonies françaises du voisinage, au Cap-Breton et au Canada... En cas de guerre avec les Français, ils prendront vite parti contre nous et comme ils sont au moins dix contre un, ils auront tôt fait de réduire notre garnison à la détresse, en nous refusant les vivres nécessaires, en nous tenant en un état d'alarme continuelle, si même ils ne s'emparent pas du fort qui tombe en ruine.»

Les Acadiens, profondément religieux, étaient liés par un serment d'allégeance conditionnel à la Couronne britannique. Autrement, ils auraient pu se soulever contre les Anglais et se joindre en masse aux Français ou aux Canadiens qui, à diverses reprises, comme nous le verrons bientôt, envahiront la Nouvelle-Écosse ou feront le siège d'Annapolis-Royal.

Sauf de rares exceptions, de la part de Français tardivement établis en Acadie, ou d'Acadiens de vieille souche ayant vraisemblablement omis de prêter le serment d'allégeance, pour quelque raison que ce soit[34], l'ensemble de la population acadienne respecta toujours scrupuleusement les engagements pris envers la Couronne d'Angleterre.

Ces Acadiens n'en demeuraient pas moins catholiques et français. C'est Armstrong qui écrivait, le 15 novembre 1732: «Depuis plus de vingt ans qu'ils sont sous l'autorité anglaise, ces Français catholiques sont bien plutôt sujets de nos voisins de Québec et du Cap-Breton que de Sa Majesté dont, à leur façon de faire, ils semblent mépriser le gouvernement.»

Le clergé acadien de l'époque

Lors de la prise de Port-Royal par les Anglais, en 1710, quatre religieux desservaient l'Acadie: les pères Justinien Durand et Bonaventure Masson, à Port-Royal; le père Félix Pain[35], à Saint-Charles-des-Mines (Grand-Pré), remplacé plus tard par l'abbé Antoine Gaulin, ainsi qu'un missionnaire à Beaubassin, qui desservait à la fois les Acadiens et les sauvages.

En 1740, le clergé acadien se composait des abbés Vauquelin et Désenclaves, à Port-Royal; Chauvreulx et Miniac, dans la région de Grand-Pré; Girard, à Cobequid; Desclaches et du père Germain, à Beaubassin.

Au cours des années qui précédèrent immédiatement la dispersion des Acadiens, il y eut aussi: le père Pierre

---

34. Plusieurs absences sont signalées, lors des réunions tenues en Acadie relativement à la prestation du serment d'allégeance. Ainsi à l'assemblée tenue à Beaubassin le 28 mars 1715, treize chefs de familles étaient absents.
35. Prototype du Père Félicien, dans le poème *Évangéline,* de Longfellow.

Maillard, *missionnaire des sauvages*, de 1735 à 1752, à l'île du Cap-Breton, puis à Halifax; l'abbé Jean-Louis Leloutre, *missionnaire des sauvages* en Acadie, de 1737 à 1750, lequel ne cachait pas son animosité à l'endroit des Anglais et joua à l'époque un rôle très discuté en Acadie; l'abbé François LeGuerne, missionnaire au fort Beauséjour en 1750; les abbés Jean Perronnel, curé de Saint-Pierre-du-Nord, à l'île Saint-Jean, de 1752 à 1755; l'abbé Dosque, à Malpèque, île Saint-Jean, de 1755 à 1758; LeMaire, curé de Pisiguit, de 1752 à 1755; Henri Daudin, curé d'Annapolis-Royal, de 1753 à 1755; Philippe Vizien, aumônier des troupes françaises à Beauséjour; Jean Biscarat, curé de Saint-Pierre-du-Nord, à l'île Saint-Jean de 1755 à 1758, le Père Guillaume Coquart, missionnaire à l'île Saint-Jean de 1755 à 1758 et le père Jean-Baptiste de la Brosse qui accompagna l'abbé LeGuerne, en 1756, chez les réfugiés acadiens.

Même sous le régime anglais, de 1713 à 1755, l'Acadie continua de faire partie du diocèse de Québec, lequel, à l'époque, s'étendait sur tout le tetritoire français, allant des grands lacs au golfe du Mexique, en incluant la Louisiane.

Ainsi, le 12 mai 1745, le président du Conseil de la Marine de France se plaignait amèrement à Monseigneur l'évêque de Québec « qu'il n'y a eu que les sieurs Maillard, de la Goudalie, Laboret et Leloutre qui se soient portés à procurer des secours aux troupes françaises » tentant alors de reconquérir l'Acadie. « M. Désenclaves, curé de Port-Royal, exhortait ses paroissiens à la fidélité envers l'Angleterre. M. Chauvreulx menaça d'excommunier quiconque prendrait les armes contre les Anglais. Le grand-vicaire Miniac agit pour faire échouer l'entreprise française ».

En effet, à partir de 1740, M. de Miniac, sulpicien, était le grand-vicaire de Mgr l'évêque de Québec, en Nouvelle-Écosse. Il avait succédé à M. de la Goudalie, qui avait lui-même remplacé M. de Breslay, grand-vicaire de 1710 à 1735.

Situation paradoxale s'il en était une: pendant que des prêtres français, relevant de l'évêché de Québec, desservaient une population acadienne ayant prêté un serment d'allégeance au roi d'Angleterre, Monseigneur l'évêque de

Québec devait lui-même prêter un serment de fidélité au roi de France.

De fait, lorsque, sur l'insistance de Louis XIV, le pape consent à ériger Québec en évêché, à la condition qu'il dépende directement du Saint-Siège, le roi de France «se contente de nommer l'évêque et d'exiger de lui un serment de fidélité[36] : «Je, François de Laval, évêque de Québec, dans la Nouvelle-France, jure le Très Saint et Sacré Nom de Dieu, et promets à Votre Majesté que je lui serai, tant que je vivrai, fidèle sujet et serviteur, que je procurerai son service et le bien de son État de tout mon pouvoir, et ne me trouverai en aucun conseil, dessein ni entreprise au préjudice d'iceux. Et s'il vient quelque chose à ma connaissance, je le ferai savoir à Votre Majesté...»

Prospérité chez les Acadiens

La fondation de Louisbourg, entreprise colossale dans laquelle la France a englouti des millions, a fait la fortune des Acadiens. Le commerce lucratif qu'exerçaient les Acadiens avec les Français de l'île Royale (Cap-Breton) faisait circuler l'argent à profusion dans les campagnes acadiennes. Les échanges commerciaux se faisaient surtout par l'isthme de Chignectou et la baie Verte. L'administration anglaise d'Annapolis-Royal voyait cette situation d'un bien mauvais œil. Mais, pour y mettre fin, il lui aurait fallu une armée de douaniers, qu'elle n'avait pas à sa disposition.

Parmi les plus importants négociants acadiens de l'époque, signalons Joseph LeBlanc dit Le Maigre, de Grand-Pré. Il s'occupait d'élevage et de commerce de bétail sur une grande échelle. Un jour, il conduisit 80 bœufs et 150 moutons à Chiboucteu (Halifax), pour ravitailler l'expédition du duc d'Anville qui, en 1746, avait entrepris de s'emparer de l'Acadie, au nom de la France. Cette tentative se termina par un désastre et Joseph LeBlanc dit LeMaigre ne fut jamais payé.

Joseph-Nicolas Gauthier compta aussi parmi les plus riches commerçants d'Acadie. Ses principaux établissements

---

36. *La Vie Quotidienne en Nouvelle-France*, par Raymond Douville et Jacques-Donat Casanova, page 150. Hachette, Paris, 1964.

étaient situés à Bélair, dans le haut de la rivière Port-Royal. Il avait hérité des magasins de son beau-père, le marchand Louis Alain, lors de son mariage en 1715. Il accumula une fortune de plus de 80 000 livres, ce qui était considérable pour l'époque. Il fut complètement ruiné par les Anglais.

Grâce à des documents que nous avons consultés aux archives, nous savons que Joseph-Nicolas Gauthier possédait une habitation près de Port-Royal, une autre à Bélair, dans le haut de la rivière, de même que des magasins et entrepôts, deux moulins à farine, une scierie et deux goélettes de fort tonnage. Il faisait le commerce du bois, du poisson, des fourrures et il importait du sucre, de la mélasse et autres marchandises directement des Antilles.

Joseph LeBlanc dit Le Maigre et Nicolas Gauthier étaient sans doute des exceptions. Mais il n'en reste pas moins que, vers 1740, l'ensemble de la population acadienne vivait dans l'aisance.

«La rapide diffusion de la richesse et des sommes considérables d'espèces métalliques, constate Rameau de Saint-Père, que la place de Louisbourg jetait chaque année, dans les campagnes acadiennes, profitait largement à l'ensemble des Acadiens.

«Beaucoup d'entre eux ne se contentaient pas de serrer ces écus dans leurs coffres, mais savaient en faire un usage fécond, les uns en facilitant l'établissement de leurs enfants sur des terres nouvelles, d'autres en construisant des goélettes, sur lesquelles ils transportaient à Louisbourg les denrées de leur pays. Ils s'embarquaient même sur la baie Verte, à l'isthme de Shédiac, pour aller gagner l'embouchure du Saint-Laurent et le Canada.»

«C'était un peuple honnête, industrieux, sobre et vertueux», écrit le capitaine Brooke Watson, officier anglais qui a participé à l'embarquement des Acadiens pour l'exil, en 1755. «Rarement des querelles s'élevaient parmi eux. En été, les hommes étaient constamment occupés à leurs fermes. En hiver, ils coupaient du bois pour leur chauffage, leurs clôtures et faisaient la chasse. Les femmes s'occupaient à carder, à filer et à tisser la laine, le lin et le chanvre, que ce pays fournissait en abondance.

« Ces objets, avec les fourrures d'ours, de castor, de renard, de loutre et de martre, leur donnaient non seulement le confort, mais bien souvent de jolis vêtements. Ils leur procuraient aussi les autres choses nécessaires ou utiles, au moyen du commerce d'échange qu'ils entretenaient avec les Anglais ou les Français.

« Leur pays était tellement abondant en provisions, que j'ai entendu dire qu'on achetait un bœuf pour cinquante chelins, un mouton pour cinq et un minot de blé pour dix-huit deniers.

« On n'encourageait pas les jeunes à se marier, à moins que la jeune fille ne pût tisser une paire de draps et que le jeune homme ne pût faire une paire de roues. Ces qualités étaient jugées essentielles pour leur établissement. Et ils n'avaient guère besoin de plus, car chaque fois qu'un mariage était célébré, tout le village s'employait à établir les nouveaux mariés. On leur bâtissait une maison, on défrichait un morceau de terre suffisant pour leur entretien immédiat, on leur fournissait des animaux et des volailles et la nature, soutenue par leur propre industrie, les mettait bientôt en moyen d'aider les autres. »

Les administrations anglaises d'Annapolis-Royal et de Boston, au Massachusetts, ne voyaient pas sans inquiétude les Acadiens se multiplier si rapidement, prendre possession des plus belles terres cultivables et jouir d'une telle prospérité.

Le gouverneur Shirley, du Massachusetts, déplore, dans un mémoire datant de 1746, que, lors de la prise de Port-Royal en 1710, le général Nicholson n'ait pas « éloigné les habitants français, alors qu'ils n'étaient que peu nombreux, pour les remplacer, pendant la paix, par des sujets protestants ».

Il arriva que, pendant toute la période allant de 1710 à la fondation d'Halifax, en 1749, les colons anglais refusaient les offres d'établissement en Nouvelle-Écosse, par crainte des représailles dont ils auraient été les premières victimes, en période de guerre, de la part des Micmacs et des Abénaquis, amis des Français et des Acadiens.

16. VAINS EFFORTS DES FRANÇAIS POUR REPRENDRE L'ACADIE

LA GUERRE de la succession d'Autriche, qui éclata en 1741, devait rompre en 1744 la longue période de paix qui avait existé entre la France et l'Angleterre. Le déclenchement des hostilités, entre Français et Anglais en Europe, au mois de mars 1744, fut connu à Louisbourg au moins un mois plus tôt qu'à Annapolis-Royal et à Boston.

Voulant profiter de cette circonstance fortuite, le gouverneur Duquesnel, de Louisbourg, lance le premier le signal des combats qui allaient se dérouler sur les côtes de l'Atlantique. Il commence par armer des corsaires qu'il dirige contre les vaisseaux marchands anglais. Ces flibustiers exercent leurs ravages dans les eaux de Terreneuve et de la Nouvelle-Écosse au point de désorganiser complètement le commerce de Boston.

Duquesnel met ensuite sur pied une expédition, composée de 900 soldats et miliciens, qu'il place sous le commandement du capitaine Duvivier, dans le dessein de reprendre Port-Royal. Après s'être emparé de Canso, où la garnison anglaise ne comptait qu'une poignée de soldats, Duvivier perd un temps précieux en essayant d'organiser le transport de ses troupes par terre, de la baie Verte à Beaubassin pour ensuite les diriger vers Annapolis-Royal.

Pendant ce temps, 300 Indiens, recrutés par l'abbé Leloutre, s'étaient rendus à Port-Royal mais, faute de renforts, avaient dû rebrousser chemin.

Duvivier arrive enfin à Annapolis-Royal, à la fin d'août 1744, où il espère recevoir des canons qui lui étaient expédiés de Louisbourg par mer. Sachant bien qu'il ne peut s'emparer du fort sans artillerie, Duvivier se contente, pendant trois semaines, de lancer des escarmouches contre les Anglais. C'est alors que des navires entrent dans le port. Mais c'est une escadre anglaise venue de Boston, avec un détachement de miliciens et d'Indiens du Massachusetts.

Les troupes anglaises débarquent en dehors du fort, de manière à attaquer les Français par derrière. Duvivier est bientôt forcé de lever le siège.

Quelques jours à peine après son départ, des vaisseaux français, arrivés de Louisbourg et portant 75 canons, entrent à leur tour dans le port, venant à sa rescousse. Mais Duvivier n'est plus là. Son lieutenant, le sieur de Gannes, à ramené vers Grand-Pré les quelque 600 Français et Micmacs qu'il a sous son commandement. L'escadre française, de crainte d'être embouteillée par les Anglais dans le bassin d'Annapolis-Royal, doit, à son tour, se retirer. C'est un bien piètre début de campagne.

Les Anglo-américains avaient été saisis d'une grande crainte à la nouvelle de l'invasion de l'Acadie par Duvivier. Mais ils reprirent vite contenance en apprenant que la garnison de Louisbourg, mal commandée, indisciplinée et dont les soldes n'étaient point payées, songeait à se révolter.

Annapolis-Royal resta naturellement aux mains des Anglais. Les Acadiens se trouvèrent alors dans une situation fort embarrassante. Le fait qu'un certain nombre d'entre eux avaient fourni des approvisionnements aux troupes de Duvivier allait sans doute être retenu contre l'ensemble de la population.

L'année suivante, soit au début de mai 1745, un officier canadien, le capitaine Paul Marin, de Québec, à la tête de 200 miliciens et de 40 Indiens, dirige une autre expédition contre les Anglais d'Annapolis-Royal. Elle n'a pas plus de succès que la première. Le capitaine Marin est forcé de battre en retraite, après s'être emparé de deux navires marchands et de leur chargement en provenance de Boston.

«Toutes ces agitations, ces mouvements de troupes allant, partant, revenant, chez les habitants, avec leurs exigences violentes et quelquefois brutales, jetaient de grandes inquiétudes dans l'existence des pauvres Acadiens, écrit Rameau de Saint-Père[37]. Les intrigues de la politique française, le séjour des officiers français parmi eux et, d'autre part, la méfiance et les enquêtes multipliées des Anglais, achevaient de troubler leur esprit et leur sécurité.»

La première capitulation de Louisbourg

C'est alors que le gouverneur Shirley, du Massachusetts, exerce une forte pression sur les autorités de Londres, pour qu'une attaque d'envergure soit dirigée, au plus tôt, contre Louisbourg. Cette forteresse, base des corsaires qui causaient de si graves dommages au commerce de Boston, constituait une menace permanente pour les colonies anglo-américaines.

Impatient de mettre son plan à exécution, Shirley n'attend même pas la réponse de Londres. Il obtient l'autorisation de son Conseil, organise une armée, forte de 4000 hommes, qui est embarquée sur des navires de guerre au milieu d'avril 1745 et dirigée sur Louisbourg, sous le commandement de William Pepperell, un négociant de Boston.

Tout à fait par hasard, Pepperell rencontre en cours de route le commodore Warren, arrivant directement d'Angleterre, à la tête d'une escadre composée de quatre vaisseaux avec ordre d'entreprendre le blocus de Louisbourg. Aucune rencontre ne pouvait être plus opportune pour les Anglais.

Le nouveau gouverneur de Louisbourg, Louis Dupont sieur Duchambon, ne pouvant pas compter sur l'obéissance de sa garnison, décide, à l'approche de l'ennemi, de rester enfermé dans le fort, avec ses troupes, par crainte des désertions. Dans la nuit du 13 mai, les Anglais effectuent leur débarquement, sans rencontrer la moindre résistance. Ils incendient les magasins situés de l'autre côté de la baie et se dirigent vers le fort. Vraiment favorisé par le sort, le commodore Warren capture, à l'entrée de la baie de Louisbourg, un navire français qui apportait à la garnison de Duchambon un renfort de 560 hommes.

Après un siège de 47 jours qui lui a coûté une centaine d'hommes, Duchambon capitule. C'est le 3 juillet 1745. Les Anglais procèdent immédiatement au transport de la popula-

---

37. *Une colonie féodale en Amérique.*

tion du Cap-Breton et de ce qui reste de la garnison de Louisbourg, à Brest, en France.

En Nouvelle Angleterre, la gloire de Pepperell surpasse alors celle que Nicholson s'était acquise par la prise de Port-Royal, en 1710, alors qu'en France la reddition de Louisbourg cause « un étonnement mêlé de honte et de colère ».

Un autre désastre pour les Français

Les Français voulurent venger la perte d'une forteresse réputée imprenable et qui, au cours d'un si grand nombre d'années, avait exigé des sacrifices financiers vraiment exorbitants.

En 1746, la France organise une grande expédition, sous le commandement de Nicolas de la Rochefoucauld, duc d'Anville, composée de 18 vaisseaux de ligne, de 8 frégates et de 35 transports portant 800 canons et chargés de 3000 soldats et de 1500 marins, en vue de reprendre Louisbourg et de dévaster les côtes du Massachusetts.

Au cours d'une pénible traversée, qui dure 86 jours, une épidémie de peste se propage parmi les soldats du duc d'Anville et les fait mourir par centaines. Puis, les vivres viennent à s'épuiser. Enfin, une tempête d'une violence inouïe disperse la flotte française à l'île de Sable et jusqu'aux Antilles, d'où les navires les moins avariés peuvent regagner les côtes de France.

Moins de la moitié de l'escadre du duc d'Anville réussit à atteindre Chibouctou (Halifax) où elle est ravitaillée par des Acadiens. 1200 hommes ont succombé au cours de la traversée; plus de 1000 autres meurent de la peste après leur arrivée à Chibouctou. Ils sont inhumés à l'endroit connu de nos jours sous le nom de Bedford, en Nouvelle-Écosse.

Frappé lui-même par cette terrible épidémie, le duc d'Anville succombe le 16 septembre 1746. Il est d'abord inhumé à l'île Georges, dans le bassin d'Halifax, mais ses restes mortels seront transportés à Louisbourg en 1748.

Deux jours après le décès du duc d'Anville, le vice-amiral d'Estournelles, qui a assumé le commandement, se suicide dans un accès de fièvre. Le contre-amiral de la Jonquière projette quand même une attaque désespérée contre

Annapolis-Royal, avec les débris de l'expédition. Mais une nouvelle tempête surgit au large du Cap-de-Sable et le force à retourner en France.

Prévenu du départ de France de la grande expédition du duc d'Anville, M. de Beauharnois, gouverneur du Canada, avait envoyé en Acadie 600 Canadiens, sous le commandement de Nicolas-Roch de Ramezay[38], fils de Claude de Ramezay, ancien gouverneur de Montréal. L'expédition canadienne devait combiner sa stratégie avec celle des forces du duc d'Anville.

Ramezay s'était d'abord rendu à Beaubassin où, pendant de longues semaines, il avait vainement attendu des nouvelles de la flotte française. S'étant ensuite dirigé sur Grand-Pré, de Ramezay s'apprêtait à retourner à Québec, lorsqu'un messager réussit à l'atteindre pour lui raconter les incroyables malheurs qui s'étaient abattus sur l'expédition du duc d'Anville.

Les Canadiens décident d'entreprendre quand même le siège d'Annapolis-Royal mais, manquant de renforts, ils se replient bientôt sur Beaubassin, où ils décident de passer l'hiver. Ramezay espère recevoir, au printemps suivant, de l'aide du Canada ou de la France, en vue de reprendre l'offensive contre les Anglais d'Annapolis-Royal.

Ces malheureuses expéditions avortées contre les Anglais de la Nouvelle-Écosse et la présence prolongée des troupes françaises et canadiennes au sein de la population furent extrêmement préjudiciables aux Acadiens. Plusieurs habitants de Port-Royal et de Grand-Pré, par exemple les Gauthier, les Bugeaud, les LeBlanc, les Mouton, et d'autres, avaient manifesté leur sympathie aux détachements français et canadiens. Plusieurs d'entre eux virent leurs propriétés saisies et durent se réfugier à Beaubassin, pour ne pas tomber aux mains des Anglais.

De son côté, Mascarène, qui était alors gouverneur d'Annapolis-Royal, avait reçu des renforts du Massachusetts et consolidé ses positions. Au mois de décembre 1746, il envoya à Grand-Pré un détachement de 470 hommes, sous

---

38. Il était apparenté par sa mère, Marie-Charlotte Denys, à Michel Le Neuf de la Vallière.

le commandement du colonel Noble, un anglo-américain, avec mission de surveiller les mouvements des troupes du commandant de Ramezay cantonnées à Beaubassin, pour l'hiver.

Massacre de soldats anglais

Informé de cette nouvelle par un habitant de Grand-Pré, de Ramezay organise, le 8 janvier 1747, une expédition comprenant 240 soldats et miliciens, une vingtaine d'Acadiens proscrits et une soixantaine de sauvages, commandés par Saint-Castin, l'un des petits-fils du baron de Saint-Castin. Grièvement blessé à un genou, de Ramezay confie le commandement de l'expédition au capitaine Coulon de Villiers.

« Le 11 février, à trois heures du matin, écrit Rameau de Saint-Père[39], ils arrivaient à la Grande-Prée, sans avoir été aperçus. Les maisons étaient bien gardées par des sentinelles, mais celles-ci furent presque partout surprises et égorgées. Aussitôt, les maisons sont défoncées à coup de hache et les Canadiens, se précipitant à l'intérieur, attaquèrent les Anglais encore engourdis par le sommeil. Quelques-uns furent tués dans leur lit, d'autres n'eurent que le temps de sauter sur leurs armes sans s'habiller. Le brave colonel Noble, étant encore en chemise, le sabre à la main, fut traversé d'un coup d'épée. Son frère et trois autres officiers tombèrent à ses côtés... De toutes parts, c'étaient de pareilles scènes d'assauts, de combats et de massacre... Cent cinquante Anglais furent tués ou blessés dans cette première fureur de l'attaque, beaucoup d'autres furent faits prisonniers... »

Le chevalier Louis-Luc de La Corne, beau-frère du commandant de Ramezay et faisant lui-même partie de cette expédition comme capitaine, raconte ainsi les détails de cette randonnée et du combat meurtrier qui s'est déroulé à Grand-Pré, en cette nuit du 11 février 1747[40] :

---

39. *Une colonie féodale en Amérique.*
40. Le mémoire du chevalier de La Corne, daté du 28 septembre 1747, est aux *Archives Nationales de France,* à Paris.

«... Il nous fallait faire des traînes de clisses pour porter nos vivres et équipages, chercher des raquettes pour tout notre monde et rassembler nos sauvages. Nous ne pûmes donc partir que le 23 janvier, vers midi. Après une marche de dix-sept jours, plus fatigante par la quantité de la neige et les froids excessifs que par la longueur du chemin, nous arrivâmes à Pisiguit distant d'environ cinq lieues de Grand-Pré. Nous passâmes la nuit dans les maisons des habitants, après avoir mis des corps-de-gardes sur tous les chemins, pour empêcher la communication des nouvelles.

«Le 10 (février) nous apprîmes par plusieurs habitants venus de la Grande-Prée depuis peu, que les Anglais étaient au nombre d'environ 600, sous les ordres du colonel Noble, qu'ils étaient dispersés dans les maisons des habitants n'ayant pu se loger autrement durant l'hiver, mais que les habitants n'avaient pas voulu y rester avec eux, parce qu'ils ne doutaient point que nous fissions tous nos efforts pour déloger l'ennemi et qu'ils craignaient d'être confondus avec eux. Ils les avaient même assurés que nous irions. Mais les Anglais ne voulaient pas le croire et ils se persuadaient que la rigueur de la saison nous arrêterait...»

«Nous trouvâmes, comme on nous l'avait dit, les maisons bien gardées, mais les sentinelles ne nous découvrirent que lorsque nous fûmes à portée de fusil, le temps étant extrêmement sombre (il était trois heures du matin et il faisait une aveuglante tempête de neige).

«Nous attaquâmes vivement, malgré le feu des ennemis, nous forcions les maisons à coups de hache et en très peu de temps nous nous en rendîmes maîtres, ainsi que d'un bateau et d'une goélette de quatre-vingts tonneaux qui avaient servi à transporter les effets des Anglais...

«Les Anglais eurent cent quarante hommes tués, dont le colonel Noble et plusieurs officiers, trente-huit blessés et cinquante-quatre prisonniers. Les Canadiens eurent sept hommes tués dont deux sauvages, et quatorze blessés dont M. de Coulon. On fit porter ces blessés à la rivière Gasparaux, où nous avions laissé notre chirurgien, et le chevalier de La Corne, capitaine, prit le commandement...

«Les Anglais quittèrent les Mines (Grand-Pré), le 14 février, au nombre de trois cents hommes, plus dix-huit officiers, chirurgiens, commissaires. Je les fis accompagner par MM. Lemercier et Marin jusqu'aux dernières habitations, c'est-à-dire pendant trois lieues et je leur adjoignis vingt Acadiens pour aller avec eux jusqu'aux premières habitations de Port-Royal.»

Des Acadiens sont mis hors la loi

L'expédition de Grand-Pré, on le conçoit facilement, contribua à aggraver davantage la situation déjà si précaire des Acadiens. Si, d'une part, l'ensemble de la population acadienne était restée neutre, par contre, il ne fait aucun doute que plusieurs Acadiens avaient participé directement ou indirectement à ce coup de main.

Le gouverneur-suppléant, Mascarène, se limita cependant à poursuivre le petit nombre de ceux qui étaient réputés avoir pris les armes. Douze Acadiens furent mis hors la loi et onze furent sommés de se présenter devant la cour d'Annapolis-Royal. «Par cette générosité qui ne manquait pas d'habileté, écrit Rameau de Saint-Père, le gouverneur Mascarène montrait qu'il était homme à reconnaître la sincérité des neutres qui maintenaient scrupuleusement leur parole et à punir ceux qui avaient recours à la violence.»

Malgré les efforts multipliés par Duvivier et d'autres officiers français, qui incitèrent les Acadiens à se soulever et à prendre les armes contre les Anglais au cours de cette guerre, l'ensemble de la population acadienne respecta scrupuleusement le serment conditionnel qu'elle avait prêté. Le gouverneur Mascarène lui-même rend ce témoignage aux Acadiens, dans une lettre qu'il adresse au duc de Bedford, en juillet 1747.

Le 8 septembre 1747, Mascarène informe cependant les autorités de Londres[41] «qu'il y a aux Mines (Grand-Pré) une faction composée de ceux qui, s'étant prononcés trop ouvertement pour l'ennemi, ont été mis hors la loi par le gouverneur Shirley (du Massachusetts). Ils se sont dispersés parmi les habitants français (acadiens) de cette province. Ils reçoivent des encouragements du Canada, accueillent les

---

41. *Nova Scotia State Papers,* aux Archives d'Ottawa.

144

déserteurs et, soutenus par les Indiens, ils poussent les autres à l'insubordination. Il faudra beaucoup de temps et une attention soutenue pour amener ces Français à être loyaux sujets et pour les guérir de cette inclination qu'ils ont naturellement pour ceux qui leur tiennent de si près par le sang et par la religion. »

Le 18 octobre 1748, le traité d'Aix-la-Chapelle mettait fin à la guerre et, au grand désespoir des Anglo-américians, rendait Louisbourg à la France.

17. FONDATION D'HALIFAX ET ACTION DÉCISIVE DES ANGLAIS

CERTAINS événements de la guerre qui venait de prendre fin avaient eu pour effet d'inculquer, dans l'esprit des administrateurs de la Nouvelle-Écosse et des autorité anglo-américaines, la vive appréhension qu'un jour les Acadiens pourraient se révolter.

À l'époque, le gouverneur Shirley, du Massachusetts, exerçait une puissante influence sur toutes les décisions d'importance prises par les autorités de la Nouvelle-Écosse. On se souvient que c'est lui qui avait pris en main l'organisation des préparatifs en vue de la prise de Louisbourg, coup d'audace qui avait réussi au-delà de tout espoir. Son habile contribution au succès des armes anglaises en avait fait un héros en Nouvelle-Angleterre. Ses conseils étaient recherchés avec empressement, tant par les administrateurs de la Nouvelle-Écosse que par les autorités de Londres. Les mesures prises à l'endroit des Acadiens viendraient donc de son initiative ou seraient soumises à son approbation.

Dans sa correspondance avec Londres, Shirley ne cesse d'insister sur l'importance capitale de la Nouvelle-Écosse et sur la nécessité pour l'Angleterre de s'en assurer la possession par tous les moyens.

Or, la présence en ce territoire d'une aussi forte population catholique et française[42] ne cessait de lui causer de vives inquiétudes. «L'ennemi, écrit-il le 18 juin 1746, trouvera bientôt le moyen de nous arracher brusquement l'Acadie, si nous n'enlevons pas les plus dangereux habi-

---

42. Les Acadiens étaient approximativement 12 000 en 1746.

tants français pour les remplacer par des familles anglaises.» Et, le 28 juillet de la même année, il ajoute: «La province de la Nouvelle-Écosse ne sera jamais hors de danger, tant que les habitants français y seront tolérés dans le mode actuel de soumission.»

L'inquiétude s'empare des Acadiens

Les Acadiens connaissaient l'influence de Shirley, ses interventions dans les affaires de la Nouvelle-Écosse et les soupçons, sinon l'hostilité, qu'il entretenait à leur endroit. C'est ainsi qu'en 1746, année de la tragique expédition du duc d'Anville, une persistante rumeur s'était propagée dans les campagnes acadiennes, voulant que les Anglais du Massachusetts aient tramé secrètement la déportation des Acadiens.

Inquiets, les Acadiens songent une fois de plus à quitter leurs terres et à émigrer en territoire français. Mais Shirley s'empresse de les rassurer, dans une lettre qu'il adresse à l'administrateur Mascarène, le 16 septembre 1746, et dont nous extrayons le passage suivant:

«Ayant été informé que les habitants de la Nouvelle-Écosse prêtent au gouvernement anglais le dessein de les chasser de leurs terres, eux et leurs familles, pour les déporter en France ou ailleurs, je vous prie de leur faire savoir qu'au cas où Sa Majesté aurait eu semblable intention, il est probable que j'en aurais été informé. Or, rien de semblable ne m'a été communiqué et je reste convaincu que leurs appréhensions sont sans fondement. Veuillez donc les persuader que je m'efforcerai de mon mieux, auprès de Sa Majesté, pour qu'elle continue d'accorder sa faveur royale et sa protection à tous ceux qui se sont conduits loyalement et n'ont pas eu de relations avec l'ennemi.»

De plus, le 21 novembre 1746, Shirley écrit au duc de Newcastle, alors premier ministre d'Angleterre, dans les termes suivants: «Je me permets de proposer que Sa Majesté veuille bien, le plus tôt possible, informer les habitants français (Acadiens) que les assurances de sa faveur royale, qui leur ont été données par moi, ont reçu son approbation et seront mises à exécution. L'intervention de Sa Majesté dissiperait les craintes qu'ils ont d'être bannis de la Nouvelle-Écosse, eux et leurs familles. »

Une proclamation

Enfin, après avoir reçu des nouvelles de Londrres, Shirley publie la proclamation suivante, en date du 21 octobre 1747, et il en fait circuler de nombreuses copies chez les Acadiens: «*Sur l'ordre de Sa Majesté*: Déclaration de William Shirley, Esq., Capitaine-général et gouverneur en chef de la Baie de Massachusetts... Aux sujets de Sa Majesté, les habitants français de sa province de Nouvelle-Écosse.

« Informé qu'on avait répandu parmi les sujets de Sa Majesté les bruits qu'on avait l'intention de les arracher de leurs établissements, en Nouvelle-Écosse, je leur ai, en ma déclaration du 16 septembre 1746, signifié que ce bruit était sans fondement, et que j'étais au contraire persuadé que Sa Majesté se plairait gracieusement à étendre sa protection sur tous ceux d'entre eux qui persisteraient en leur fidélité et allégeance et n'auraient aucune relation ni ne pactiseraient avec l'ennemi de la Couronne. Je les ai assurés que je ferais à Sa Majesté un rapport favorable sur leur état et situation. J'ai en conséquence transmis ledit rapport pour être soumis et j'ai en retour obtenu l'expression de son bon plaisir concernant ses susdits sujets de la Nouvelle-Écosse, avec ordre exprès de la leur communiquer en son nom.

« En vertu de quoi et en exécution des ordres de Sa Majesté, je déclare par les présentes, au nom de Sa Majesté, *qu'il n'y a pas le moindre fondement d'appréhension concernant l'intention qu'aurait Sa Majesté d'éloigner lesdits habitants de la Nouvelle-Écosse de leursdits établissements dans ladite province. Mais que c'est au contraire la résolution de Sa Majesté de protéger et de maintenir tous ceux d'entre eux qui sont et seront fidèles à leur devoir et à leur allégeance envers lui, dans la paisible et tranquille possession de leurs habitations et établissements, et dans la jouissance de leurs droits et privilèges, en tant que sujets...*[43]

---

43. *Nova Scotia State Papers*, Archives d'Ottawa.

Aucunes garanties ne pouvaient être plus précises, plus rassurantes et plus catégoriques. Pourtant, le 8 juillet 1747, soit moins de quatre mois avant la publication d'une telle proclamation, Shirley avait lui-même recommandé à Londres de « déporter en Nouvelle-Angleterre les habitants de Chignectou (Beaubassin), de les disperser en quatre provinces... et de partager leurs terres entre 2 000 hommes de troupes de la Nouvelle-Angleterre ».

À cette proposition, le secrétaire d'Etat britannique avait répondu, en date du 14 octobre 1747 :

« Bien qu'un tel déplacement des habitants de cette partie de la province, qui est la plus exposée à l'ennemi, soit à vrai dire très désirable, il est pourtant à craindre que ce projet ne puisse être exécuté sans grande difficulté, ni sans grand danger dans ce moment-ci, où les émissaires français tendent de faire renoncer les habitants à leur serment d'allégeance.

« Sans aucun doute, pareille mesure serait interprétée comme une preuve incontestable qu'on veut enlever aux habitants de cette province la possession de leurs biens. Comme vous le savez, cette rumeur a déjà circulé parmi les habitants et ma dépêche du 30 mai vous enjoignait de la contredire de la manière la plus solennelle au nom de Sa Majesté...

« Il est donc fort à craindre qu'un tel acte n'amène une révolution générale dans toute la province. *Aussi, toute chose considérée, Sa Majesté juge bon d'ajourner pour le présent l'exécution d'un tel projet. Toutefois, Sa Majesté vous prie d'étudier comment ce projet pourrait être exécuté en temps opportun et quelles précautions il faudrait prendre pour éviter les inconvénients que l'on redoute.* »

De toute évidence, tant au Massachusetts qu'en Angleterre, on étudie sérieusement la possibilité de procéder, *en temps opportun*, à la déportation d'au moins une partie de la population acadienne, celle de la région de Beaubassin, alors forte de près de 4000 âmes.

Le siège du gouvernement transféré à Halifax

Les gouverneurs anglais de la Nouvelle-Écosse avaient préconisé avec insistance l'établissement de colons angloprotestants en cette province. C'était, à leurs yeux, le seul moyen d'établir la suprématie anglaise sur ce territoire.

De passage en Angleterre, au début de 1749, Shirley avait lui-même proposé aux autorités britanniques un vaste plan de colonisation anglo-saxonne, en Nouvelle-Écosse, recommandant l'établissement de 6000 familles en l'espace de dix ans, dont 2000 des îles britanniques, 2000 de la Nouvelle-Angleterre et 2000 soldats licenciés.

Londres décida enfin de donner suite à ces projets. Le 21 juin 1749, Edward Cornwallis, qui venait d'être nommé gouverneur de la Nouvelle-Écosse en remplacement de Richard Philipps, débarquait à Chibouctou (Halifax). Il était à la tête d'une expédition comprenant 2576 personnes, dont 1130 femmes et enfants, en plus de plusieurs centaines de soldats et d'hommes d'équipage. Au nombre de ces colons il y avait quelque 800 Irlandais ainsi que 600 Allemands, originaires du Hanovre. Les familles allemandes, établies en premier lieu à Dartmouth, en face d'Halifax mais de l'autre côté de la baie, furent transportées, en 1752 et 1753, dans la région de Mirliguesh (Lunenburg), une cinquantaine de milles à l'ouest d'Halifax, du côté de La Hève.

Le siège du gouvernement de la Nouvelle-Écosse fut transféré d'Annapolis-Royal à Halifax, au cours d'une cérémonie qui eut lieu le 12 juillet 1749, sur le navire *Beaufort*, dans le havre du nouvel établissement. Dès le mois d'octobre 1749, plus de 300 maisons avaient été construites, deux forts érigés et la nouvelle capitale de la Nouvelle-Écosse avait été entourée de hautes palissades.

Le gouverneur Edward Cornwallis prêta le serment d'office le 14 juillet 1749 et donna aussitôt l'ordre d'installer des magasins «avec la quantité de troupes nécessaires» dans les régions de Grand-Pré, de Beaubassin, de la baie Verte et de Whiteland (près de Canso), ainsi qu'à La Hève.

Consternation des Acadiens

Dans une proclamation, Cornwallis recommande la formation d'établissements de colons anglais dans diverses régions de la Nouvelle-Écosse, «de faire cesser à l'avenir, dans notre province, l'autorité épiscopale de l'évêque de

Québec...», d'accorder aux habitants français qui embrasseront la religion protestante la concession des terres qu'ils cultivent actuellement avec une exemption de redevance pour dix ans et d'encourager, autant que possible, les mariages des habitants français avec nos sujets protestants...»

Cornwallis ordonne en même temps aux Acadiens de prêter le serment d'allégeance pur et simple «dans l'espace de trois mois à compter de la présente déclaration». Il leur défend formellement de «transporter hors de cette province, en quelque colonie étrangère que ce soit, ni grain, ni bestiaux, ni denrée d'aucune sorte, sans autorisation spéciale.»

La proclamation du gouverneur Cornwallis jeta la consternation parmi la population acadienne. Trois délégués de la région de Grand-Pré: Jean Melanson, Claude LeBlanc et Philippe Melanson se rendirent auprès du gouverneur pour lui représenter, au nom de la population, que le nouveau serment exigé des Acadiens différait de ceux qu'ils avaient prêtés jusqu'alors, en particulier de celui qui avait été accepté par le gouverneur Philipps en 1730. D'ailleurs, depuis bientôt vingt ans, les Acadiens considéraient cette question du serment d'allégeance comme définitivement réglée.

Pour toute réponse, les trois délégués acadiens reçurent l'ordre de communiquer à leurs compatriotes, avec le texte du nouveau serment d'allégeance qui était exigé d'eux, les dernières décisions du gouverneur à leur sujet.

Le 6 septembre 1749, une autre délégation se présente devant Cornwallis. Elle est formée de dix délégués représentant les habitants d'Annapolis-Royal, Grand-Pré, Beaubassin, Pisiguit, Cobequid et Chipoudy. La requête qu'ils présentent au gouverneur porte les noms d'un millier de noms de chefs de familles, qui rappellent dignement qu'ils ont prêté plusieurs serments d'allégeance dans le passé et que tous ces serments, en particulier celui de 1730, étaient basés sur la promesse de l'exemption des faits de guerre. Les Acadiens rappellent également à Cornwallis la proclamation royale publiée en leur faveur par Shirley, moins de deux ans auparavant.

«Nous avons accueilli toutes ces promesses comme venant de Sa Majesté, disent les Acadiens, et nous avons mis en elle notre confiance. Nous avons rendu service au gouvernement du Roi, sans que jamais il nous soit venu à la pensée de violer notre serment. Nous croyons que si Sa Majesté était bien informée de notre attitude, elle se garderait de nous imposer une formule de serment qui doit nous lier plus étroitement.

« Si Votre excellence veut nous accorder notre ancien serment, avec exemption d'armes, à nous et à nos hoirs, nous l'accepterons. Mais si Votre Excellence n'est pas dans la résolution de nous l'accorder, nous sommes tous en général dans la résolution de nous retirer du pays. »

À cette requête Cornwallis répondit: «Ces serments que vous avez prêtés sont illégaux, inacceptables et si les précédents gouverneurs y ont adhéré par leurs promesses, ils ont créé des titres nuls et sans valeur. Vous êtes ici sujets du roi d'Angleterre, sans avoir prêté serment d'allégeance. Vous avez donc perdu tous vos droits et c'est une grâce qu'il vous fait en consentant à vous admettre encore à la faveur de son allégeance[44]. »

Des colons anglais d'Halifax sont massacrés

Pendant ce temps les Anglais se hâtaient de terminer les fortifications d'Halifax et d'établir des postes militaires aux endroits stratégiques de la Nouvelle-Écosse, de façon à isoler les Acadiens et à les empêcher d'avoir des contacts avec les Français de Louisbourg ou les Canadiens de Québec.

De son côté, le gouverneur du Canada, le marquis de la Jonquière, qui avait fait partie de la malheureuse expédition du duc d'Anville en Nouvelle-Écosse, encourageait les Indiens à attaquer les colons anglais d'Halifax. Plusieurs des pionniers d'Halifax furent ainsi massacrés à l'instigation des émissaires du gouverneur du Canada.

Par surcroît, l'abbé Jean-Louis LeLoutre, missionnaire des Indiens, n'avait pas attendu longtemps l'occasion de manifester son antipathie aux fondateurs d'Halifax. Dès les premiers mois de l'existence de la nouvelle capitale de la Nouvelle-Écosse, les Indiens de Shubénacadie, ses ouailles, semaient l'effroi et la mort parmi les colons anglais nouvellement arrivés.

---

44. Archives de la Nouvelle-Écosse, Halifax.

« Le 24 septembre 1749[45], ils adressèrent au gouverneur Cornwallis une déclaration de guerre ; six jours après, quatre Hanovriens de Dartmouth tombèrent sous leurs balles. Le 27 novembre, un détachement de dix-huit Anglais fut surpris et fait prisonnier aux Mines, avec son chef, le capitaine Hamilton, par les Micmacs du *général LeLoutre*. C'est peut-être par représailles que l'abbé Girard, curé de Cobequid, fut arrêté et conduit à Halifax au mois de mars 1749. Quant à l'abbé LeLoutre, sa tête fut mise à prix (cent livres) par Cornwallis, dès le 13 janvier 1750. »

Établissement du fort Beauséjour

De tels événements étaient bien propres à susciter la colère du gouvernement de la Nouvelle-Écosse et à soulever des sentiments de vengeance chez les colons anglais d'Halifax contre tout ce qui était français, en particulier contre les Acadiens.

À l'époque, les commissaires nommés en vertu du traité d'Aix-la-Chapelle pour délimiter les frontières de la Nouvelle-Écosse n'étaient pas parvenus à s'entendre, si ce n'est en fixant, de façon temporaire, à la rivière Missagouash, à Beaubassin, la limite entre territoires français et anglais, dans l'isthme de Chignectou. De nos jours, cette même rivière constitue la ligne de démarcation entre le Nouvelle-Écosse et le Nouveau-Brunswick.

En 1749, le gouverneur du Canada dépêche des détachements de la milice canadienne dans la région de Beaubassin, à la baie Verte et à l'embouchure de la rivière Saint-Jean, au Nouveau-Brunswick actuel, de façon à contenir les Anglais dans la péninsule de la Nouvelle-Écosse. C'est également en cette même année que le marquis de la Jonquière ordonne la fondation du fort Beauséjour, à quelques milles au nord-ouest du village de Beaubassin. Cette construction s'élève sur une colline dominant la pointe Beauséjour. En même temps, le marquis de la Jonquière fait ériger le fort Gaspareau, à la baie Verte, sur le détroit séparant l'île Saint-Jean de la terre ferme.

---

45. *Le Drame Acadien*, par Antoine Bernard, c.s.v.

De toute évidence, les Anglais, aussi bien que les Français, considéraient le traité d'Aix-la-Chapelle de 1748 comme une simple trêve. Sentant l'imminence d'une nouvelle guerre, chacun s'y préparait fébrilement.

Alors que les Anglais ambitionnaient déjà la conquête du Canada et faisaient, de longue main, leurs préparatifs, les Français et les Canadiens s'efforçaient de leur côté, par tous les moyens, d'encercler les Anglais en Nouvelle-Écosse et multipliaient les difficultés sous leurs pas en organisant de sanglantes incursions contre les colons anglais, tant de la Nouvelle-Écosse que de la Nouvelle-Angleterre.

Les malheureux Acadiens assistaient, impuissants, à ce déploiement de force entre les deux grandes puissances rivales. Une lutte sans merci était déjà engagée. C'est par le choc des ces deux impérialismes que les Acadiens seront impitoyablement broyés.

Destruction de Beaubassin

Au mois de mai 1750, le colonel Charles Lawrence, dont le campement était situé sur l'isthme de Chignectou, tenta une première manœuvre pour occuper le village de Beaubassin, situé au sud-est de la petite rivière Missagouash, donc en territoire présumé anglais. Lawrence fut alors repoussé par un détachement de Canadiens, commandé par le chevalier Louis-Luc de La Corne qui, on s'en souvient, avait participé au coup de main de Grand-Pré, en 1747.

Par ailleurs, l'abbé LeLoutre, missionnaire des Micmacs et adversaire juré des Anglais, n'avait cessé d'encourager à la résistance les Acadiens qui refusaient de prêter le nouveau serment d'allégeance exigé par Cornwallis. Il les incitait surtout à émigrer en territoire français, soit à l'île Saint-Jean (Prince-Édouard) ou dans la partie sud-est du Nouveau-Brunswick actuel, alors connue sous le nom de la *Nouvelle Acadie française*. Plusieurs Acadiens de Beaubassin hésitaient toutefois à abandonner leurs maisons et leurs terres pour suivre les conseils enflammés, mais pas toujours judicieux, de LeLoutre.

Les officiers français et canadiens du fort Beauséjour prévoyaient que les Anglais reviendraient éventuellement pour s'emparer de Beaubassin. En effet, Lawrence apparut de nouveau avec de nombreuses troupes, dans la baie de Chignectou, à l'été de 1750.

C'est alors que les Micmacs de l'abbé LeLoutre mettent le feu à l'église et à toutes les maisons du village de Beaubassin, de façon à forcer les habitants, au nombre de plusieurs milliers, à abandonner leurs foyers et à se diriger vers le fort Beauséjour, la *Nouvelle Acadie française*, ou l'île Saint-Jean.

Ne trouvant que cendres et ruines, les Anglais retournèrent à Halifax. Ils revinrent à l'automne de 1750, occupèrent définitivement Beaubassin, détruit et incendié, et construisirent le fort Lawrence, sur l'emplacement de l'église, à quelques milles du fort Beauséjour.

Le violent LeLoutre, en sa qualité de *missionnaire des sauvages* de toute la Nouvelle-Écosse, recevait ses instructions «non pas de l'évêque de Québec, comme les prêtres des paroisses, mais par l'intermédiaire des gouverneurs de Québec et de Louisbourg... et surtout de l'abbé de L'Isle Dieu, de la Cour même de Versailles qui, du reste, le subventionnait[46].»

À la suite de son comportement en Acadie ou Nouvelle-Écosse, en cette période tragique pour les Acadiens, l'abbé LeLoutre fut vivement réprimandé par l'évêque de Québec, dont il était devenu le vicaire-général.

Le meurtre du capitaine Howe

À l'automne de 1750, survint un malheureux événement, bien propre à exaspérer davantage les Anglais contre Français et Acadiens. Après l'occupation de Beaubassin, les Anglais, désireux d'obtenir la soumission des Micmacs dont le village était situé approximativement où se trouve aujourd'hui Amherst, leur envoyèrent un délégué en la personne du capitaine Edward Howe.

Membre du Conseil d'Halifax et commissaire des troupes, Howe parlait couramment le français et jouissait d'une grande popularité chez les Acadiens. Sous prétexte de

---

46. Lauvrière, dans *La tragédie d'un peuple*.

parlementer, un groupe de Micmacs s'avança vers lui, portant un drapeau blanc. L'un d'eux, épaulant soudainement son fusil, tua le capitaine Howe.

Ce meurtre, exécuté de sang-froid par un sauvage, fut injustement attribué à l'abbé LeLoutre et aux officiers du fort Beauséjour. Il devait accroître la haine des colons anglais d'Halifax et les misères des Acadiens.

18. DES MILLIERS D'ACADIENS QUITTENT LA NOUVELLE-ÉCOSSE

LA FONDATION d'Halifax et la détermination manifestée par les Anglais d'exercer leur suprématie sur tout le territoire d'une province, qui leur avait été cédée par traité, ne laissèrent par les Acadiens indifférents. En proie à la plus vive inquiétude, ils craignaient pour leur sécurité. C'est ainsi qu'à partir de 1749 un grand mouvement d'émigration des Acadiens de la Nouvelle-Écosse se dessina en direction des territoires français les plus rapprochés.

Des milliers émigrèrent à l'île Saint-Jean ou allèrent s'installer, soit sur l'isthme de Chignectou, au nord de la rivière Missagouash, soit au sud-est et sur les côtes de l'est du Nouveau-Brunswick actuel, dans la *Nouvelle Acadie française* de l'abbé LeLoutre, où ils fondèrent plusieurs nouveaux établissements. Au début de leur émigration les Acadiens travailleront surtout à des travaux d'endiguement payés en partie par des subventions reçues du gouvernement français.

Le 15 août 1750, l'abbé LeLoutre annonce lui-même l'arrivée en *Acadie française* de plus de 1000 familles acadiennes et il ajoute: «Les Acadiens soutiendront au dépens de leur vie cette prise de possession, travailleront avec courage à cultiver les terres, feront fleurir le commerce, fourniront l'île Royale (Cap-Breton) de rafraîchissements (denrées) de toutes espèces et en cas de guerre on trouvera plus de mille hommes portant les armes, soit pour la défense de Louisbourg, soit pour reprendre l'Acadie. Dans ces circonstances, on verra les Acadiens marcher contre l'Anglais et se battre contre l'ennemi de l'État.»

Les Acadiens s'étaient portés vers l'île Saint-Jean en grand nombre. Presque toute la population de Cobequid y était déjà rendue, lors du recensement de l'île, tenu par La-Roque en 1752. À cette date, on comptait aussi, à l'île Saint-Jean, de nombreuses familles originaires de Beaubassin, de Pisiguit, de Grand-Pré, voire même de Port-Royal. D'autres, en très petit nombre, s'étaient dirigées vers le Cap-Breton.

L'extrême misère des réfugiés acadiens

Le 22 juillet 1750, M. Denys de Bonaventure, commandant de l'île Saint-Jean, écrivait que « les Acadiens se réfugiaient dans cette île avec précipitation, y amenant même leurs bestiaux. Il y a cinq à six bâtiments qui ne sont occupés qu'à ces transports. »

En 1752, l'*Acadie française*, située dans la partie-sud-est du Nouveau-Brunswick actuel, comptait 2586 Acadiens, alors qu'il s'en trouvait 2663 à l'île Saint-Jean. En ajoutant à ces chiffres le nombre de ceux qui étaient au Cap-Breton, ou qui se dirigeaient vers le nord, en longeant les côtes de l'est du Nouveau-Brunswick actuel, pour se placer sous la protection du commandant Boishébert, dans la région de Miramichi, on peut estimer qu'environ 6000 Acadiens, soit plus du tiers de la population totale, avaient, à l'époque, réussi à fuir la Nouvelle-Écosse pour trouver refuge en territoire français.

Au début de leur exode, ces milliers de réfugiés furent ravitaillés, tant bien que mal, de Québec et de Louisbourg, en vivres et en vêtements. Le sieur de LaRoque, recenseur français de l'île Saint-Jean, en 1752, décrit en termes pathétiques « l'indigence, l'angoisse et l'extrême misère » dans lesquelles vivaient ces réfugiés acadiens. Un témoin, le curé de Pointe-Pitre, à l'île Saint-Jean, rapporte en octobre 1753 que « la nudité est presque générale et au suprême degré. Plusieurs sont hors d'état de travailler cet hiver. Ils ne peuvent se mettre à couvert de la rigueur du froid ni le jour ni la nuit. »

Quatre aspects de la stratégie française

Dans une étude des causes immédiates de la déportation des Acadiens, publiée dans l'édition de décembre 1954 de la *Revue d'Histoire de l'Amérique française*, Guy Frégault[47] a écrit : « À considérer les mouvements qu'elle combine savamment dans les années consécutives au traité d'Aix-la-Chapelle, il apparaît que la stratégie française comporte quatre aspects : bloquer l'isthme de Chignectou ; à côté de la Nouvelle-Écosse, constituer une *Acadie française* que l'émigration des Acadiens alimentera en ressources humaines ; lancer des sauvages (et des Acadiens) contre les établissements britanniques de la province ; à l'intérieur de cette dernière, entretenir de l'agitation au moyen des missionnaires.

« ... À ce moment, la situation de l'Acadie pourrait se résumer de la façon suivante : sur la côte est, dans une région isolée, s'appuyant sur une terre pauvre, la colonisation britannique prend un nouveau départ ; à l'ouest, dans un territoire sur lequel les soldats du Canada montent la garde, se constitue rapidement une *Acadie française* ; entre ces deux pôles d'attraction, un peuple attend, hésite, déchiré entre son bien-être et sa *fidélité française*.

« Des Acadiens le déclarent à plus d'une reprise à des fonctionnaires britanniques : ils resteraient tranquillement sur leurs terres et, pour y demeurer, se plieraient aux désirs des Anglais, s'ils ne craignaient d'être, par suite de leur soumission, molestés par les sauvages alliés des Français. On verra même, à l'été de 1754, des habitants qui sont passés dans l'*Acadie française*, entamer des pourparlers en vue de rentrer dans leurs anciennes fermes, mais ne pas oser donner suite à leurs démarches en raison du risque qu'ils courraient journellement de se faire couper la gorge et de se faire tuer leur bétail, évidemment par les indigènes de Le-Loutre.

« ... Et La Jonquière en profite pour frapper d'une pierre deux coups. Aux bandes indigènes, il ordonne de joindre

---

47. Devenu sous-ministre des Affaires culturelles du Québec, Guy Frégault était alors professeur d'Histoire à l'Université de Montréal.

quelques acadiens habillés et matachés comme les sauvages,
afin de compromettre encore davantage la population blanche et de provoquer contre elle de violentes répressions
anglaises, *ce qui ne contribuera pas peu à nous attirer les
familles acadiennes sur nos terres.* »

Charles Lawrence est nommé gouverneur

Le 3 août 1752, le gouverneur Cornwallis, de la
Nouvelle-Écosse, retourna en Angleterre. Il fut remplacé par
le capitaine Peregine Hopson, homme conciliant, juste et
modéré. En plusieurs circonstances, le nouveau gouverneur fit preuve de bienveillance à l'endroit des quelque
10000 Acadiens restés en Nouvelle-Écosse. Son régime, de
trop courte durée, en fut un de pacification. Les Acadiens
commençaient à reprendre confiance lorsque, tombant
soudainement malade, Hopson dut résigner ses fonctions de
gouverneur, qu'il n'avait détenues que quinze mois.

Au départ d'Hopson pour l'Angleterre, en novembre
1753, le commandement supérieur en Nouvelle-Écosse fut
placé entre les mains du colonel Charles Lawrence « qui
s'était fait le flatteur des passions populaires et le prometteur
de mesures violentes ».

Lawrence avait déjà fit preuve de la plus grande rigueur
à l'endroit des Allemands, originaires du Hanovre, qu'il
avait été chargé d'établir à Lunenburg. La violence de
ses procédés les irrita à tel point que des désertions, des
troubles et, finalement, une émeute s'ensuivirent. Son subor-
donné, Monckton, demanda l'amnistie, mais Lawrence
exigea le châtiment impitoyable des malheureux. Ses propres
compatriotes d'Halifax l'ont dénoncé en 1757 pour « son
mauvais cœur et ses procédés perfides », pour « son arrogance et sa dédaigneuse attitude », pour « son oppression
et sa tyrannie ». Ils l'ont qualifié de « tyran bassement rusé
et flatteur accompli[48] ».

Le colonel Charles Lawrence était en Nouvelle-Écosse
depuis 1741 et il faisait partie du Conseil du gouverneur

48. *Nova Scotia State Papers*, Archives d'Ottawa.

depuis l'arrivée de Cornwallis en 1749. Nommé président du Conseil au départ d'Hopson, dix mois plus tard, soit le 17 septembre 1754, il devenait lieutenant-gouverneur de la Nouvelle-Écosse. Ce n'est que le 24 décembre 1755 que Lawrence sera nommé gouverneur en titre de cette province.

La nomination de Lawrence s'était faite « malgré le peu de sympathie qu'il inspirait aux autorités de Londres, qui appréhendaient son caractère haineux et violent et insistaient constamment, dans les échanges de correspondances officielles, pour lui recommander de la réserve et de la modération[49].

De leurs côtés « les Acadiens avaient pour lui une haine personnelle », déclara l'abbé Daudin au capitaine Murray, le 1er octobre 1754, « et ils détestaient son gouvernement à tel point qu'ils ne se sentiraient jamais à leur aise sous son administration, tant il s'était montré brutal lorsqu'il était parmi eux ».

Dès son entrée en fonction, Lawrence émet une proclamation à l'effet que tous les Acadiens qui avaient prêté le serment de fidélité au roi de Grande-Bretagne et qui seraient pris les armes à la main, seraient traités comme des criminels.

Or, dès le 12 avril 1751, le marquis de la Jonquière, gouverneur du Canada, avait lancé un appel à tous les réfugiés acadiens, leur ordonnant de prêter serment de fidélité au roi de France et de s'engager dans la milice canadienne, sans quoi ils seraient considérés comme des rebelles.

De nombreux réfugiés acadiens de la région de la pointe Beauséjour et de l'isthme de Chignectou avaient ainsi été forcés de s'enrôler dans la milice canadienne. Ils vivaient dans une mortelle inquiétude, en songeant à ce que l'avenir pouvait leur réserver. Assujettis simultanément aux exigences de deux impérialismes, dont les intérêts se heurtaient de front, « ils ne pouvaient plus être français sans se mériter la mort et ils ne pouvaient davantage demeurer sujets anglais, suivant les conventions des traités, sans encourir le même châtiment ».

---

49. Archives de la Nouvelle-Écosse, Halifax.

La chute du fort Beauséjour

En 1754, un grand nombre de réfugiés acadiens qui étaient passés à l'*Acadie française* de l'abbé LeLoutre et à l'île Saint-Jean, étaient dénués de tout, vivaient dans la plus grande misère et, ne recevant plus d'assistance de Québec ou de Louisbourg, ne pouvaient, en ces lieux, subvenir aux plus stricts besoins de leurs familles. Le triste Vergor, qui commandait alors au fort Beauséjour, s'était approprié les subsides destinés aux réfugiés acadiens de l'*Acadie française*, alors que le nom moins sinistre Bigot, intendant à Louisbourg, avait détourné à son profit une grande partie des secours envoyés de France et destinés aux réfugiés acadiens de l'île Saint-Jean.

Ces malheureux Acadiens, mourant de faim, manifestèrent l'intention de retourner en Nouvelle-Écosse et de reprendre possession des terres qu'ils avaient dû abandonner. Le colonel Lawrence en fut informé. Il appréhenda aussitôt un mouvement concerté contre la Nouvelle-Écosse, formé des troupes françaises et canadiennes des forts Beauséjour et Gaspareau, aidées de réfugiés acadiens, dont un millier étaient en état de porter les armes. Lawrence décida alors de s'emparer du fort Beauséjour, poste favorisant les communications entre les Acadiens restés en Nouvelle-Écosse et les Français du Canada.

Lawrence obtint du gouverneur Shirley, du Massachusetts, une armée de 2000 soldats en vue de chasser les garnisons françaises de même que les réfugiés acadiens de la pointe Beauséjour et de tout l'isthme de Chignectou.

Les préparatifs de l'expédition anglaise contre le fort Beauséjour furent organisés dans le plus grand secret. Les troupes anglo-américaines, parties du Massachusetts le 22 mai 1755, entrèrent dans la baie de Chignectou, en vue de Beaubassin, le 1er juin. Le lieutenant-colonel Monckton était commandant de l'expédition et John Winslow agissait en qualité d'assistant-commandant. De plus, des détachements de troupes régulières, parties d'Halifax, arrivèrent à Beaubassin le 4 juin 1755. C'est alors que l'attaque fut lancée.

Le fort Beauséjour était sous le commandement de Duchambon de Vergor, que nous retrouverons au poste de garde de l'Anse au Foulon, à Québec, lors de la bataille des Plaines d'Abraham. Il était le fils du sieur Duchambon qui céda Louisbourg aux Anglais en 1745.

N'ayant à peu près rien fait pour organiser la défense du fort, Vergor perdit contenance lorsqu'il se vit en face de forces anglo-américaines aussi considérables. Il n'avait sous ses ordres que 160 soldats réguliers, 300 réfugiés acadiens, qu'il avait forcés à prendre les armes, et un groupe d'Indiens.

Quelques jours après le début de l'attaque, un boulet explose à l'intérieur d'une casemate du fort, tuant six officiers français et en blessant plusieurs autres. La panique s'empare alors de Vergor et de sa garnison. À la grande surprise des Anglais, qui venaient à peine de commencer le siège, Vergor fait hisser le drapeau blanc et décide de capituler. C'était le 16 juin 1755. Vergor sut cependant obtenir des conditions de capitulation avantageuses pour lui-même et sa garnison. Il eut la permission de se rendre à Louisbourg avec ses soldats, à la condition qu'ils ne prennent point les armes en Amérique pour une période de six mois.

La chute du fort Beauséjour, qui sera désormais connu sous le nom de fort Cumberland, avait entraîné celle du fort Gaspareau, sur la baie Verte. Les quelques centaines d'Acadiens qui avaient pris les armes à Beauséjour furent épargnés par les Anglais *«comme ils ont été obligés de prendre les armes sous peine de mort»*, pouvons-nous lire dans une des clauses de la capitulation. Ils purent bientôt rejoindre les nombreux réfugiés acadiens qui s'étaient dispersés dans les forêts des régions de Cocagne, Bouctouche, Richibouctou et Miramichi, au Nouveau-Brunswick actuel.

Les Acadiens sont abandonnés à leur sort

C'est alors qu'un brave missionnaire, à peine âgé d'une trentaine d'années, l'abbé François LeGuerne, fit preuve d'un dévouement vraiment héroïque à l'endroit de quelque huit cents familles de réfugiés acadiens «livrées à la fureur de l'Anglais et à la rigueur des saisons en un pays sauvage ou ruiné».

« Après avoir tout bien ruminé, écrit-il, je pris le dessein de ne point abandonner ces pauvres habitants... Caché et fugitif avec eux dans les bois, dans la crainte et la misère, j'ai partagé avec ceux qui sont restés, le triste sort où ils furent réduits...» Après le départ de la garnison et de son commandant français pour Louisbourg, suivant les termes de la capitulation, «seul missionnaire et seul témoin, je n'eus d'autre conseiller que Dieu seul».

Quant à l'abbé LeLoutre qui, avec tant d'intransigeance, avait prêché la résistance aux Anglais, il réussit à atteindre Québec. S'étant embarqué pour la France, il fut capturé en mer par les Anglais et détenu en Angleterre, à Plymouth, puis à Portsmouth, sous le pseudonyme de J.-L. Després. Mais les Anglais réussissant bientôt à l'identifier positivement, l'emprisonnèrent pendant huit ans, soit jusqu'au traité de Paris, en 1763, dans le fort Élizabeth, sur l'île Jersey.

À peine Beauséjour venait-il de capituler, que l'armée anglaise, commandée par le major-général Edward Braddock, était taillée en pièces, le 9 juillet 1755, au fort Duquesne (Pittsburg) à la bataille de la Monongahéla. La nouvelle de cette défaite des armes anglaises humilia et exaspéra les Anglo-américains, et surtout les colons anglais d'Halifax qui furent alors plongés dans «un état de crainte mêlée de rage qui troubla véritablement les esprits».

Les Acadiens restés en Nouvelle-Écosse étaient abandonnés, seuls, à la vengeance de leurs ennemis. Louisbourg était trop éloigné pour venir à leur secours. D'ailleurs, la flotte anglaise en faisait le blocus. La chute des forts Beauséjour et Gaspareau avait entraîné l'évacuation du détachement de soldats canadiens cantonné sur la rivière Saint-Jean, au Nouveau-Brunswick actuel. Il ne restait plus que le lieutenant de Boishébert, dans les solitudes de Miramichi, à la tête d'une trentaine d'hommes de garnison et de quelques centaines de réfugiés acadiens et de sauvages.

Les Anglais s'étaient emparés de son fort délabré, après la chute du fort Beauséjour. Boishébert n'avait pu faire mieux, dans les circonstances, que de faire éclater ses quatre canons, brûler ses magasins «presque vides» et se retirer avec les habitants et le père Germain, leur missionnaire, à quelques milles en amont de la rivière Miramichi, où

Monckton n'osa pas le poursuivre. Plusieurs de ces réfugiés acadiens de la région de Miramichi réussiront à atteindre Québec, en 1756 et en 1757, les autres se disperseront sur les côtes et dans les bois du nord-est et du nord du Nouveau-Brunswick actuel, jusqu'à la baie des Chaleurs.

Le Conseil d'Halifax prend de graves décisions

Au mois de mai 1755, Lawrence avait eu soin de faire enlever aux Acadiens de la région de Grand-Pré et de Port-Royal les armes et les embarcations légères qu'ils avaient en leur possession. Or, un mois plus tard, soit après la chute du fort Beauséjour, les Acadiens de Grand-Pré, étrangers aux événements qui s'étaient déroulés à Beauséjour, présentent une requête au gouverneur Lawrence: « Bien loin de fausser le serment que nous avons prêté, disaient-ils, nous l'avons maintenu en son entier, malgré les sollicitations et les menaces effrayantes d'une autre puissance », et ils demandaient que leur soit permis l'usage de leurs canots et la remise des fusils qui leur avaient été enlevés, « soit pour défendre nos bestiaux qui sont attaqués par les bêtes sauvages, soit pour la conservation de nos enfants et de nous-mêmes ».

Lawrence, de l'avis de son Conseil, leur répond qu'une telle requête « était hautement arrogante et insidieuse, insultante pour l'autorité et le gouvernemnet de Sa Majesté et digne d'un châtiment exemplaire ». Puis, ayant convoqué les signataires de la requête, quinze d'entre eux se présentent devant lui le 3 juillet 1755. Après délibération, Lawrence demande aux délégués acadiens de prêter immédiatement le serment d'allégeance. Ils répondent qu'ils « ne pouvaient consentir au serment sous la forme requise avant d'avoir consulté le peuple ». Comme les délégués acadiens persistent dans leur détermination, ils sont emprisonnés le lendemain, à l'île Georges, dans le havre d'Halifax.

Cinq jours plus tard, soit le 8 juillet 1755, le vice-amiral Boscawen, venant directement d'Angleterre, arrive en Nouvelle-Écosse avec *« des instructions secrètes portant la signature du Souverain »* et une lettre du secrétaire d'État, Robinson. En cours de route, Boscowen s'est emparé de deux vaisseaux français, *L'Alcide* et *Le Lys,* bien qu'aucun état de guerre n'existe alors entre la France et l'Angleterre.

Informé par Boscawen des plans du gouvernement anglais, Lawrence convoque au Conseil, le 14 juillet 1755, « le commandant en chef de la flotte, pour le consulter sur toute mesure urgente concernant la sécurité de la province et relativement à toute tentative qui pourrait venir du Canada ou de Louisbourg, en cas de rupture ou de toutes autres mesures violentes auxquelles les Français peuvent recourir pour venger l'échec qu'ils viennent de subir (par la perte de Beuséjour) ».

À une autre réunion du Conseil, tenue le lendemain, 15 juillet 1755, le vice-amiral Boscawen et le contre-amiral Mostyn sont informés « des procédures adoptées par ce Conseil à l'égard des habitants français et sont eux aussi d'avis que c'est maintenant le moment le plus favorable pour obliger lesdits habitants à prêter ledit serment ou à quitter le pays ».

Trois jours plus tard, le 18 juillet 1755, Lawrence informe les autorités de Londres du résultat de ses conférences avec Boscawen et Mostyn. Il insiste sur le fait qu'il est bien déterminé à obtenir la soumission des Acadiens restés en Nouvelle-Écosse ou d'en débarrasser la province.

19. LA CONFISCATION DES BIENS DES ACADIENS

L'ANGLETERRE, rappelons-le, était toujours en paix avec la France. Ce n'est qu'en 1756 qu'éclata la Guerre de Sept-Ans entre ces deux nations, guerre qui se termina, en 1763, par le traité de Paris et régla définitivement le sort, non seulement de l'Acadie, mais encore de tout le Canada.

Tenant sans doute compte des négociations alors en cours entre la France et l'Angleterre, au sujet des Acadiens, et appréhendant les rigueurs de Lawrence qu'il tenait pour « un homme audacieux, actif et intelligent mais cruel, ambitieux, dénué de tout scrupule et rude au possible avec ses inférieurs[50] », le Secrétaire d'État de Grande-Bretagne, Thomas Robinson avait, en date du 13 août 1755, communiqué à Lawrence, les instructions suivantes :

« Vous dites par votre lettre du 28 juin que vous avez donné ordre au colonel Monckton de chasser du pays, à tout prix, les habitants français (Acadiens) qui ont abandonné leurs terres. On ne comprend pas clairement si vous avez l'intention de chasser tous les habitants français de la péninsule, dont le nombre s'élève à plusieurs milliers, ou bien ceux que vous mentionnez dans l'état des forts français et anglais que le gouverneur Shirley m'a transmis, dans sa lettre du 8 décembre dernier...

« Il ne peut pas vous être trop recommandé d'user de la plus grande précaution et de la plus grande prudence dans votre conduite vis-à-vis ces Neutres (les Acadiens) et d'assurer ceux d'entre eux en qui vous pouvez avoir con-

---

50. *Histoire du Canada pour tous,* par Jean Bruchési.

fiance, particulièrement lorsqu'ils prêteront le serment à Sa Majesté et à son gouvernement, qu'ils peuvent demeurer dans la tranquille possession de leurs terres, sous une législation convenable...»

Ces instructions à Lawrence du 13 août 1755 furent confiées au capitaine Innes, du navire *Otter* qui passa de longues semaines à Terreneuve, avant d'atteindre Halifax. Lawrence n'en prit connaissance que le 9 novembre, alors que plus de la moitié des Acadiens demeurés en Nouvelle-Écosse avaient déjà été expulsés de la province et étaient en route pour l'exil.

Ultime refus des Acadiens de prêter le serment

Les Acadiens avaient persévéré, jusqu'à la dernière minute, dans leur détermination de ne pas prêter le serment d'allégeance *sans condition* qui leur était exigé. Les habitants de Port-Royal s'étaient réunis le 16 juillet 1755 et ceux des régions de Grand-Pré, de Pisiguit et de Cobequid, le 22 juillet 1755, pour rédiger leur ultime réponse à Lawrence, relativement à la prestation du serment d'allégeance.

D'une voix unanime, ils informèrent en ces termes le colonel Lawrence: «Nous et nos pères, ayant pris pour eux et pour nous un serment de fidélité qui nous a été approuvé plusieurs fois, au nom du Roy, notamment par le gouverneur Richard Philipps en 1730, et sous les privilèges duquel nous sommes demeurés fidèles et soumis à Sa Majesté Britannique et avons été protégés, suivant les lettres et proclamation du gouverneur Shirley, en date du 16 septembre 1746 et du 21 octobre 1747, nous ne commettrons jamais l'inconstance de prendre un serment qui change tant soit peu les conditions et privilèges dans lesquels nos Souverains et nos pères nous ont placés dans le passé...» Ils affirmaient, de plus, n'avoir aucune intention de servir contre le gouvernement de Sa Majesté et imploraient la libération des délégués détenus sur l'île Georges, dans le port d'Halifax.

Les malheureux Acadiens venaient de signer leur condamnation, car «il est certain qu'après le traité d'Utrecht, les Acadiens ne pouvaient continuer d'habiter le pays qu'à condition de devenir en fait sujets de la Grande-Bretagne et qu'ils ne pouvaient prendre cette qualité de sujets qu'après avoir prêté les serments requis par l'autorité anglaise[51]».

De 1753 à 1755, Lawrence a échangé une volumineuse correspondance avec les autorités de Londres au sujet des Acadiens. Le 1er août 1754, par exemple, il écrivait: «Ils n'ont rien apporté sur nos marchés depuis longtemps. Mais d'un autre côté, ils ont tout transporté chez les Français (à Louisbourg ou à Beauséjour) et les sauvages, qu'ils ont toujours approvisionnés, logés et renseignés. En vérité, tant qu'ils n'auront pas prêté serment à Sa Majesté, ce qu'ils ne feront jamais sans y être forcés et tant qu'ils auront au milieu d'eux des prêtres français incendiaires, il n'y a aucun espoir qu'ils s'amendent.

«Ils possèdent la plus grande étendue des terres et les meilleures en cette province. Aucun établissement (anglais) ne peut se faire efficacement dans la province, tant qu'ils demeureront dans cette situation et bien que je sois très éloigné de m'arrêter à cette mesure, sans l'approbation de Vos Seigneuries, néanmoins je ne puis m'empêcher de croire qu'il serait bien préférable de les laisser partir, s'ils refusent le serment...»

Le verdict du juge Belcher

Mais, avant de les *laisser partir*, il importait de trouver et d'appliquer une procédure en vertu de laquelle les terres des Acadiens seraient *légalement* confisquées, en dépit des traités et décrets ou autres conventions qui leur avaient été consentis.

Dans une lettre datée du 5 décembre 1753, Lawrence avait exprimé l'avis que le refus des Acadiens de prêter un serment d'allégeance, sans réserve, annulait leurs droits de propriété. Les autorités anglaises conviennent d'abord, en date du 4 avril 1754, que «les Acadiens n'ont aucun droit sur leurs propriétés, à moins qu'ils ne prêtent un serment d'allégeance absolue, sans aucune réserve».

---

51. Guy Frégault, dans l'édition de décembre 1954 de *La Revue d'Histoire de l'Amérique française*.

Puis, se ravisant, après avoir sans doute approfondi cette question, Londres communique de nouveau avec Halifax, en date du 29 octobre 1754, se contentant de se demander[52] « si leur refus de prêter serment n'est pas, en effet, une raison suffisante pour invalider leurs titres de propriétés ». Les autorités anglaises, recommandent alors à Lawrence de consulter sur ce point le juge-en-chef de la Nouvelle-Écosse et ajoutent : « Nous pourrions désirer que fussent prises des mesures propres à opérer légalement cette confiscation, de manière que vous soyez à même de concéder ces terres aux personnes désireuses de s'y établir... et comme M. Shirley (du Massachusetts) a laissé entendre à Lord Halifax qu'on pourrait sans doute amener de la Nouvelle-Angleterre, en cette région, un nombre considérable de colons, vous feriez bien de le consulter à ce sujet... »

Or, ce juge-en-chef, auquel les autorités de Londres recommandent à Lawrence de soumettre, au point de vue juridique, la question de la confiscation des biens des Acadiens, est Jonathan Belcher, né à Boston en 1711, fils d'un ancien gouverneur du Massachusetts. Après des études de droit en Angleterre, il a été nommé juge-en-chef de la Nouvelle-Écosse, le 21 juin 1754 et il est entré en fonction, le 21 octobre de la même année. Il succédera plus tard à Lawrence, comme gouverneur de la Nouvelle-Écosse.

Belcher va rendre jugement, dans une cause aussi grave de conséquences « sans se donner la peine d'observer les formalités les plus élémentaires de la loi anglaise de l'époque[53] ». Les principaux intéressés, les Acadiens, ne seront pas invités à comparaître devant lui, à plaider leur cause. Sans qu'on les ait entendus, leurs propriétés seront confisquées, en contravention avec les dispositions du Droit anglais de l'époque.

Aucune loi anglaise ne comporte alors de dispositions prévoyant l'entière confiscation des propriétés d'un père de

---

52. *Nova Scotia State Papers,* Archives d'Ottawa.
53. *Cowley's Laws as concerning Jesuits, Seminary Priests, Recusants,* etc., *and concerning the oaths of supremacy and allegiance,* page 252. — *The American Catholic Quaterly Review,* Octobre 1885. — *The Acadian Confessors of the Faith,* 1755, page 596, cités en appendice dans *Un pèlerinage au pays d'Évangéline,* par H.-R. Casgrain.

famille, ou la punition de sa femme et de ses enfants, pour un délit qui aurait pu être commis par ce père de famille. S'il s'agit de crimes politiques ou d'actes de trahison, de dures sanctions sont prévues, mais jamais la confiscation des biens de tout un groupe de personnes et leur bannissement pour quelque motif que ce fût.

Néanmoins, le 28 juillet 1755, le juge Belcher publie un long mémoire dans lequel il énumère les raisons qui « me persuadent que nous ne devons pas permettre aux habitants français de prêter le serment ni les tolérer dans la province ». Après avoir fait l'analyse des événements qui se sont produits en Acadie, à partir du traité d'Utrecht en 1713, il conclut que les Acadiens, s'étant comportés « comme des rebelles », les tolérer plus longtemps en Nouvelle-Écosse :

« 1. — serait contraire à la lettre et à l'esprit des instructions de Sa Majesté au gouverneur Cornwallis ;

« 2. — rendrait stériles les résultats de l'expédition de Beauséjour ;

« 3. — entraverait le progrès de l'établissement des colons anglais et « empêcherait la réalisation des projets que la Grande-Bretagne avait en vue lorsqu'elle a fait des dépenses considérables en cette province. »

« 4. — après le départ de la flotte et des troupes (du Massachusetts qui s'étaient emparées du fort Beauséjour, un un mois plus tôt) il sera alors impossible de les chasser de leurs possessions, alors que « les Acadiens auront de nouveau recours à la perfidie et à la trahison, procédés dont ils se serviront certainement et avec plus de haine que dans le passé ». »

C'est alors que John Winslow, l'un des officiers de l'armée anglo-américaine campée à Beauséjour, devenu le fort Cumberland, écrit[54] : « Nous formons maintenant le noble et grand projet de chasser les Français Neutres (Acadiens) de cette province. Ils ont toujours été nos ennemis secrets et ont encouragé nos sauvages à nous couper le cou. Si nous pouvons accomplir cette expulsion, cela aura

---

54. *Le journal de Winslow,* archives de la *Massachusetts Historical Society.*

été l'une des plus grandes actions qu'aient jamais accomplies les Anglais en Amérique. Car, entre autres considérations, la partie du pays qu'ils occupent est une des meilleures terres qui soient au monde et, dans ce cas, nous pourrions placer quelques bons fermiers anglais dans leurs habitations. »

Leur tragique destin

Pendant près de cinquante ans, les administrations anglaises qui s'étaient succédées en Nouvelle-Écosse s'étaient accommodées du serment contenant une réserve à l'effet que les Acadiens ne prendraient les armes ni contre l'Angleterre, ni contre la France. Leur statut particulier de *Français neutres* leur avait été accordé et leur était reconnu, tant en Angleterre et dans les colonies anglo-américaines de la Nouvelle-Angleterre qu'en Nouvelle-Écosse.

Les Acadiens avaient systématiquement refusé de prêter un serment d'allégeance sans réserve, parce qu'ils craignaient qu'en le faisant, ils ne pourraient éventuellement conserver le libre exercice de leur religion ou seraient, un jour ou l'autre, forcés de prendre les armes contre leur mère-patrie, la France, ou leurs cousins du Canada.

Ils estimaient pouvoir continuer d'être de loyaux sujets du souverain britannique, tout en conservant leur neutralité en cas de guerre entre la France et l'Angleterre. D'ailleurs, tous ceux qui étaient restés en Nouvelle-Écosse, par ces temps troublés, avaient confiance que leur bonne foi serait reconnue par les autorités de cette province. Ces Acadiens ne souhaitaient qu'une chose: qu'on les laisse vivre en paix, sur leurs terres, selon les dispositions du traité d'Utrecht à leur sujet, selon le décret de la reine Anne, selon les arrangements conclus avec le gouverneur Philipps en 1730 et, enfin, selon les engagements de Shirley, gouverneur du Massachusetts, à leur endroit et, notamment, sa proclamation du 21 octobre 1747.

De leur côté, Lawrence et ses conseillers, en particulier Belcher et Shirley, s'étaient persuadés que le refus des Acadiens restés en Nouvelle-Écosse de prêter le serment d'allégeance sans condition, signifiait qu'ils avaient l'intention de prendre les armes, aux côtés des Français et des Canadiens, contre les troupes anglaises, dans l'éventualité d'une nouvelle guerre. Or, Lawrence et ses conseillers pressentaient qu'une guerre était sur le point d'éclater entre l'Angleterre et la France. De fait, les hostilités étaient déjà en cours, dans les colonies d'Amérique, sans déclaration formelle de guerre. La déclaration officielle confirmant l'état de guerre entre ces deux puissances ne sera signifiée par l'Angleterre à la France que le 18 mai 1756.

Le prétexte invoqué par la Grande-Bretagne fut l'alliance de la France avec la Russie et l'Autriche, contre Fréderic le Grand, au sujet de la Silésie. Mais les véritables motifs étaient tout autres. C'était, en effet, la première fois dans l'histoire qu'une guerre était déclenchée en Europe ayant pour principal objectif la conquête des colonies françaises d'Amérique.

Il faut aussi rappeler que les Acadiens occupaient les plus belles terres de la Nouvelle-Écosse et que leur présence en cette province constituait un obstacle insurmontable à l'établissement de colons anglais. Les colons anglo-américains, en particulier ceux du Massachusetts, voudront aussi profiter des circonstances pour se venger, sur les Acadiens sans défense, des attaques incessantes et des raids sanglants dont ils avaient été souvent les victimes de la part des Français et des Indiens, à l'instigation des gouverneurs français du Canada ou des *capitaines de sauvages* d'Acadie ; pour se venger aussi des pertes considérables subies dans leur commerce aux mains de corsaires ayant leur port d'attache à Louisbourg.

De plus, les Anglo-américains appréhendaient la possibilité d'une révolte des Acadiens demeurés en Nouvelle-Écosse qui, aidés de leurs alliés indiens, auraient pu, en quelques jours, massacrer tous les colons d'Halifax. Les colons anglais installés en Nouvelle-Écosse ne craignaient pas moins pour leur sécurité et celle de leurs familles. Plusieurs d'entre eux avaient déjà perdu la vie, égorgés par les Indiens amis des Français et des Acadiens. La haine que leur inspirait toute personne d'origine française et professant la religion catholique de même que la peur collective dans laquelle ils vivaient en étaient venues à fausser leur jugement.

C'est dans cette atmosphère de crainte hystérique, imprégnée de haine, d'esprit de vengeance et de lucre, que les préparatifs de la déportation des Acadiens seront mis en œuvre.

20. ARRESTATION MASSIVE DES ACADIENS

À L'ÉTÉ de 1755, Charles Lawrence, lieutenant-gouverneur de la Nouvelle-Écosse, avait obtenu de William Shirley, gouverneur du Massachusetts, l'assurance de recevoir des navires en nombre suffisant pour le transport d'environ 7000 personnes. Sur une population totale approximative de 18000 Acadiens, près de 6000 étaient déjà sortis de la Nouvelle-Écosse, entre 1749 et 1752. Plusieurs milliers d'autres avaient fui la province depuis 1752. À la veille de la déportation, en 1755, des Acadiens restés jusque-là en Nouvelle-Écosse, échapperont encore aux Anglais.

Le 31 juillet 1755, Lawrence adressa au colonel Robert Monckton, officier commandant au fort Cumberland (Beauséjour), la lettre suivante[55] :

« Les députés français des districts d'Annapolis, des Mines (région de Grand-Pré) et de Pisiguit ont été appelés à comparaître devant le Conseil et ont refusé de prêter le serment d'allégeance à Sa Majesté. Ils ont aussi déclaré que tel était le sentiment de toute la population.

« En conséquence, le Conseil a résolu et décidé qu'ils soient déportés hors de la province aussitôt que possible. On devra commencer d'abord par les habitants de l'Isthme (région de Beaubassin), qui furent pris les armes à la main et qui, de ce chef, n'ont droit à aucune faveur de la part du gouvernement.

« Pour mettre ce point à exécution, des ordres sont donnés d'envoyer en toute diligence un nombre suffisant de vais-

---

55. *Nova Scotia State Papers*, Ottawa.

seaux à la Baie (de Chignectou) pour embarquer la population.

« Vous recevrez en même temps les instructions relatives aux moyens à prendre pour exécuter cette tâche ; aux endroits où les déportés devront être envoyés et à tout ce qui pourra vous être nécessaire en cette occurrence.

« Afin de les empêcher de s'enfuir avec leurs bestiaux, il faudra avoir grand soin que ce projet ne transpire pas, et le moyen le plus sûr pour cela me paraît d'avoir recours à quelque stratagème qui fera tomber les hommes, jeunes et vieux, surtout les chefs de familles, en votre pouvoir.

« Vous les détiendrez ensuite jusqu'à l'arrivée des transports, afin qu'ils soient prêts pour l'embarquement. Une fois les hommes détenus, il n'est pas à craindre que les femmes et les enfants s'enfuient avec les bestiaux. Toutefois, il serait très prudent, pour prévenir leur fuite, non seulement de vous emparer de leurs chaloupes, de leurs bateaux, de leurs canots et de tous les autres vaisseaux qui vous tomberont sous la main, mais, en même temps, de charger des détachements de surveiller les villages et les routes.

« Tous leurs bestiaux et leurs céréales étant confisqués au profit de la Couronne, par suite de leur rébellion, et devant être appliqués au remboursement des dépenses que le gouvernement devra faire pour les déporter de ce pays, il faudra que personne n'en fasse l'acquisition sous aucun prétexte. Tout marché de ce genre serait de nul effet, parce que les habitants français sont dépourvus de leurs titres de propriété et il leur sera défendu d'emporter quoi que ce soit, sauf leurs mobiliers et l'argent qu'ils possèdent présentement.

« Les commandants du fort de Pisiguit et de la garnison d'Annapolis ont reçu à peu près les mêmes ordres à l'égard des habitants de l'intérieur... »

Le 1er août 1755, soit le lendemain de l'envoi de ces instructions au colonel Monckton, Lawrence ordonna l'arrestation des trois derniers prêtres qui étaient encore en Acadie. L'Abbé Chauvreulx, curé de Saint-Charles-des-Mines, à Grand-Pré, est arrêté le 4 août. L'abbé Le Maire, de la rivière aux Canards, se cache pendant quelque temps afin de se rendre aux diverses églises et consommer les

Saintes Espèces. Il se livre volontairement le 10 août, au fort Pisiguit. L'abbé Daudin, curé d'Annapolis-Royal, est arrêté pendant la célébration de la messe, qu'on lui laisse toutefois terminer.

Avant leur départ, les missionnaires avaient donné instruction de « dépouiller les autels, de tendre un drap mortuaire sur la chaire et de mettre dessus un crucifix, voulant par là faire entendre au peuple qu'il n'avait que Jésus-Christ pour missionnaire ». Il est impossible de décrire la douleur et le découragement des Acadiens lorsqu'ils se virent ainsi privés de leurs prêtres. Quelques jours plus tard, le drapeau anglais était hissé sur les églises, transformées en casernes pour les troupes.

Le 8 août 1755, Lawrence informe Monckton, au fort Cumberland, que les navires destinés au transport des Acadiens, hors de la province, sont sur le point d'arriver et qu'il « faudra faire tous les efforts possibles pour réduire à la famine ceux qui tenteraient de se cacher dans les bois ».

Le plan élaboré par Lawrence et son Conseil consistait à s'emparer de tous les Acadiens qui leur tomberaient sous la main, dans les régions les plus populeuses de l'Acadie, de les embarquer sur des navires et de les disperser dans les colonies anglo-américaines, sur le littoral de l'Atlantique, du Massachusetts à la Géorgie.

Dans la région de Beaubassin

C'est dans la région de Beaubassin et sur l'isthme de Chignectou que, suivant les ordres de Lawrence, l'arrestation des premiers Acadiens devait s'effectuer. Habitants et réfugiés de ce territoire, reçoivent l'ordre de se réunir au fort Cumberland, le 9 août 1755, pour « entendre la lecture des ordres de Son Excellence le gouverneur ».

Méfiante, la population reste à peu près sourde à ce premier appel. La réunion est remise au lendemain, alors que quelque 400 Acadiens se rendent au fort Cumberland, après avoir obtenu l'assurance que le but de la convocation « est l'arrangement du gouverneur d'Halifax pour la conservation de leurs terres. » A leur arrivée au fort Cumberland, tous sont faits prisonniers.

Des détachements de soldats sont ensuite envoyés dans les campagnes de la région pour tenter de s'emparer du reste de la population. Mais la plus forte partie des habitants de la région de Beaubasssin, de même que la plupart des familles établies sur les rivières-sœurs de Chipoudy, Petitcoudiac et Memramcook, s'étaient cachées dans les bois sur les conseils de leur missionnaire, l'abbé LeGuerne. Entre-temps, les prisonniers acadiens du fort Cumberland étaient embarqués sur les navires arrivés du Massachusetts. « Cent quarante femmes », écrit l'abbé LeGuerne, se jetèrent aveuglément et comme par désespoir dans les vaisseaux anglais », pour aller rejoindre leurs maris.

Le 26 août 1755, le lieutenant Boishébert, commandant français à Miramichi, ayant sous ses ordres 125 hommes et un groupe d'Indiens, tous exaspérés contre les Anglais, surprend 200 soldats anglais, commandés par le major Frye qui, après avoir incendié « l'église de Chipoudy et 181 habitations », s'apprêtaient justement à « mettre le feu à 250 maisons de Petitcoudiac avec une grande quantité de froment et de lin. »

Boishébert donne le signal de l'attaque au moment où les Anglais mettent le feu à l'église de Petitcoudiac. Après trois heures d'un dur combat, les Anglais, qui ne prévoyaient pas cette offensive, doivent se retirer, pour ne pas être tous massacrés. Ils laissent derrière eux une cinquantaine de morts et une soixantaine de blessés.

C'est ainsi que plus de 200 familles qui se trouvaient alors sur les rivières Chipoudy, Petitcoudiac et Memramcook purent échapper à la déportation. Un certain nombre d'entre elles se rendirent à la rivière Saint-Jean, au Nouveau-Brunswick actuel, d'autres réussirent à atteindre Québec, mais la plupart de ces familles se dissimulèrent dans les bois de la région de Shédiac et de Cocagne où elles s'organisèrent, avec des moyens de fortune, pour passer l'hiver. Au printemps de 1756, Boishébert fit évacuer leurs misérables campements et dirigea ces réfugiés vers la baie de Miramichi, située plus au nord et où de nombreux Acadiens, originaires de Beaubassin et de l'isthme de Chignectou, avaient déjà trouvé refuge.

Dans son récit des circonstances qui ont entouré l'arrestation des Acadiens de la région de Beaubassin, en vue de leur déportation, l'abbé François LeGuerne écrit: «Pour sauver une centaine de femmes, avec leurs enfants, dont les maris étaient embarqués, je me rendis auprès d'elles et après les avoir consolées et rassurées de mon mieux, je les engageai à se retirer chez les Français au plus proche endroit, qui était l'île Saint-Jean. Plusieurs jeunes gens, des vieillards et cinq ou six hommes échappés de Beauséjour commencèrent au travers des bois et par des pays horribles et marécageux, une route de dix lieues pour se rendre à la mer. »

Ils mirent un mois, en se cachant des Anglais, pour se rendre à la baie Verte et s'embarquer pour l'île Saint-Jean. Près des deux tiers de la population de Beaubassin et de l'isthme de Chignectou avaient échappé à la déportation.

À l'époque de la dispersion des Acadiens, le village de Beaubassin, déjà détruit par l'incendie de 1750, était situé exactement sur la frontière actuelle du Nouveau-Brunswick et de la Nouvelle-Écosse, à l'est de la rivière Missagouach, à peu de distance du fort Beauséjour. Par ailleurs, la paroisse de Beaubassin, devenue l'une des plus populeuses de l'Acadie après 1740, s'étendait alors de la ville actuelle d'Amherst jusqu'au-delà du fort Beauséjour et de Tintamarre, aujourd'hui Sackville, puis en direction de la baie Verte, sur l'isthme de Chignectou.

L'église paroissiale de Beaubassin se trouvait à l'endroit précis où, de nos jours, un monument indique l'emplacement du fort Lawrence, construit en 1750. Le cimetière, situé à quelques arpents plus bas, est aujourd'hui traversé par la voie ferrée. Il était entouré d'un mur environ quatre pieds de hauteur et d'un pied d'épaisseur. Lorsque des excavations y sont faites, ont décèle encore parfois l'emplacement de cercueils.

La petite route qui serpentait à travers le village, il y a plus de deux siècles, donnant accès au rivage et à la mer en longeant la rive est de la rivière Missagouach, suit encore aujourd'hui le tracé d'autrefois, car le village de Beaubassin, pas plus d'ailleurs que celui de Grand-Pré, n'a jamais été reconstruit.

À Grand-Pré et au bassin des Mines

Le colonel John Winslow, préposé à l'embarquement des Acadiens de Grand-Pré et de toute la région du bassin des Mines, avait lancé un appel à la population, sous forme d'une proclamation datée du 2 septembre 1755 et conçue dans les termes suivants:

« Attendu que Son Excellence (le lieutenant-gouverneur Lawrence) vient de nous faire connaître ses dernières volontés au sujet des propositions qui ont été faites récemment aux habitants et que nous avons reçu ordre de vous en faire part nous-mêmes, car Son Excellence, désirant que tous soient informés des intentions de Sa Majesté, nous a enjoint de vous les communiquer telles qu'Elle les a reçues.

« En conséquence, j'ordonne et enjoins strictement par les présentes à tous les habitants, y compris les vieillards, les jeunes gens ainsi que ceux âgés de dix ans, des districts susmentionnés (toutes les rivières de la région du bassin des Mines) et autres districts, de se réunir à l'église de la Grande-Prée, le vendredi 5 courant, à trois heures de l'après-midi, afin de leur faire part des instructions que nous sommes chargés de leur communiquer.

« Je déclare qu'aucune excuse, de quelque nature qu'elle soit, ne sera acceptée et que le défaut d'obéissance aux ordres ci-dessus entraînera la confiscation des biens et des effets. »

Le capitaine Alexander Murray avait fait circuler une semblable sommation à Pisiguit et à Cobequid. Mais les habitants de Pisiguit s'étaient déjà réfugiés, en grand nombre, à l'île Saint-Jean ou sur les côtes du Nouveau-Brunswick actuel, alors que ceux de Cobequid avaient presque tous abandonné leur village pour se porter vers ces mêmes endroits.

Le 11 août 1755, Lawrence avait donné les instructions suivantes à Winslow: « Pour rassembler et embarquer les habitants, vous devrez avoir recours aux moyens les plus sûrs et, selon les circonstances, vous servir de la ruse ou de la force. Je désire surtout que vous ne teniez aucun compte des supplications et des pétitions que vous adresseront les habitants, quels que soient ceux qui désirent rester...»

Winslow avait établi son camp entre l'église et le cimetière de Grand-Pré, comme il l'écrit d'ailleurs au gouverneur Shirley du Massachusetts en date du 22 août 1755. Il logeait au presbytère alors que l'église avait été transformée en caserne.

Suivant les ordres qu'ils ont reçus, 418 Acadiens de Grand-Pré et de la région du bassin des Mines se réunissent dans l'église de Saint-Charles des Mines, à Grand-Pré, à trois heures de l'après-midi, le vendredi 5 septembre 1755. Winslow leur annonce aussitôt, au nom de Sa Majesté, qu'ils sont tous prisonniers et que leurs biens sont confisqués, sauf leur argent et quelques effets qu'on leur pemettra d'apporter avec eux sur les navires qui les transporteront en des lieux qui leur sont inconnus.

«Le devoir qui m'incombe, leur dit-il, quoique nécessaire, est très désagréable à ma nature et à mon caractère, de même qu'il doit vous être pénible à vous qui avez la même nature. Mais ce n'est pas à moi de critiquer les ordres que je reçois, mais de m'y conformer. Je vous communique donc, sans hésitation, les ordres et instructions de Sa Majesté, à savoir que toutes vos terres et habitations, bétail de toute sorte et cheptel de toute nature[56], sont par la Couronne, ainsi que tous vos autres biens, sauf votre argent et vos meubles et que vous devrez être vous-mêmes enlevés de cette province qui leur appartient. C'est l'ordre péremptoire de Sa Majesté que tous les habitants français de ces régions soient déportés...»

Un commis huguenot du nom de Deschamps, à l'emploi du commerçant Mauger, sert d'interprète à Winslow auprès des Acadiens.

Le dimanche, 7 septembre, Winslow signale l'arrivée de cinq vaisseaux de transport et il exprime la crainte que les vaisseaux nolisés ne soient pas en nombre suffisant pour

---

56. Les Acadiens de la région de Grand-Pré et du bassin des Mines possédaient, suivant les chiffres même de Winslow: 7833 bêtes à cornes, 8690 moutons, 4197 porcs et 492 chevaux.

transporter tous les prisonniers acadiens de la région de Grand-Pré.

À Pisiguit et à Port-Royal

Le 8 septembre, le capitaine Murray, cantonné à Pisiguit, écrit à Winslow «qu'il est surpris de l'indifférence réelle ou apparente des femmes des Acadiens prisonniers à cet endroit. Je crains toutefois, ajoute-t-il, qu'il y ait des pertes de vies, avant que nous ayons terminé le rassemblement, car vous savez que nos soldats les détestent et que, s'ils trouvent quelque prétexte pour les tuer, ils n'y manqueront pas...»

À Port-Royal, où la population acadienne se méfiait davantage des Anglais, le major John Handfield[57] était préposé à l'arrestation et à l'embarquement des Acadiens. Il n'eut pas plus de succès que Monckton à Beaubassin. Sur une population d'environ 3000 âmes, près de la moitié lui échappa. On ne saura jamais exactement ce qui s'est passé à Port-Royal lors de l'arrestation et de l'embarquement des Acadiens mais, d'après une lettre de Murray à Winslow, en date du 8 octobre 1755, on a raison de croire que des troubles sérieux ont éclaté au cours desquels plusieurs soldats anglais ont été tués de même que des Acadiens.

---

57. Son fils Thomas s'est convertit au catholicisme et il a épousé Marie Poulin, à Québec, le 7 janvier 1764. Il est l'ancêtre des Handfield de la région de Montréal.

21. L'EMBARQUEMENT ET LE DÉPART POUR L'EXIL

Nous savons qu'à Beaubassin les premiers embarquements des prisonniers acadiens eurent lieu vers le 10 août 1755, pour se poursuivre aussi longtemps que les soldats anglais, envoyés à la poursuite des divers groupes d'Acadiens dispersés sur l'isthme de Chignectou, arrivèrent au fort Cumberland (l'ancien Beauséjour) avec de nouvelles captures.

Dès le 11 août 1755, Lawrence avait ordonné à Winslow et à Murray et, sans aucun doute, aussi à Monckton et à Handfield, « de remettre au capitaine de chaque vaisseau une des lettres signée de moi, que vous adresserez au gouverneur de chaque province... où les déportés devront être débarqués. Si vous n'y réussissez par d'honnêtes moyens, ajoute-t-il, vous aurez recours aux plus énergiques mesures, non seulement pour embarquer de force les habitants, mais encore pour priver ceux qui s'échapperaient de tout abri et de tout moyen de subsistance, en brûlant les maisons et en détruisant dans le pays, tout ce qui peut leur permettre d'y vivre... »

Le journal de Winslow

À Grand-Pré, c'est le mercredi 10 septembre 1755 que Winslow donna le signal d'un premier embarquement de prisonniers acadiens à bord de vaisseaux ancrés à l'embouchure de la rivière Gaspareaux. Ce lieu historique, situé à un mille et demi de l'actuelle église-souvenir de Grand-Pré, est maintenant connu des Acadiens sous le nom de *plage d'Évangéline*.

Winslow consigna les tristes événements de cette journée tragique dans son journal, retrouvé aux archives de Boston en 1825[58]. C'est grâce à ce manuscrit que nous connaissons de nos jours les divers incidents de l'embarquement pour l'exil des Acadiens de Grand-Pré. En voici quelques extraits: «J'ai remarqué ce matin (10 septembre) une agitation inaccoutumée qui me cause de l'inquiétude. J'ai réuni mes officiers... il fut décidé à l'unanimité de séparer les prisonniers... Nous avons convenu de faire monter 50 prisonniers sur chacun des cinq vaisseaux arrivés de Boston et de commencer par les jeunes gens. Je fis venir le père Landry (François Landry), leur meilleur interprète.

«...Je lui dis que nous allions commencer l'embarquement; que nous avions décidé d'embarquer 250 personnes le jour même, les jeunes gens d'abord.

«Toute la garnison fut appelée sous les armes... Selon mes ordres, tous les habitants français furent rassemblés, les jeunes gens à gauche. J'ordonnai au capitaine Adams, aidé d'un lieutenant et de 80 officiers et soldats, de faire sortir des rangs 141 jeunes hommes et de les escorter jusqu'aux transports. J'ordonnai aux prisonniers de marcher. Tous répondirent qu'ils ne partiraient pas sans leurs pères...

«J'ordonnai alors à toute la troupe (environ 300 hommes) de mettre la bayonnette au canon et de s'avancer sur les Français. Je commandai moi-même aux quatre rangs de droite, composée de 24 prisonniers, de se séparer du reste. Je saisis l'un d'eux qui empêchait les autres d'avancer et je lui ordonnai de marcher. Il obéit et les autres suivirent, mais lentement.

«Ils s'avançaient en priant, en chantant, en se lamentant et sur tout le parcours d'un mille et demi, les femmes et les enfants venus au-devant d'eux, priaient à genoux et pleuraient à chaudes larmes. J'ordonnai ensuite à ceux qui restaient de choisir parmi eux 109 hommes mariés qui devaient être embarqués après les jeunes gens... mais, lors

---

58. Le journal de Winslow, conservé aux archives de la *Massachusetts Historical Society,* a été publié, au cours des années 1883 et 1885, dans les cahiers de la *Société historique de la Nouvelle-Écosse.*

de l'embarquement, on constata qu'il n'y en avait que 89 au lieu de 109, de telle sorte que le nombre des prisonniers mis à bord ce jour-là fut de 230. Ainsi se termina cette pénible tâche qui donna lieu à des scènes navrantes... »

Le 19 septembre 1755, Winslow informe Lawrence qu'à cette date, il détient 530 prisonniers acadiens, dont 230 sont déjà enfermés dans les cales des navires de transport. « Ces hommes avec leurs femmes et leurs enfants écrit-il, forment une population de 2000 personnes, sans parler des habitants de Cobequid et de Pisiguit... » Cependant le nombre des navires arrivés à Grand-Pré, de même qu'à Pisiguit, était nettement isuffisant pour effectuer le transport des prisonniers acadiens capturés en ces deux endroits. Aussi Winslow s'impatientait-il de ne pas recevoir les vaisseaux supplémentaires qu'il avait demandés.

Le retard de ces navires n'ayant pas été prévu, Winslow n'avait pas reçu de provisions en quantité suffisante pour nourrir tant de monde pendant un si grand nombre de semaines. Conséquemment, pendant que les hommes étaient détenus prisonniers dans les cales des navires, les femmes, demeurées temporairement aux maisons, étaient tenues d'apporter la nourriture qu'elles croyaient destinée à être toute remise à leurs maris, à leurs fils, à leurs frères, à leurs fiancés. Mais tel n'était pas toujours le cas, puisque Winslow l'écrit lui-même dans son journal : « Depuis mon arrivée, je n'ai reçu qu'un envoi de vivres pour mes hommes. Il m'a fallu prendre des provisions que les femmes et les enfants apportaient pour les leurs... Je m'efforce d'épargner les dépenses du gouvernement, comme si c'étaient les miennes. »

L'embarquement du 8 octobre

Les vaisseaux supplémentaires, attendus d'un jour à l'autre, n'étant pas encore arrivés, Winslow et Murray, l'un à Grand-Pré et l'autre à Pisiguit, décidèrent, le 8 octobre 1755, d'entasser dans les navires à leur disposition[59] autant

---

59. Il s'agissait de vieux bateaux, préposés au transport de la marchandise, que le gouverneur Shirley du Massachusetts avait loué de la compagnie *Apthorp et Hancock.*

de prisonniers, hommes, femmes et enfants qu'ils pourraient.

« Les habitants, écrit Winslow en ce jour, abandonnèrent tristement et à regret leurs demeures. Les femmes, en proie à la détresse, portaient leurs nouveaux-nés ou leurs plus jeunes enfants dans leurs bras. D'autres traînaient, au moyen de charettes, leurs parents infirmes et leurs effets. Ce fut une scène où la confusion se mêlait au désespoir et à la désolation. »

Bien que Winslow eût décidé, d'un commun accord avec les capitaines des vaisseaux, « que les familles ne seraient pas séparées et que les habitants d'un même village seraient placés sur le même navire, en autant que les circonstances le permettraient », il arriva que, dans le désordre qui présida à l'embarquement, un grand nombre de familles furent démembrées. Des femmes furent embarquées sur d'autres bateaux que ceux où se trouvaient déjà leurs maris, et des enfants, dès le jour de l'embarquement, devinrent orphelins. « Il y eut dès lors, écrit Lauvrière[60], des enfants et des parents, des mères et des filles, des frères et des sœurs, des fiancés et des fiancées, des amis qui, croyant ne se quitter que pour quelques jours, se séparèrent pour ne plus jamais se revoir ici-bas, les vaisseaux ayant des destinations différentes. »

Un soir, profitant du mauvais temps et de l'obscurité, 24 jeunes hommes réussirent à s'enfuir des navires sur lesquels ils avaient été embarqués. « Je fis faire la plus rigoureuse enquête », raconte Winslow dans son journal, en date du 8 octobre. « J'appris qu'un certain *François Hébert* avait été l'instigateur. Je le fis débarquer, le conduisis devant sa maison et fis sous ses yeux brûler sa maison et sa grange. J'informai ensuite tous les Français (Acadiens) que, si les fugitifs ne se rendaient pas avant deux jours, tous les amis des déserteurs subiraient le même sort. » Le 12 octobre, le groupe de déserteurs fut rejoint dans les bois par un détachement de soldats anglais. Deux d'entre eux furent tués sur place. Les autres réussirent à prendre la fuite de nouveau. Mais, de crainte que leurs parents ou leurs

60. *La Tragédie d'un peuple.*

amis ne soient exposés à des représailles, ils revinrent bientôt aux navires d'où ils s'étaient échappés.

Au cours de la journée du 8 octobre, environ 80 familles avaient été embarquées. Trois jours plus tard, sept des navires attendus depuis si longtemps arrivèrent d'Annapolis-Royal. Trois de ces tranports furent dirigés vers Pisiguit où Murray réussit à embarquer 1100 prisonniers sur quatre navires.

De son côté, Winslow n'avait pu réussir à entasser sur les navires à sa disposition les 1510 prisonniers qu'il détenait et il écrivait: «Bien que nous ayons chargé les navires à raison de plus de deux par tonneau et que les déportés soient fort empilés, il me reste pourtant sur les bras, par suite du manque de transports, 98 familles formant un total de 600 âmes.»

Dans une requête adressée plus tard aux autorités de la Pennsylvanie par un groupe d'Acadiens déportés à Philadelphie, nous lisons ce qui suit: «L'embarquement fut opéré avec une telle hâte, avec si peu d'égard pour les nécessités de la vie et les plus tendres liens de la nature, que beaucoup qui avaient joui de la plus grande aisance et des plus grands avantages sociaux se trouvèrent privés du nécessaire. Des parents furent séparés de leurs enfants, des maris de leurs femmes, sans jamais pouvoir se retrouver.

«Nous étions tellement entassés sur les transports, que nous n'avions pas même la place d'étendre nos corps en même temps. Par conséquent, nous ne pûmes pas emporter les choses les plus indispensables, même pour le soulagement des vieillards et des faibles, dont beaucoup trouvèrent, dans la mort, la fin de leurs misères.»

Le lugubre départ

Le 27 octobre 1755, quatorze vaisseaux de transport, remplis à déborder de quelque 1600 Acadiens de la région de Grand-Pré et de Rivière-aux-Canards et d'environ 1300 Acadiens de Pisiguit et de Cobequid, rejoignaient, dans la baie de Fundy, dix navires chargés d'approximativement 1900 Acadiens originaires de la région de Beaubassin.

Cette flotte de vingt-quatre vaisseaux, transportant un premier groupe de plus de 4000 prisonniers acadiens vers l'exil, était escortée par trois navires de guerre, le *Nightingale*, l'*Halifax* et le *Warren*. Les Acadiens faits prisonniers à Port-Royal, au nombre d'environ 1800, seront déportés sur d'autres navires, le 9 décembre 1755. Les quelques 600 Acadiens qui durent rester à Grand-Pré sous la garde des soldats anglais, faute de transports en nombre suffisant, seront embarqués pour l'exil, également au mois de décembre 1755, avec plusieurs centaines de fugitifs, capturés dans la région.

Ainsi, les Acadiens étaient impitoyablement chassés de leur patrie et plongés du jour au lendemain dans la plus abjecte pauvreté.

Un grand nombre d'entre eux, entretenant naïvement l'espoir de revenir un jour chez-eux ou craignant la rapacité de soldats préposés à leur garde, avaient soigneusement caché en lieux sûrs leur argent et leurs objets les plus précieux. «Au lieu d'emporter avec eux leurs effets et leur argent, écrit le secrétaire du Conseil d'Halifax, Bulkeley, ils en remplirent des coffres et des vases qu'ils enfouirent dans la terre ou déposèrent au fond des puits; après leur départ, ces effets et des sommes considérables d'argent furent retrouvés par les Anglais[61].»

Ces milliers de déportés acadiens, victimes du *grand dérangement*, laissaient derrière eux tous leurs biens, accumulés pendant quatre ou cinq générations, ainsi que leurs magnifiques terres d'alluvion, récupérées sur la mer par leur dur labeur et transmises de père en fils ainsi que quelque 118000 têtes de bétail, dont: 43500 bêtes à cornes, 48500 moutons, 23500 porcs et 2800 chevaux. Jamais ils ne reverraient leurs villages, leurs églises, leurs maisons, leurs terres, leurs cimetières, dernier séjour de leurs proches parents et de leurs ancêtres. De plus, dès le départ, un grand nombre de familles étaient brisées, démembrées à jamais. Combien de femmes qui n'ont jamais revu leurs maris, ou d'enfants qui n'ont jamais pu retrouver leurs parents !

---

61. *Nova Scotia State Papers*, Ottawa.

Avec Édouard Richard[62], répétons «qu'il est impossible à celui qui médite sur ces événements de n'en pas recevoir une sensation d'indéfinissable mélancolie. Les victimes de ce drame lugubre vous pressent au cœur et aux entrailles, comme des personnages d'une tragédie antique. L'esprit se perd à vouloir calculer les conséquences de cette affreuse dispersion : elles ont atteint chacun des membres de chaque famille ; pas un cœur qui n'en ait été torturé, pas un muscle qui n'en ait tressailli.

«Devant une telle accumulation de souffrances et d'indignités supportées par une population paisible et désarmée qui n'avait jamais donné l'occasion de griefs sérieux quand elle tenait dans ses mains les destinées de son pays, l'on se sent pris d'un serrement de cœur, tandis qu'aux lèvres monte un cri d'angoisse auquel se mêlent, à notre insu, des mots de malédiction...»

Sur plusieurs navires, des Acadiens avaient formé le projet de se révolter au sortir de la baie de Fundy et de diriger les vaisseaux vers l'embouchure de la rivière Saint-Jean, situé du côté nord de la baie. Mais un violent ouragan, qui s'éleva subitement après le départ des navires, les empêcha de mettre ce projet à exécution.

L'historien H.-R. Casgrain[63], raconte l'incident suivant : «Sur un des transports avait été embarqué un capitaine nommé Beaulieu, homme d'une force peu commune. Dans le cours de la traversée, il demanda au capitaine du bâtiment où il pensait les conduire. Celui-ci répondit avec arrogance qu'il les débarquerait dans la première île déserte. À peine avait-il tourné les talons que Beaulieu l'abattit d'un coup de poing, sauta sur le matelot, qui gardait l'écoutille et l'assomma. Une fois l'écoutille ouverte, tous les Acadiens sortirent sur le pont et s'emparèrent du navire.»

Ce vaisseau, le *Pembroke,* fut dirigé vers la rivière Saint-Jean, puisque, le 8 février 1756, l'abbé LeGuerne confirme «qu'il y est arrivé un petit navire chargé de 32 familles de Port-Royal qui faisait nombre de 225 personnes».

---

62. Auteur d'*Acadie.*
63. *Un pèlerinage au pays d'Évangéline.*

Ce fut-là, semble-t-il, la seule évasion par mer des Acadiens au cours de leur déportation. Selon une autre version, un charpentier de marine du nom de Charles Béliveau aurait accompli l'exploit raconté par l'abbé Casgrain. Cette version semble plus plausible car, s'il y eut des Beaulieu à l'île Saint-Jean et à l'île Royale, il n'y avait personne portant ce nom en Acadie proprement dite à l'époque, alors que *Béliveau* était un nom très connu à Port-Royal, lors de la dispersion des Acadiens.

Les villages acadiens détruits par le feu

Lawrence avait donné l'ordre de brûler toutes les maisons et de détruire les récoltes, afin que les Acadiens qui avaient échappé à l'embarquement et à la déportation, en fuyant dans les bois, ne puissent survivre aux froids de l'hiver ou qu'ils soient contraints de se livrer. C'est dans des termes émouvants que Lauvrière[64] nous rappelle l'incendie des villages acadiens de la région du bassin des Mines : Grand-Pré, Rivière-aux-Canards et Pisiguit :

« Sous les yeux de ces survivants (les 600 Acadiens de Grand-Pré déportés en décembre), pendant six jours sévit donc l'incendie. Pendant six jours flambèrent, une à une, toutes les maisons de bois des riants villages acadiens qu'avait fait surgir l'allègre labeur de quatre générations. Quand les vents d'hiver eurent disséminé les lourdes volute de fumée et les cendres épaisses de ce colossal incendie, il ne régna plus dans le noir désert que le silence ; il ne resta plus sur les fécondes terres de Grand-Pré des Mines et de tout le bassin naguère verdoyant, que les puits, les cheminées de pierres noircies, les digues apparemment inutiles et les saules, qui, dans la tristesse des lieux, semblaient pleurer le deuil d'une nation anéantie... »

« Puisqu'on brûlait ainsi leurs demeures, leurs granges, leurs églises[65], leurs moulins ; puisqu'on ne leur laissait plus rien ici-bas, c'est qu'on ne voulait pas seulement

---

64. *La Tragédie d'un peuple.*
65. Ce fut le capitaine Osgood, nommé commandant après le départ de Winslow, qui incendia l'église de Grand-Pré.

leur déportation temporaire, leur châtiment éphémère, mais bien leur exil permanent, leur ruine totale, leur extermination peut-être.

« Au pays des ancêtres, il n'y avait plus de foyer pour eux ; ils n'avaient plus de patrie. Sans retourner la tête, ils devaient s'embarquer pour l'inconnu, fuir à jamais. Désemparés, désespérés, dénués de tout, ils n'avaient plus que leurs mains vides et la prière. »

Quelque 7000 Acadiens seront ainsi déportés dans les colonies anglo-américaines, au cours des mois d'octobre, de novembre et de décembre 1755. Plusieurs d'entre eux, suivant le témoignage même de John Knox, l'un des capitaines de navire, mourront de misère ou d'épidémie durant leur bien triste voyage.

Parmi les quelque 10000 Acadiens qui devaient encore se trouver dans la péninsule de la Nouvelle-Écosse, au cours des semaines précédant immédiatement l'embarquement pour l'exil, plusieurs milliers ont encore pu s'échapper pour se diriger, à cette heure tardive, vers la région du sud-est du Nouveau-Brunswick actuel et à l'île Saint-Jean, ou se sont cachés, dans la profondeur des forêts, sur divers points de la Nouvelle-Écosse. Mais ceux-ci seront bientôt capturés par les Anglais pour être déportés à leur tour, ou détenus dans les forts Cumberland, à Beaubassin ; Edward, à Pisiguit ainsi qu'à Halifax, jusqu'après le traité de Paris, en 1763.

Déjà si durement frappés par le cruel destin, dans tout ce qu'ils avaient de plus cher, les malheureux Acadiens n'avaient pourtant encore gravi que les premières marches de leur long calvaire.

22. DISPERSÉS DANS LES COLONIES ANGLO-AMÉRICAINES

IL AVAIT été décidé de disperser les Acadiens dans les diverses colonies anglaises d'Amérique, du Massachusetts à la Géorgie, afin d'empêcher leur retour en Nouvelle-Écosse ou leur ralliement aux forces françaises cantonnées à Louisbourg ou à Québec.

C'est ainsi qu'environ 2000 Acadiens seront déportés au Massachusetts[66], 700 au Connecticut, 300 à New-York, 500 en Pennsylvanie 1000 au Maryland, 1200 en Virginie, 500 en Caroline du Nord, 500 en Caroline du Sud et 400 en Géorgie.

Aucune de ces colonies anglaises n'avait été prévenue de l'arrivée des exilés acadiens, sauf le Massachusetts, en un moment où, comme l'a écrit en 1856[67] l'historien américain W. Reed, « c'était un temps de surexcitation tant naturelle que déraisonnable, un temps où Français et Indiens étaient regardés comme une égale horreur. L'heure était sûrement fâcheuse pour l'arrivée de ces Français catholiques en des colonies puritaines ou protestantes. »

Et Stevens, l'historien américain de la Géorgie, d'ajouter à son tour : « Sept mille proscrits ainsi dispersés, comme des feuilles par les rafales d'automne, au milieu d'un peuple

---

66. En 1762, le gouverneur Jonathan Belcher (ci-devant juge-en-chef de la Nouvelle-Écosse) successeur de Lawrence, envoya 1500 autres prisonniers acadiens à Boston, sur cinq goélettes. Ils furent immédiatement retournés à Halifax, le gouverneur du Massachusetts ayant refusé de les recevoir.

67. *Massachusetts Historical Society.*

qui haïssait leur religion, détestait leur pays, se moquait de leurs coutumes et riait de leur langage... En débarquant sur ces lointains rivages, ces gens qui avaient connu l'abondance et le bien-être se virent montrer du doigt et repousser comme des vagabonds, comme des mendiants. Ils ne trouvèrent guère de bons samaritains pour guérir leurs cœurs brisés par tant de souffrance. »

Les Acadiens exilés au Massachusetts

Les nombreux Acadiens déportés au Massachusetts eurent beaucoup à souffrir, en raison des préjugés et de la haine qu'entretenaient à l'époque les puritains et autres sectes protestantes à l'endroit de tout ce qui était catholique et français.

Des vingt-quatre navires surchargés d'exilés acadiens qui, le 27 octobre 1755, s'apprêtaient à sortir de la baie de Fundy pour gagner la haute mer, six devaient se diriger vers la Caroline du Sud. Violemment secoués par l'ouragan, qui les avait assaillis à leur départ, ils furent forcés de faire escale à Boston afin de faire réparer les avaries qu'ils avaient subies.

À l'arrivée de ces vaisseaux à Boston, une commission de l'Assemblée législative du Massachusetts constate, en date du 5 novembre 1755, que «ces navires sont trop remplis et que les vivres sont insuffisants: une livre de bœuf, cinq livres de farine et deux livres de pain par personne, pour une semaine. Ces rations ne permettent pas d'atteindre les ports assignés, surtout en cette saison de l'année. En outre, l'eau est très mauvaise. »

En conséquence, on fit débarquer à Boston un certain nombre des exilés acadiens, d'abord destinés à la Caroline du Sud, en plus de ceux qui avaient déjà été destinés au Massachusetts. Ils furent dispersés dans les diverses localités de cette colonie anglo-américaine et «liés par contrat» à des maîtres anglais.

Il en résulta un perpétuel va-et-vient de «pères, de maris, d'enfants en quête de leur fils et de leurs filles, de leurs femmes, de leurs parents; car lettres, notes et circulaires parcouraient en vain le pays», un grand nombre de familles

196

ayant été à jamais divisées, comme on le sait, dès le jour de l'embarquement.

Afin de mettre un terme à « cette agitation angoissante », le gouvernement du Massachusetts édicta des peines sévères pour les Acadiens qui, étant à la recherche des membres de leurs familles, avaient le malheur de sortir du territoire qui leur avait été assigné. « S'ils sont appréhendés sans passeport en dehors de ces limites, lit-on sur une proclamation datée du 20 avril 1756, ils seront, pour une première offense, passibles d'emprisonnement. S'ils sont pris en faute une seconde fois, ils paieront une amende pouvant s'élever à dix shillings ou recevront en public, qu'ils soient hommes ou femmes, jusqu'à dix coups de fouet chacun. » Ces malheureux Acadiens étaient donc soumis à la pire forme d'esclavage qui puisse être imaginée.

Les enfants de ces exilés acadiens avaient été arrachés de leurs familles pour être distribués chez les colons anglais des diverses régions du Massachusetts où ils avaient été placés en service. D'innombrables protestations s'élevèrent de la part des exilés acadiens, sous forme de requêtes adressées au gouvernement du Massachusetts et à son Conseil. En voici une entre cent, qui ne peut être relue, à deux siècles de distance, sans un serrement de cœur: « Nous avons pris la liberté de vous présenter cette requête, vu que nous sommes en chagrin par rapport à nos enfants. La perte que nous avons soufferte de nos habitations et amenés ici, nos séparations les uns des autres, ne sont rien à comparer (au malheur) de (voir) prendre nos enfants par la force devant nos yeux. La nature ne peut souffrir cela. S'il était en notre pouvoir d'avoir notre choix, nous choisirions plutôt de rendre nos corps et nos âmes, que d'être séparés d'eux. C'est pourquoi nous vous prions en grâce, que vous ayiez la bonté d'apaiser cette cruauté. Nous ne refusons aucunement de travailler pour l'entretien de nos enfants...
Suivent les signatures: Jean Landry, de Chelmsford; Claude Benoît, d'Oxford; Claude LeBlanc, Charles Daigle et Pierre LeBlanc de Concord; Augustin LeBlanc, de Worcester; Jacques Hébert et Joseph Vincent, d'Andover; Antoine Hébert, de Waltham. »

Navrantes aussi sont les nombreuses pétitions envoyées au gouverneur du Massachusetts par ces déportés acadiens, se plaignant des traitements inhumains dont plusieurs d'entre eux étaient les victimes. Citons, en passant, les noms de certains signataires de ces requêtes, conservées aux archives du Massachusetts, et des localités où ils avaient été exilés : « Charles et Nicolas Breau, de Hanover ; Jean Mius d'Entremont, Jacques-Amirault et Joseph d'Entremont, de Cap Ann ; Claude Benoît, de Cambridge ; Jacques Vigneau, de Leicester ; Pierre Pellerin, de Pembroke ; François Mius de Salem ; Pierre Boudreau, de Scituate ; Paul Clermont et Charles Mius, de Plymouth ; Hammond Thibodeau, de Dorchester ; Jacques LeBlanc, de Braintree ; Joseph Michel, de Marshfield ; Béloni Melanson, de Lancaster, etc., etc.

À tous ces malheurs venait encore s'ajouter la privation des secours de leur religion, ce qui, pour ces Acadiens si profondément chrétiens, constituait la pire des souffrances. Car, comme nous le rappelle l'historien américain Hutchison, une loi interdisait alors à tout prêtre catholique romain de franchir les frontières de la province du Massachusetts, sous peine de mort.

Au Connecticut

Parmi les quelques 700 Acadiens déportés au Connecticut, quelques-uns venaient de la région de Grand-Pré, mais le plus grand nombre était originaire de Port-Royal. Les dirigeants de cette colonie firent preuve de bons sentiments à leur endroit puisque, au mois d'octobre 1755, l'Assemblée législative du Connecticut avait décidé que : « si des Acadiens sont envoyés en cette colonie, le gouverneur donne, à l'arrivée, des ordres pour qu'ils soient accueillis, secourus et installés dans les conditions qui paraîtront les plus avantageuses, ou bien, qu'au cas de leur renvoi, des mesures soient prises en vue de leur transfert ».

À l'arrivée des Acadiens il fut décidé de les répartir en une cinquantaine de groupes et de les distribuer dans tous le pays « avec défense absolue de quitter la résidence assignée sous peine d'incarcération ».

Au mois d'août 1763, les quelques 660 survivants « implorèrent tous la protection de Monseigneur le Duc de

Nivernois pour les faire rentrer en France, sous l'obéissance de Sa Majesté Très Chrétienne». Plusieurs d'entre eux se dirigèrent cependant vers le Canada et s'établirent dans la région de Montréal, en particulier à Saint-Jacques-de-l'Achigan.

À New York

Le premier contingent d'environ 300 Acadiens déportés à New York à l'automne de 1755 fut plus tard grossi par d'autres groupes d'Acadiens capturés sur l'île du Prince-Édouard ou ailleurs après 1758. Une proclamation de la législature de New York, en date du 6 juillet 1756, indique qu'ils sont arrivés «pauvres, nus, privés de toutes choses nécessaires à la vie... lourde charge pour la colonie».

Ces déportés furent disséminés dans les divers comtés de la colonie qui, par une loi du 9 juillet 1756, décida que «les juges de paix desdits comtés sont autorisés à lier et requis de lier à des familles honorables tous ceux d'entre eux qui n'ont pas atteint l'âge de vingt et un ans pour toute période de temps que lesdits juges trouveront convenable, à condition de ne pas dépasser l'âge de vingt et un ans, pendant lequel temps ils seront contraints de s'acquitter de leurs services avec autant de conscience et d'activité que toutes autres personnes ainsi astreintes en cette colonie». Tout comme au Massachusetts, les enfants étaient séparés de leurs pères et de leurs mères. En 1757, plusieurs de ces Acadiens tentèrent de s'évader, mais ils furent arrêtés et jetés en prison.

Après la signature du traité de Paris, 249 survivants demandèrent leur rapatriement en terre française. Un document de l'époque, émanant du Conseil de la Marine de France, confirme que: «Quelques-uns se sont embarqués sur un vaisseau à destination de Saint-Domingue. Comme il serait trop onéreux d'appareiller des vaisseaux pour les y porter, le Conseil approuve un marché passé avec un marchand de la Martinique, pour en transporter 160 qui recevront leur subsistance pendant un an.» Nous savons qu'un certain nombre d'entre eux passèrent par la suite de Saint-Domingue et de la Martinique à la Nouvelle-Orléans et s'établirent en Louisiane. D'autres se dirigèrent vers le Canada où ils prirent des terres. Tous, sauf de rares exceptions, furent rapatriés dans des pays de leur choix.

En Pennsylvanie

Des quelques 500 Acadiens déportés en Pennsylvanie, 298 étaient originaires de la région de Grand-Pré et 156 de Pisiguit. Le jour même de l'arrivée des premiers Acadiens à Philadelphie, le 19 novembre 1755, le gouverneur Morris écrit au gouverneur Shirley du Massachusetts: «Je suis fort en peine qu'en faire. Comme il n'y a ici de forces militaires d'aucune sorte, les gens s'inquiètent beaucoup d'avoir, au cœur même du pays, des ennemis qui peuvent de temps à autre aller renseigner et renforcer leurs compatriotes ou créer des troubles intérieurs avec la connivence des catholiques irlandais et allemands de la province voisine. En attendant, j'ai posté une garde à bord de chaque navire et j'ai fait fournir à ces neutres des provisions qui devront être payées par le gouvernement de Sa Majesté: car il n'y a aucun fonds pour ce crédit dans le trésor de la province.« D'autres Acadiens déportés arrivèrent encore à Philadelphie le 8 décembre 1755.

«Un huguenot de Saint-Quentin, Antoine Bénézet, le défenseur des noirs, et un prêtre catholique, le père Robert Hardy, les ayant visités à bord écrit Lauvrière [68], les trouvèrent entassés dans les cales et sur les ponts, manquant de bas, de chemises, de couvertures et autres choses nécessaires. On fit circuler une pétition adressée «à la charité publique».»

Une épidémie de petite vérole éclata bientôt au milieu d'eux qui en fit mourir un grand nombre. Les survivants furent distribués dans cinq comtés de la Pennsylvanie au printemps de 1756. C'est alors qu'ils adressèrent de nombreuses requêtes aux autorités, décrivant leurs malheurs. Comme on peut le constater par l'une de ces pétitions, là encore les enfants furent arrachés à leurs familles: «Les misères que nous avons endurées sont presque inexprima-

---

68. *La Tragédie d'un peuple.*

bles, étant réduits à peine, à travailler de force sous un climat du Midi, si contraire à notre tempérament et que la maladie à empêché la plupart d'entre nous de procurer à leurs familles la nourriture nécessaire. Aussi, sommes-nous menacés — et c'est là, à notre avis, le comble de nos peines — de voir nos enfants arrachés de force à nos bras et livrés par contrat à des étrangers et exposés à des maladies contagieuses inconnues en notre pays natal. Après le bien-être et l'abondance dont nous avons joui, notre condition n'en est que plus lamentable. Nous avons déjà vu, en cette province de Pennsylvanie, périr de misère et de maladies diverses deux cent cinquante de nos gens, c'est-à-dire plus de la moitié de ceux qui débarquèrent ici. En cette grande détresse et misère, nous n'avons, à part Dieu, que Votre Majesté vers qui tourner des regards d'espoir en vue de notre soulagement et de la réparation des torts qui nous ont été causés. »

Le 27 août 1756, il ss demandèrent à passer en territoire français, mais on les garda captifs à titre de « sujet de la Grande-Bretagne ». « Beaucoup d'entre eux, écrit le commissaire W. Griffiths, de la Pennsylvanie, au mois d'octobre 1756, n'ayant eu de pain ni de viande depuis des semaines, en ont été réduits à grapiller et à dérober pour se procurer leur subsistance. »

Après le traité de Paris, ceux qui vivaient encore passèrent presque tous en Louisiane, et quelques-uns au Canada.

Au Maryland

Les Acadiens déportés au Maryland, au nombre d'un millier, furent fort heureux d'y trouver des catholiques, d'origine anglaise, qui les accueillirent avec charité. « Dimanche dernier[69], écrit l'*Annapolis Gazette* au Maryland, est arrivé le dernier des quatre vaisseaux amenant ici des Français neutres de la Nouvelle-Écosse. Cela porte leur nombre à plus de 900, en quinze jours. Comme ces pauvres gens ont été dépouillés de leurs terres en Nouvelle-Écosse et envoyés ici indigents et nus, pour quelque raison

---

69.   C'était le dimanche, 30 novembre 1755.

politique, la charité chrétienne, voire les seuls sentiments communs d'humanité, en appellent à tous pour venir, chacun selon vos moyens, en aide à ces être dignes de compassion. »

Au début, ces Acadiens furent reçus dans des familles privées. Par la suite, un certain nombre purent se construire de modestes maisons, dans un faubourg de Baltimore, qui prit le nom de *French Town,* où ils aménagèrent une chapelle, dans un vieil édifice mis à leur disposition. Les autres furent distribués dans diverses localités de Maryland tels que: Newton, Georgetown, Snowhill, Princess Ann, Portabaco, Lower Malborough, Upper-Malborough, Annapolis, Belisle et Oxford. « On les dispersa dans les campagnes, dit en effet une lettre au duc de Nivernois, en date du 2 décembre 1762[70], où les plus robustes servirent comme journaliers et où les vieillards et les infirmes vécurent d'aumônes. »

Plusieurs d'entre eux trouvèrent de l'emploi à bord des bateaux et se dirigèrent vers les Antilles. D'autres eurent la témérité de s'aventurer dans les épaisses forêts de cette région lointaine, dans l'espoir d'atteindre le Canada ou l'Acadie. Soit qu'ils aient été massacrés par quelque tribu sauvage ou qu'ils soient morts de misère, on n'en entendit plus jamais parler.

Après le traité de Paris, il restait encore quelque 800 Acadiens au Maryland qui implorèrent en vain le gouvernement français d'intervenir pour qu'ils soient envoyés en Nouvelle-Écosse ou dans la province de Québec « de préférence à Gaspé ou dans la baie des Chaleurs » où ils avaient sans doute des parents. Le plus grand nombre d'entre eux se dirigèrent cependant vers la Louisiane où ils s'établirent. D'autres restèrent au Maryland.

En 1781, une colonie acadienne subsistait toujours à Baltimore. L'abbé Robin, chapelain des troupes de Rochambeau[71], rencontra ces Acadiens: « Ils conservent encore la langue française, écrit-il d'eux, et ils restent très

---

70. Archives du Ministère des Affaires Étrangères de France.
71. Maréchal de France et l'un des héros de la révolution américaine. Il commandait l'armée française qui obtint la reddition de Lord Cornwallis, à Yorkstown, en 1781.

attachés à tout ce qui appartient à la nation de leurs ancêtres, surtout à leur religion, qu'ils observent avec une rigueur
digne des premiers temps du christianisme... Ils me prièrent
d'officier dans leur église. En remplissant ce saint devoir,
je ne pus m'empêcher de les féliciter de leur piété et de
leur dépeindre les vertus de leurs ancêtres. Je leur rappelai
ainsi des souvenirs trop chers, car ils éclatèrent en larmes... »

En Virginie

La Virginie refusa catégoriquement de recevoir les
quelques 1200 Acadiens déportés en cette colonie. Ils
furent détenus pendant quelque temps à Williamsburg où,
une épidémie s'étant propagée au milieu d'eux, ils moururent
par centaines. En date du 21 février 1756, le gouverneur
de la Virginie écrit: «...Le Conseil et moi avons donné
des ordres pour qu'il soit pourvu à leurs besoins: mais il
me paraît bien douteux que la Législature prenne des mesures à leur égard. J'ai lieu de me plaindre de la conduite
du gouverneur Lawrence qui aurait dû nous avertir de l'arrivée de ces gens, afin de nous permettre de prendre des
dispositions à ce sujet. »

Les Acadiens expédiés par Lawrence en Virginie furent
dirigés vers l'Angleterre où, distribués dans divers ports
de ce royaume, ils furent détenus comme prisonniers de
guerre jusqu'au traité de Paris, en 1763. Transportés alors
en France, ils iront plus tard, en grand nombre, s'établir
en Louisiane.

Aux Carolines

Environ 1000 Acadiens avaient été déportés en Caroline du Sud et en Caroline du Nord. La plupart étaient
originaires de Beaubassin et furent débarqués à Charleston.
Ils obtinrent, sans trop de difficultés, la permission de quitter
le pays, car on tenait à s'en débarrasser. Plusieurs s'embarquèrent sur de légères embarcations dans l'espoir d'atteindre
les côtes de l'Acadie en longeant le littoral de l'Atlantique.
Un certain nombre d'entre eux périrent en mer, d'autres
furent arrêtés à leur passage à New York et sur les côtes

du Massachusetts. « Michel O'Bask (Basque), son frère Pierre O'Bask et douze autres, déclare un M. Fraser de Miramichi en 1815[72] ont marché à travers les bois depuis la Caroline du Sud, d'autres disent depuis la Nouvelle-Orléans, jusqu'à la tête de la rivière de Saint-Laurent et de là se sont rendus en canot jusqu'à Cumberland (Beaubassin) où se trouvaient leurs femmes et leur terre natale. Les deux O'Bask vivent encore aux environs de Miramichi. »

M. de la Rochette, attaché à l'ambassade de France à Londres, écrit en 1762[73] qu'on donna à un groupe d'Acadiens de la Caroline du Sud, « deux vieux vaisseaux, un peu de mauvaises provisions et la permission d'aller où bon leur semblait. Embarqués sur ces bateaux qui faisaient eau de toute part, ils échouèrent bientôt sur les côtes de Virginie, près de Hampton, colonie irlandaise. On les prit d'abord pour des ennemis venus pour piller, puis pour des pirates, enfin pour des hôtes dangereux dont il fallait se débarrasser au plus tôt. On les força de se dépouiller du peu qui leur restait, 400 pièces de huit, pour acheter un bâtiment beaucoup plus mauvais que ceux dans lequel ils avaient failli périr. Ils firent voile avec bien des difficultés, parvinrent à se faire échouer sur les côtes du Maryland. Les restes de l'épave était la seule ressource qui leur restât ; ils passèrent deux mois sur une île déserte à la réparer. Ils y réussirent enfin et, s'étant pour la troisième fois mis en mer, il arrivèrent dans la baie Française (Fundy) au nombre de 900, reste infortuné de plus de 2000 qu'ils étaient au départ de l'Acadie. » Puisqu'ils étaient au nombre de 900, c'est, sans aucun doute, que d'autres Acadiens, déportés au Maryland et en Géorgie, s'étaient joints à eux. Le groupe débarqua à l'embouchure de la rivière Saint-Jean, au Nouveau-Brunswick actuel.

Lors du traité de Paris, il ne restait plus aux Carolines que « 280 Acadiens, tant hommes que femmes et enfants », dont plusieurs étaient orphelins. Un certain nombre passèrent aux Antilles mais la plupart se dirigèrent vers la Louisiane.

---

72. Lauvrière, dans *La Tragédie d'un peuple,* Vol. 2, page 109.
73. Archives des Affaires Étrangères de France, Paris.

En Géorgie

Les quelques 400 Acadiens déportés en Géorgie furent débarqués à Savannah en décembre 1755. Eux aussi étaient surtout originaires de Beaubassin car, sous prétexte « qu'ils étaient coupables de rébellion », Lawrence avait ordonné que les Acadiens de Beaubassin et de l'isthme de Chignectou soient expédiés dans les colonies anglaises du sud les plus éloignées.

Le gouverneur Reynolds leur fit distribuer des subsides pendant les premiers mois de leur séjour en cette colonie. Puis ils durent travailler aux plantations en compagnie d'esclaves nègres. Ils décidèrent ensuite de se construire de grossières embarcations et, au mois de mars 1756, après avoir obtenu l'autorisation des autorités, « ils partirent tous pour la Caroline du Sud » d'où, ils avaient l'espoir écrit l'historien Stevens, d'atteindre leur bien-aimée Acadie ».

Plusieurs furent arrêtés à New York et à Boston, en cours de route, et renvoyés en Géorgie. Un petit nombre d'entre eux, qui avaient atteint l'île du Prince-Édouard à l'été de 1756, furent de nouveau déportés par les Anglais, après la chute de Louisbourg, en 1758. D'autres, débarqués à l'embouchure de la rivière Saint-Jean, au Nouveau-Brunswick actuel, en remontèrent le cours pour s'établir au Madawaska.

Au traité de Paris, il restait encore 37 familles acadiennes, comprenant 185 personnes, en Géorgie. Quelques-unes se dirigèrent vers le Canada, les autres s'établirent en Louisiane.

En 1763, ils écrivirent, en ces termes émouvants, au duc de Nivernois, chargé par le gouvernement français de s'intéresser à leur sort: « Après une si longue attente, ils (les Acadiens) se jettent tous d'un commun accord à vos genoux, vous regardent comme leur libérateur... Depuis l'espace de huit années que nous sommes dans ce pays, sans nous être confessés ni approchés des sacrements, faute de prêtres (catholiques) romains, nous n'avons pas discontinué de faire nos prières dans une maison particulière, en observant toujours les dimanches et fêtes, comme la foi catholique, apostolique et romaine nous l'a enseigné...

Nous vous supplions de bien vouloir nous faire rendre plusieurs enfants qui nous ont été enlevés et transportés dans des plantations de côté et d'autres où ils ont été vendus par Messieurs les Anglais : cela est fort disgracieux (au sens primitif du mot) pour des pauvres pères et mères qu'après avoir pris tant de peine à les élever, ils restent parmi les Anglais sans pratiquer les rites de leur religion. »

Voilà quel a été le malheureux sort de milliers d'Acadiens qui, autrefois heureux et prospères, ont été arrachés de leur sol natal pour être déportés dans les colonies anglaises d'Amérique, depuis le Massachusetts jusqu'à la Géorgie, à l'automne de 1755.

Dans la plupart de ces colonies, des Acadiens, n'ayant pu être rapatriés en raison d'infirmités, de maladies ou pour d'autres motifs, ou des enfants orphelins, en plus grand nombre peut-être, ont fait souche. Nombre de leurs descendants ne savent même pas, de nos jours, qu'ils portent un nom acadien, pas plus d'ailleurs qu'ils ne connaissent la tragique histoire de leurs ancêtres.

23. LE SORT TRAGIQUE DES ACADIENS FUGITIFS

NOUS SAVONS qu'un nombre considérable d'Acadiens de la région de Beaubassin, ou habitant le long des rivières Chipoudy, Petitcoudiac et Memramcook, avaient échappé à la déportation. Pendant que les uns se dirigeaient, par groupes épars, vers Miramichi, d'autres s'étaient attardés dans le haut de la rivière Petitcoudiac, au Nouveau-Brunswick actuel, dans les régions où se trouvent de nos jours Fox Creek, Saint-Anselme, Dieppe, Moncton, Coverdale, Boundary Creek et Salisbury.

Après l'incendie des églises de Chipoudy et de Petitcoudiac, à l'automne de 1755, le père Jean-Baptiste de la Brosse, missionnaire parcourant ce territoire, n'en poursuivit pas moins son ministère. La maison de Toussaint Blanchard, située sur la rive ouest de la rivière Petitcoudiac, vis-à-vis Fox Creek, lui servit alors de chapelle. Plusieurs enfants y furent baptisés par le père de la Brosse, ainsi que par l'abbé François LeGuerne, jusqu'au printemps de 1756.

Un chef de la résistance acadienne

Ce n'est pas avant l'automne de 1758 que les Anglais, après plusieurs tentatives infructueuses, réussiront à incendier les villages acadiens situés dans le haut de la rivière Petitcoudiac. C'est le capitaine Scott qui dirigea l'opération. Son lieutenant avait pris le soin de tracer une carte de la région, sur laquelle il indiquait les endroits où l'expédition de Scott découvrait des réfugiés acadiens. Grâce à ce document conservé aux archives, le père Pacifique de Valigny a pu, à la suite de l'historien Ganong, identifier ces localités et écrire[74]: «En quittant la rivière Saint-Jean, Scott était allé jeter l'ancre dans la baie de Chipoudy, d'où il partit le dimanche 12 novembre 1758. Poussé par le vent et la forte marée, il remonta rapidement la rivière jusqu'à un mille de Pointe-à-Garde (cap de Bore Park, à Moncton). Le lendemain il y conduisit ses bateaux, qu'il mit à l'abri dans le ruisseau l'Acadie (Hall's Creek); il fit alors brûler trois petits villages des environs: La Chapelle (Moncton)[75], voisin du parc, ou sur l'emplacement même du parc moderne. Sur une carte de 1754 ce village était indiqué *mission*); Silvabro (Sylvain Breau), aujourd'hui Dieppe; Jagersome, aujourd'hui Lewisville. Ils brûlèrent ensuite toutes les autres bâtisses jusqu'au village des Beausoleil (Boundary Creek), à une dizaine de milles de Moncton, au moins 100 du côté nord et 124 du côté sud. Récemment encore la population avait augmenté par l'arrivée de 50 à 60 familles de réfugiés de Port-Royal (le 14 août 1756); c'eût été une proie facile pour les Anglais s'ils ne s'en étaient pas méfiés; il y eut, comme ailleurs, beaucoup de dégâts et très peu de prisonniers, soit 24 femmes et enfants, avec 4 hommes, surpris les premiers jours.»

Même après la destruction de leurs villages, plusieurs Acadiens sont restés dans les bois de la région. Ainsi Alexandre Brossard dit Beausoleil vivait encore, en 1759, caché dans la forêt avec sa famille, à proximité du village des Beausoleil (Boundary Creek), incendié par les Anglais à l'automne de 1758. Son frère, Joseph Brossard dit Beausoleil, se constituera, en ces années tragiques, le chef de la résistance acadienne de la région.

En effet, de 1755 à 1758, les soldats anglais envoyés à la poursuite des Acadiens ont été souvent repoussés par des franc-tireurs commandés par le capitaine de milice,

---

74. *Chronique des plus anciennes églises de l'Acadie,* par le père Pacifique de Valigny, cité par Adrien Arsenault, dans un article paru en 1961, dans le premier cahier de la *Société historique acadienne.*

75. Au début de la colonisation en cette région, Moncton portait le nom de *Le Coude,* mais à cette époque c'est le nom de *La Chapelle* qui lui était le plus souvent attribué.

Joseph Brossard dit Beausoleil. Né à Port-Royal en 1702, fils de Jean-François Brossard et de Catherine Richard, il habitait la région du haut de la rivière Petitcoudiac depuis une trentaine d'années. On a déjà vu qu'il s'était successivement établi à Chipoudy, à Le Cran (Stoney Creek) et sans doute aussi, au village des Beausoleil (Boundary Creek).

Lorsque les Anglais venaient pour les capturer et incendier leurs villages, rapporte Placide Gaudet, « les Acadiens, cachés au bord des bois, tombaient sur les incendiaires et des combats sanglants s'en suivaient. C'est *Beausoleil* qui les commandait. Habile tireur, son mousquet ne manquait jamais d'abattre un ennemi. La tradition rapporte plusieurs de ses exploits sur les rives de la Petitcoudiac, principalement au Cran, au Coude (Moncton) et ailleurs. Ses fils le secondèrent avec la même ardeur... »

La chute de Louisbourg, en juillet 1758, fut un dur coup pour les réfugiés acadiens de cette région. Joseph Brossard dit Beausoleil n'en poursuivit pas moins la lutte contre les Anglais qui envahissaient ce territoire présumé français. Mais lorsqu'il fut informé de la défaite de Montcalm, à Québec, en septembre 1759, il ne lui resta plus d'espoir. De plus, la population, formée des réfugiés acadiens qui l'entouraient, manquait de vivres et des choses les plus essentielles à la vie. Et un autre hiver s'en venait.

C'est alors que Joseph Brossard dit Beausoleil, son frère Alexandre, Jean Basque et Simon Martin se rendirent au fort Cumberland (l'ancien Beauséjour) et, se présentant à titre de délégués de plusieurs centaines de réfugiés acadiens en proie à la famine, firent leur soumission au colonel Frye, alors commandant du fort. C'était le 16 novembre 1759. Quelques jours plus tard, un autre groupe de réfugiés acadiens, de la région de Cocagne, Bouctouche et Richibouctou, ayant à leur tête Pierre Surette, Jean Bourg et Michel Bourg, se rendirent également au fort Cumberland, préférant se livrer aux Anglais plutôt que mourir de faim.

Tous furent fait prisonniers et envoyés à Halifax où ils ont été détenus jusqu'après le traité de paix de 1763.

Beausoleil nolisa, en 1764, une goélette sur laquelle il se dirigea avec un important groupe de réfugiés acadiens, d'abord vers Saint-Domingue et ensuite vers la Louisiane où nous le retrouverons plus tard.

Si le souvenir de ce chef acadien est encore bien vivace, de nos jours, au sein de la population acadienne des provinces maritimes, de la région de Moncton en particulier, Joseph Brossard dit Beausoleil n'est certes pas oublié des descendants d'Acadiens de la Louisiane, où un si grand nombre de familles portent son nom.

Dans la région de Miramichi

Quant aux nombreux fugitifs acadiens qui s'étaient dirigés vers Miramichi, en passant par Shédiac, Cocagne, Bouctouche et Richibouctou, le missionnaire qui les accompagnait, l'abbé François LeGuerne, dans une lettre datant de 1757, décrit dans les termes suivants la misère de ces infortunés : « Caché et fugitif avec eux dans les bois, dans la crainte et la misère, j'ai partagé avec les Acadiens qui y sont restés, le triste sort où ils sont réduits, les aidant tous de mes conseils et de tout ce qui dépend de mon ministère. Ainsi, malgré ce que j'ai pu représenter, on a donc placé les Acadiens qui ne pouvaient plus subsister dans leurs quartiers, dans un endroit de misère, je veux dire à Miramichi, où ces pauvres gens sont morts l'hiver dernier, en grande quantité, de faim et de misère. Ceux qui ont échappé à la mort n'ont point échappé à une horrible contagion et ont été réduits, par la famine qui y règne, à manger du cuir de leurs souliers, de la charogne et quelques-uns même ont mangé jusqu'à des excréments d'animaux... »

L'hiver 1756-1757 a été extrêmement dur pour les réfugiés acadiens de la région de Miramichi. Quelques 600 d'entre eux moururent de faim, de misère et d'épidémie. Les survivants ne pouvaient plus songer à demeurer plus longtemps en un tel endroit. C'est alors qu'ils décidèrent de se disperser par groupes et de se diriger vers d'autres régions où ils pourraient mieux trouver leur subsistance.

D'autres fugitifs s'étaient dirigés vers l'île Saint-Jean. Il se trouvaient parmi eux des femmes dont les maris avaient été déportés sur des navires anglais au Maryland, en Géorgie et aux Carolines. Il y avait aussi des enfants qui avaient perdu toute trace de leurs parents. «Lors de l'embarquement des prisonniers acadiens, dans la baie de Beaubassin, on a vu, écrit l'abbé LeGuerne, le plus triste des spectacles. Plusieurs femmes n'ont point voulu embarquer avec elles leurs grandes filles et leurs grands garçons, pour le seul motif de la religion. Je l'ai su d'un déserteur, mais le mal ne souffrait plus de remède.»

À la baie des Chaleurs

Parmi les réfugiés de Miramichi, les uns furent dirigés vers Québec ou transportés à l'île Saint-Jean par le lieutenant de Boishébert, les autres se dispersèrent à divers endroits des côtes de l'est et du nord du Nouveau-Brunswick actuel, jusqu'à la baie des Chaleurs.

Vers 1638, Jean-Jacques Énaud avait fondé une colonie, à l'embouchure de la rivière Ristigouche, dans le fond de la baie des Chaleurs, portant le nom de Nouvelle-Rochelle[76]. En 1758, il existait à cet endroit un poste fortifié, nommé Petit-Rochelle[77], sous le commandement de Jean-François Bourdon, sieur Dombourg «lieutenant des troupes de la Marine et commandant pour le Roy dans l'Acadie française».

Jean-François Bourdon était le fils de François Bourdon, sieur Dombourg, et de Madeleine Poirel[78], de La Rochelle, en France, où le lieutenant Bourdon est vraisemblablement né vers 1721. Enseigne en second à Louisbourg, en janvier 1747, enseigne en pied en mars 1749, lieutenant en avril 1750, le commandant Bourdon avait épousé en 1752, à l'île Saint-Jean, une acadienne, Marguerite Gauthier, la fille de Joseph-Nicolas Gauthier, de Port-Royal, qui s'était successivement réfugié à Beaubassin, puis à l'île Saint-Jean avec sa famille.

Jean-François Bourdon était encore à Louisbourg, à l'été de 1758, lorsqu'il reçut son commandement à la baie des Chaleurs. La capitulation de Louibourg du 26 juillet 1758 devant entraîner la reddition de l'île Saint-Jean,

---

76. *La Gaspésie*, par Alfred Pelland, 1914.
77. Situé à environ deux milles à l'ouest de l'église actuelle de Sainte-Anne de Ristigouche, dans le comté de Bonaventure, au Québec.
78. Aegidius Fauteux. *Les Chevaliers de Saint-Louis en Canada.*

les milliers de réfugiés acadiens se trouvant encore en cette île s'efforçaient, par tous les moyens possibles, d'en sortir avant l'arrivée des Anglais.

Parmi les Acadiens réfugiés à l'île Saint-Jean se trouvaient quelques navigateurs et propriétaires de goélettes, dont les Boudrot, Bujold, Gauthier et Poirier, que nous retrouverons tous à la baie des Chaleurs en 1759 et en 1760. Joseph Gauthier, fils de Joseph-Nicolas, donc le beau-frère de Jean-François Bourdon, était de ceux-là. Plusieurs Acadiens s'étaient aussi construits des embarcations pendant leur séjour en l'île Saint-Jean.

Les registres de Sainte-Anne-de-Ristigouche pour les années 1759 et 1760 renferment un grand nombre de noms d'Acadiens qui figurent déjà dans les registres paroissiaux de Port-Lajoie (Charlottetown) et de Saint-Pierre-du-Nord en l'île Saint-Jean, où ils s'étaient réfugiés. Il est plausible de croire qu'une bonne partie de ces Acadiens ainsi retracés à la baie des Chaleurs y sont arrivés en même temps que Jean-François Bourdon. En effet, on admettrait difficilement que le lieutenant Bourdon aurait abandonné à la merci des Anglais les parents de sa femme, ses amis de l'île Saint-Jean ainsi que d'autres familles acadiennes et françaises qui s'y trouvaient, sans chercher à faciliter leur départ en même temps que celui de sa garnison.

À la même époque, un autre officier de l'armée canadienne, le lieutenant de Boishébert, que nous avons déjà vu à l'œuvre, s'était porté au secours des Acadiens et était resté au milieu d'eux, dans la région de Miramichi, de 1755 à 1757. Charles Des Champs de Boishébert[79], fils d'Henry-Louis et de Louise-Geneviève de Ramezay, était né à Québec en 1727. En 1746, il avait accompagné en Acadie son oncle, M. de Ramezay. En 1749, à la tête d'un détachement, il commanda à la rivière Saint-Jean jusqu'en 1751 et de nouveau en 1754, alors qu'on lui confia le commandement de l'ancien fort de Jemseg qui avait déjà appartenu à Charles de Latour. Attaqué par Monckton, en 1755, il fit sauter ce fort pour ne pas le rendre aux Anglais et il se replia, avec une partie de ses soldats et le missionnaire

79. Pierre-Georges Roy, *Fils de Québec.*

François LeGuerne, vers la région de Shédiac et de Miramichi. En 1757, il revint à Québec accompagné de plusieurs réfugiés acadiens. L'année suivante, à l'été de 1758, il reçut l'ordre de se diriger vers Louisbourg, au Cap-Breton. Parti de Québec le 8 mai 1758 avec trois navires, à la tête d'officiers et de soldats, il arrivait le 9 juin à Miramichi où il prenait à son bord 70 Acadiens et 60 Indiens micmacs. Le 17 juin, il s'arrêtait à Shédiac et, le 26 juin, il était au détroit de Canso d'où il s'est ensuite dirigé vers la baie de Miré, à peu de distance de Louibourg.

Quelques jours avant la capitulation de cette place-forte, le 26 juillet 1758, Jean-François Bourdon sortit de Louisbourg « pour porter les ordres du gouverneur Drucour au sieur de Boishébert, alors en route vers la capitale assiégée. Les deux officiers français quittèrent ensemble l'île du Cap-Breton et conduisirent leurs soldats vers la baie des Chaleurs [80].

À la suite la chute de Louisbourg, qui devait entraîner la capitulation de l'île Saint-Jean, les lieutenants Bourdon et de Boishébert procédèrent, sans aucun doute en toute hâte, à l'évacuation des Acadiens de l'île Saint-Jean et de Miramichi, qu'ils purent transporter dans leurs navires et autres embarcations, soit en direction de la baie des Chaleurs, soit vers Québec.

C'est ainsi qu'en 1758 se retrouveront, au nombre d'environ 800, à l'embouchure de la rivière Ristigouche, dans le fond de la baie des Chaleurs, des réfugiés acadiens de l'île Saint-Jean et des survivants de Miramichi, dont un grand nombre étaient originaires des régions de Beaubassin, de Pisiguit et de Grand-Pré.

D'autres Acadiens ont, sans doute, pu se rendre aussi à la baie des Chaleurs, soit sur des embarcations, en longeant les côtes, soit en suivant le cours de certaines rivières, en compagnie d'Indiens. À cette époque il existait un village micmac sur le site actuel de la ville d'Atholville, près de Campbellton, au Nouveau-Brunswick, bourgade desservie par le père Étienne, récollet. Ce n'est qu'en 1770 que les Indiens transporteront leur village de Saint-Anne-de-Risti-

---

80. Antoine Bernard, c.s.v. *Histoire de la survivance acadienne.*

gouche, de la rive sud à la rive nord de la rivière, soit sur le site actuel.

Les réfugiés du Cap-de-Sable

Au printemps de 1756, ayant appris que quelques centaines de fugitifs acadiens se cachaient dans la région du Cap-de-Sable, Lawrence y dépêche le major Prebble, le 9 avril, avec instructions « d'y saisir autant d'habitants que possible et de les amener à Boston... de brûler les maisons, d'emporter les meubles, ustensiles et troupeaux de toutes sortes... de les distribuer aux troupes en récompense de leurs services... de détruire tout ce qui ne pourrait être aisément emporté ».

Arrivé à Port-Latour avec un détachement de soldats, dans la nuit du 21 avril 1756, pendant que la plupart des hommes sont partis pêcher au large, Prebble surprend le reste de la population au lit, fait 72 prisonniers et met le feu à 44 maisons. Lorsque les hommes reviennent de la pêche, au cours de la nuit du 24 au 25 avril, ils ne retrouvent plus leurs femmes ni leurs enfants qui, dirigés d'abord vers Boston, seront par la suite déportés en Caroline du Nord. Fous de douleur et de désespoir, ils pleurent, sur les ruines encore fumantes de leurs demeures, ces êtres bien-aimés qu'ils ne verront plus.

Dans cette région du Cap-de-Sable, comme en d'autres endroits de la Nouvelle-Écosse, se trouvaient encore de nombreux Indiens ou métis, qui donnaient souvent aux Acadiens fugitifs les moyens de se cacher dans les bois. Leur présence inspirait suffisamment de craintes aux colons anglais pour les empêcher de prendre possession des terres ayant appartenu aux Acadiens expulsés. Lawrence décide de s'en débarrasser en mettant leurs têtes à prix. Le 14 mai 1756, il édicte l'ordonnance suivante: « Par la présente, nous promettons récompense de 30 livres pour tout Indien mâle de plus de seize ans, de 25 livres pour tout scalp d'Indien mâle et 25 livres pour toute femme ou enfant indien amenés vivants. »

Or il arriva que des soldats anglais confondirent volontiers têtes d'Indiens et têtes d'Acadiens. Juridiquement il ne devait plus rester d'Acadiens en Nouvelle-Écosse, leur proscription ayant été décrétée officiellement et leur déportation dûment exécutée. Un groupe de soldats anglais, ayant surpris quatre fugitifs acadiens au bord d'une rivière, « les officiers tournèrent le dos, écrit en 1758[81] le révérend Hughes Graham au Dr Andrew Browne, tous deux ministres protestants, et les Acadiens furent immédiatement tués et scalpés. Un jour, poursuit le révérend Graham, une autre compagnie de ces rangers apporta 25 scalps, les donnant comme indiens. L'officier qui commandait le fort, le colonel Wilmot[82], ordonna que la prime leur fut payée. Le capitaine Huston, alors chargé de la caisse, s'y objecta violemment et déclara que de pareils procédés étaient contraires à la lettre et à l'esprit de la loi. Le colonel lui dit que, tous les Français devant légalement être hors du pays, la prime pour scalps indiens était conforme à la loi et que, si parfois on donnait à la loi une légère entorse, mieux valait en pareil cas fermer les yeux. Sur quoi Huston, conformément aux ordres, paya 625 livres, disant : Que la malédiction de Dieu s'appesantisse sur de pareils crimes. »

Les Acadiens de la rivière Saint-Jean

En 1758, plusieurs familles de fugitifs acadiens vivaient cachées dans les bois de la rivière Saint-Jean, au Nouveau-Brunswick actuel. Le colonel Monckton reçut l'ordre d'aller les déloger de leur retraite. L'expédition de Monckton et de ses 1200 miliciens, commencée le 16 septembre 1758, dura deux mois et fut poursuivie au mois de janvier 1759 par Moses Hazen, l'un de ses officiers. Toutes les maisons qui s'y trouvaient furent incendiées sur une distance de 35 milles en amont de la rivière, plusieurs Acadiens furent tués et vingt-trois faits prisonniers. Les autres, fuyant à travers les bois, purent atteindre les rives du fleuve Saint-Laurent, à Cacouna.

Voici ce que racontait, en date du 14 décembre 1872, un journal alors publié en Louisiane, le *Meschascébé*, au

---

81. *Browne's Collection*, British Museum, Add. 19, 071.
82. Il fut plus tard gouverneur de la Nouvelle-Écosse.

sujet d'un groupe de réfugiés de la rivière Saint-Jean qui, avant l'arrivée des soldats de Monckton, avaient décidé de se diriger vers Québec: «Lors de la dispersion des Acadiens, en 1755, plusieurs familles de Grand-Pré et de Beauséjour se jetèrent dans les bois, pour ne pas tomber entre les mains des Anglais et vécurent ainsi quelques années avec les sauvages.

«Elles entretenaient l'espérance qu'en suivant ces derniers à travers les bois elles se rapprocheraient assez du Canada pour venir s'y fixer. Mais les sauvages ne s'éloignant pas beaucoup des côtes et la vie au milieu d'eux devenant intolérable, parce qu'une partie des hommes étaient sans cesse occupés à faire la garde autour des tentes, pour prévenir les impertinences de ces sauvages, pendant que les autres faisaient la chasse pour se procurer des vivres, il fut décidé de laisser les champs sauvages et de tenter la fortune à travers les bois.

«La troupe se composait d'une dizaine de familles, entre autres les Béliveau, Gaudet, Poirier, Bergeron, Bourque, Bercasse et Lamontagne. Il y avait plusieurs femmes, des jeunes filles, des jeunes gens et des enfants en bas âge. Le chef de l'expédition était Michel Bergeron dit de Nantes, homme hardi à la chasse et un vrai coureur des bois.

«On n'avait point de provisions pour vivre le long de la route. Malgré cela, on se confia à la divine Providence et l'on s'enfonça dans les bois en se dirigeant du côté du Canada. C'était vers le printemps de 1758. On marcha tout l'été. Les femmes portaient les enfants sur leurs épaules et les hommes traînaient les bagages, exploraient les bois, faisaient la chasse et préparaient le campement pour la nuit... On vivait de castors, de perdrix et d'autres animaux que les chasseurs surprenaient dans les trappes qu'ils tendaient, car on n'avait ni armes, ni munitions, excepté des haches et des couteaux et quelques ustensiles de cuisine...

«Cependant, le mois d'octobre était commencé et l'on ne découvrait point le fleuve. Pendant plusieurs jours on marcha, découragé, du moins épouvanté d'être forcé de passer l'hiver dans les bois. Finalement, trois jours avant la

Toussaint, on atteignit les habitations à Cacouna, où on passa l'hiver.

« Le printemps arrivé, toute la petite colonie s'embarqua à bord des canots préparés pendant l'hiver et remonta le fleuve jusqu'à Saint-Grégoire, où elle arriva l'automne suivant et se fixa à l'endroit où est actuellement le village et tout près d'un petit ruisseau où les castors abondaient.

« Les paroisses de Bécancour et de Nicolet étaient habités depuis plusieurs années, mais il n'y avait encore aucun habitant à Saint-Grégoire. La première maison y fut élevée au pied d'un coteau et à l'endroit où se trouve actuellement (1872) la maison de M. Rouleau... Les années suivantes, plusieurs autres familles acadiennes venues à travers les bois et parmi lesquelles se trouvaient les Hébert et les Vigneau vinrent s'établir à Saint-Grégoire... »

Les Acadiens réfugiés à l'île Saint-Jean

La capitulation de Louisbourg, du 26 juillet 1758, avait entraîné la reddition des îles Royale (Cap-Breton) et Saint-Jean (Prince-Édouard). L'île Saint-Jean, en particulier, avait jusque-là servi de refuge à des milliers de fugitifs acadiens. Toutes les maisons de l'île du Cap-Breton furent incendiées par les Anglais et les Acadiens qui s'y trouvaient encore furent déportés. Plusieurs avaient cependant pu s'échapper en direction de l'île du Prince-Édouard et du golfe du Saint-Laurent.

Lorsque les Anglais vinrent occuper l'île du Prince-Édouard, le 8 septembre 1758, plusieurs milliers de réfugiés acadiens qui s'y trouvaient encore furent dirigés, soit vers la France, soit vers l'Angleterre, dans neuf vieux navires. L'un d'eux, désemparé au cours d'une violente tempête, dut se réfugier à Boulogne-en-Mer, en France, où débarquèrent 179 survivants, le 26 décembre 1758.

Deux autres vaisseaux anglais qui tranportaient des Acadiens en Europe, le *Violet* et le *Duke William,* firent naufrage et sombrèrent dans l'océan. « Le 10 décembre (1758), écrit Doughty[83], le *Duke William* en tentant d'aller

---

83. *Acadien Exiles,* 154-55.

porter secours au *Violet,* qui était en voie de couler, l'aborda violemment. Pendant que le *Violet* disparaissait dans les flots, entraînant près de 400 personnes dans la mort, le capitaine du *Duke William* s'aperçoit que son propre navire faisait eau et sombrait rapidement, en dépit de ses compartiments étanches. Au moment où une grande chaloupe de sauvetage, surchargée de naufragés, venait d'être descendue à la mer, une explosion se produisit à bord du vaisseau qui précipita le *Duke William* au fond de l'océan, avec 300 de ses passagers acadiens. La chaloupe de sauvetage réussit enfin à atteindre Penzance (port maritime anglais sur la Manche), avec 27 survivants.»

L'abbé Biscarat, missionnaire à Saint-Pierre-du-Nord, île du Prince-Édouard, était du nombre des quelque 700 Acadiens disparus.

«Je ne sais pas, écrit George Bancroft[84], si, dans les annales de la race humaine, il peut se trouver le récit d'épreuves et d'afflictions aussi cruelles et endurées au cours d'une période aussi prolongée, que celles délibérément infligées aux habitants français de l'Acadie.»

Par ailleurs, parmi les Acadiens fait prisonniers par les Anglais, sur l'île du Prince-Édouard et qui furent déportés en Angleterre, au cours des années 1758 et 1759, plus de la moitié moururent de misère et d'épidémies, dans les ports anglais, avant la signature du traité de Paris en 1763.

Le gouverneur français de l'île du Prince-Édouard, en 1758, M. Raymond de Villejoint, avait cependant réussi à faire transporter à La Rochelle, en France, quelques 700 à 800 réfugiés, tant acadiens que français et à en diriger un millier d'autres vers Québec, avant la prise de possession de l'île par les Anglais.

Après la capitulation de Louisbourg, Wolfe, le futur vainqueur du combat des Plaines d'Abraham en 1759, reçut de son chef Amherst l'ordre de chasser les Acadiens qui avaient réussi à atteindre les endroits de pêche de la région du golfe du Saint-Laurent.

Le 6 septembre 1758, Wolfe débarquait à Gaspé et donnait instruction à ses hommes de tout brûler. Il y avait

84. *History of the United-States,* II, 434.

là l'habitation et les entrepôts du sieur Révolte, une forge, une scierie, vingt-cinq chaloupes de pêche et plusieurs maisons. Le 12 septembre, le colonel Murray, adjoint de Wolfe, se rend à Miramichi avec le régiment d'Amherst. Il surprend un groupe de fugitifs de l'île du Prince-Édouard qui se dirigeaient vers Québec. N'ayant pas de barque à sa disposition, Murray ne peut les poursuivre. Le 13 septembre, le capitaine Irving va détruire les établissements de pêche de Pabos et de Grande-Rivière, dans le comté actuel de Gaspé-Sud. Le 14 septembre, le major Dalling détruit le poste de pêche de Mont-Louis, dans le comté actuel de Gaspé-nord. L'année suivante, soit le 13 septembre 1759, avait lieu la bataille des Plaines d'Abraham.

Le combat naval de Ristigouche

Quelques six mois après la chute de Québec, soit en mai 1760, le capitaine Dangeac, parti de Bordeaux avec le commandant La Giraudais pour alller prêter mainforte à Lévis qui, après sa victoire du mois d'avril, tenait Murray assiégé dans Québec, croisa dans le golfe Saint-Laurent une escadre anglaise supérieure en nombre. Dangeac et La Giraudais furent forcés de se réfugier à Petite-Rochelle (Ristigouche), dans le fond de la baie des Chaleurs, où se trouvaient déjà quelques 800 Acadiens et plusieurs centaines d'Indiens.

« Grandes furent la surprise et la joie de ces familles exténuées par les privations de l'hiver précédent, écrit Antoine Bernard, c.s.v.[85] ; La Giraudais leur apportait vivres et munitions, avec la protection de ses trois vaisseaux : le *Machault,* de 32 canons ; le *Bienfaisant,* de 22 canons et le *Marquis de Malauze,* de 10 canons. »

Au mois de juin, les Anglais apprirent du chef indien de Richibouctou l'arrivée à Ristigouche des navires français. Quelques semaines plus tard, une flotte anglaise, composée de trois vaisseaux de guerre ; le *Fame,* l'*Achille,* le *Dorsetchire* et de deux frégates, la *Repulse* et la *Scarborough,* sous le commandement du capitaine Byron[86], parut

---

85. *Histoire de la Survivance acadienne.*
86. Le grand-père du poète anglais.

en vue de Pointe-à-la-Garde, où les Français avaient établi un poste d'observation. Le commandant à Petite-Rochelle, Jean-François Bourdon, avait également placé plusieurs canons en position à Pointe-à-la-Batterie, près de Pointe-à-la Garde, pour protéger la flotte française qui y était ancrée.

Favorisés par le vent, les vaisseaux de Byron remontèrent sans obstacle jusqu'à Pointe-à-la-Batterie, où la canonnade s'engagea et dura du 27 juin jusqu'au 8 juillet. Au cours du combat, l'un des navires français fut mis en pièces alors que les batteries de terre étaient réduites au silence. Un autre navire français, *Le Marquis de Malouze*, dut se retirer vers Ristigouche pendant que les Anglais avançaient jusqu'à Pointe-à-Martin, sur la rive opposée. Ce vaisseau fut dirigé vers la rive, où il s'échoua[87], tandis que le commandement du troisième bâtiment français mettait le feu aux poudres afin de l'empêcher de tomber aux mains des Anglais.

De nouveau vainqueurs, les Anglais incendièrent Petite-Rochelle et réussirent à s'emparer de plus de 300 acadiens qu'ils conduisirent en captivité à Halifax. Ils s'étaient aussi saisis de trois goélettes françaises qui avaient apporté des approvisionnements et de dix-neuf barques de pêche appartenant à des Acadiens. Au retour, Byron saccagea le poste de pêche établi à Shippagan, au Nouveau-Brunswick, à l'entrée de la baie des Chaleurs.

Les survivants de ce dernier désastre s'établirent bientôt sur les deux rives de la baie des Chaleurs.

Quant au gouverneur Charles Lawrence, l'un des principaux responsables de la terrible tragédie dont les Acadiens avaient été les victimes, il mourut subitement, au mois d'octobre 1760, à Halifax, à la sortie d'un banquet organisé pour célébrer la capitulation de Montréal et la conquête du Canada.

---

87. La coque du *Marquis de Malauze,* sortie du lit vaseux de l'embouchure de la rivière Ristigouche, vers 1935, grâce à l'initiative du père Pacifique, missionnaire capucin, est précieusement conservée, sous un abri, près du monastère des Pères capucins de Sainte-Anne de Ristigouche, dans le comté de Bonaventure.

24. LES ACADIENS ÉTABLIS AU QUÉBEC

On sait que plusieurs Acadiens, réfugiés à l'île Saint-Jean à l'époque de la dispersion, avaient eu le soin de se construire des embarcations. Au mois d'octobre 1756, quelques centaines d'entre eux arrivaient à Québec, sur deux petits voiliers, portant à plus de 600 le nombre d'Acadiens déjà rendus dans la capitale de la Nouvelle-France.

Par la suite, des réfugiés acadiens furent évacués de l'île Saint-Jean par le gouverneur Raymond de Villejoint, et de Miramichi, par le lieutenant Charles de Boishébert, ce qui porta à plus de 1600 le nombre des Acadiens réfugiés à Québec et dans la région en 1758. Environ 300 d'entre eux succombèrent à une épidémie de petite vérole, comme l'indiquent les registres paroissiaux de Notre-Dame de Québec, du 27 novembre 1757 au 1er mars 1758.

D'autre part, quelques groupes, en route également vers Québec, furent capturés par les Anglais dans le golfe du Saint-Laurent. En octobre 1756, l'intendant Bigot rapporte qu'un navire anglais a saisi, dans la région de Gaspé, un petit bateau contenant 80 réfugiés acadiens. Un capitaine, du nom de Joubert, écrit à son tour, le 15 décembre 1756: «Un bâtiment chargé de 150 Acadiens a été pris par un vaisseau de guerre, près de Gaspé. Ces malheureux ont été conduits à l'île George, près d'Halifax, où ils sont restés plusieurs mois, couchant à la belle étoile, la plupart n'ayant pas de quoi se couvrir, leurs hardes leur ayant été enlevées lorsqu'ils ont été pris.»

Les Acadiens réfugiés à Québec vivaient de la charité publique et des secours que leur faisait distribuer le gouverneur. Plusieurs centaines d'entre eux furent placés temporairement dans des familles de diverses paroisses de la région de Québec, notamment à Saint-François de l'île d'Orléans où, depuis 1758, l'abbé François LeGuerne était curé. On se souvient que l'abbé LeGuerne, de 1755 à 1757, avait partagé le sort des Acadiens réfugiés à Miramichi.

Des Acadiens vont participer à la défense de Québec, à l'automne de 1759, ainsi qu'à la bataille de Sainte-Foy, près de Québec, au printemps de 1760. Après avoir été chassés de leur patrie, ils vont devenir les témoins consternés de la défaite de Montcalm et de la chute de la Nouvelle France, en dépit de la victoire remportée à Sainte-Foy par le chevalier de Lévis. Montréal, dernière ville du pays à se rendre aux Anglais, sera le siège de la capitulation de tout le Canada, le 8 septembre 1760.

À Saint-Charles-de-Bellechasse, Saint-Gervais, Saint-Joseph de Beauce, Sainte-Émilie de Lotbinière et Leclercville

En 1756, plusieurs familles acadiennes avaient été charitablement accueillies par les paroissiens de Beaumont et de Saint-Michel, sur la rive sud du Saint-Laurent, non loin de Québec. Un certain nombre d'entre elles s'établirent à Saint-Charles-de-Bellechasse et fondèrent ensuite la paroisse voisine de Saint-Gervais. D'autres familles réfugiées à l'île d'Orléans allèrent bientôt les rejoindre.

L'abbé Dosque, missionnaire des Acadiens de Malpèque, à l'île Saint-Jean, de 1753 à 1758, fut curé de Beaumont de 1758 à 1761. Il s'occupa activement de l'établissement de ces réfugiés sur les terres neuves du comté de Bellechasse

Parmi les premières familles acadiennes de la région de *Saint-Charles-de-Bellechasse,* mentionnons celles de Charles Arsenault, de Beaubassin, fils d'Abraham et de Jeanne Gaudet, marié à Anne Girouard et de son frère Abraham Arsenault, de Beaubassin, marié à Agnès Cyr; Antoine Bariault, de Pisiguit, fils d'Antoine et d'Angélique Thibodeau, marié à Blanche Doucet; Antoine Barriault, de Pisiguit, fils de Nicolas et de Martine Hébert, marié à Angélique Thibodeau; Théodore Brault, de Port-Royal, fils de Jean-Baptiste et de Catherine Bourgeois, marié à Élizabeth Thibodeau; Honoré Doiron, de Pisiguit, fils de Charles et d'Anne Thériault, marié à Françoise Boudrot; Pierre Guilbault, de Port-Royal, fils de Charles et d'Anne Bourg, marié à Marie Madeleine Forest; Étienne Hébert, de Pisiguit, fils de Jean et de Jeanne Doiron, marié à Marie Boudrot; Jean-Baptiste Lejeune, de Pisiguit, fils de Germain et de Marie Trahan, marié à Marguerite Clémenceau; Charles Melanson, de Port-Royal, fils de Claude et de Marguerite Babineau, marié à Anne Bourg; Paul Michel, de Pisiguit, fils de François et de Marguerite Meunier, marié à Marie-Josephe Vincent; Bernard Poirier, de Beaubassin, fils de Pierre et d'Agnès Cormier, marié à Madeleine Michel; Joseph Thériault, de Pisiguit, fils de Charles et d'Anne Thériault, marié à Françoise Forest; Paul Trahan, de Pisiguit, fils d'Alexandre et de Marie Pellerin, marié à Marie Boudrot et son frère Jean-Baptiste Trahan, marié à Catherine Boudrot.

À la même époque, trois familles acadiennes s'installèrent dans la région de *Saint-Joseph de Beauce:* celles de Joseph Thibodeau, de la rivière aux Canards, à Grand-Pré, fils d'Olivier et d'Isabelle Melanson, marié à Marguerite Rancour; de Michel Thibodeau, de Chipoudy, fils de Michel et d'Agnès Dugas, marié à Anne Marie Richard et de son frère, Timothée Thibodeau, de Chipoudy, marié à Marguerite Aucoin.

D'autres familles, ayant passé l'hiver 1757-1758 à Québec, se rendront au printemps de 1758 dans la région de Lotbinière. Parmi elles se trouvaient les familles de Jean Bernard, de Beaubassin, fils de René et d'Anne Belou, marié à Marie Arsenault; Joseph Landry, de Port-Royal, bassin, fils de Pierre et de Marguerite Hébert, marié à Madeleine Arsenault; Joseph Hébert, de Beaubassin, fils de Jacques et de Jeanne Gauterot, marié à Marie Chiasson; Ambroise Hébert, de Beaubassin, fils de Jacques et d'Anne Arsenault, marié à Marie Poirier et de son frère, Pierre Hébert, de Beaubassin, marié à Jeanne Bernard; Jean Melanson, de Port-Royal, fils de Charles et d'Anne Bourg, marié à Marie Lanoue et de Jean Richard, de Beaubassin, fils de Martin et de Marie Cormier, marié à Madeleine Bernard.

C'est ainsi que naîtra la paroisse de *Saint-Émilie de Lot-binière*, qui a donné son nom à *Leclercville*.

À Beaumont, Saint-Vallier, Montmagny, Cap Saint-Ignace, L'Islet, Kamouraska et Rimouski

Plusieurs familles acadiennes s'établiront, à l'époque, sur la rive du sud du Saint-Laurent :

À *Beaumont,* celles de Paul Doiron, de Pisiguit, fils de Charles et de Françoise Gaudet, marié à Marie Richard ; Claude Girouard, de Pisiguit, fils de Pierre et de Marie Comeau, marié à Marie Madeleine Vincent.

À *Saint-Vallier,* celle de Paul Martin, de Port-Royal, fils de Pierre et d'Anne Godin, marié à Geneviève Dubois.

À *Montmagny,* celles d'Alexandre Bourg, de Grand-Pré, fils d'Alexandre et de Marguerite Melanson, marié à Marie Hébert ; Pierre Cyr, de Pisiguit, fils de Louis et de Marie Josephe Michel, marié à Marguerite Hébert ; Jean Cyr, son frère, de Pisiguit, marié à Marie Josephe Gauterot ; Stanilas Gourdeau, de Port-Royal, fils de Pierre et de Marie Bissot, marié à Marie LeBlanc ; Jean-Baptiste Poirier, de Beaubassin, fils de Michel et de Madeleine Bourgeois, marié à Marie Josephe Savoie.

Au *Cap Saint-Ignace,* signalons les familles de Claude Babin, de Grand-Pré, fils de Claude et de Marguerite Dupuis, marié à Marie Arsenault ; Joseph Landry, de Port-Royal, Royal, fils de Claude et de Cécile Dugas, marié à Marguerite Pellerin ; Pierre Doucet, de Port-Royal, fils de Laurent et de Jeanne Babin, marié à Élizabeth Sylvestre ; Germain Girouard, de Beaubassin, fils de Germain et de Marie Doucet, marié aé Marie Arsenault ; Joseph Landry, de Port-Royal, fils de Pierre et de Madeleine Robichaud, marié à Anne Melanson.

À *L'Islet,* les familles de Jean Dubois, de Petitcoudiac, marié à Anne Vincent ; Pierre Henry, de Cobequid, fils de Robert et de Marie Madeleine Godin, marié à Marguerite Brasseau ; François Préjean, de Port-Royal, fils de Jean et d'Andrée Savoie, marié à Marie Madeleine Vrignon et de Pierre Robichaud, de Port-Royal, fils de François et de Madeleine Thériault, marié à Anne Françoise LeBorgne de Bélisle. À Rivière Ouelle, la famille d'Ambroise Brun, de Port-Royal, fils de Claude et de Cécile Dugas, marié à Marie Bergeron.

À *Kamouraska,* celles de Jean Charles Dupuis, de Grand-Pré, fils de Charles et d'Elizabeth LeBlanc, marié à Marie Gauterot; Gabriel Godin, de Beaubassin, fils de Pierre et de Jeanne Rousselière, marié à Marie Angélique Robert-Jasnes; François Landry, de la rivière aux Canards, à Grand-Pré, fils de François et de Catherine Cormier, marié à Agnès Thibodeau; Alexis Landry, de la rivière aux Canards, à Grand-Pré, fils d'Antoine et de Marie Blanche LeBlanc, marié à Marguerite Aucoin; Jean-Baptiste Martin, de Port-Royal, fils de Pierre et de Marie Meunier, marié à Marie Brun; Pierre Mignault, de Beaubassin, fils de Jean-Aubin et d'Anne Dugas, marié à Marie Catherine Ouellet; Pierre Thériault, de Beaubassin, fils de Paul et d'Anne Hébert, marié à Louise Geneviève Gauvin; Joseph Thériault, de Beaubassin, fils de Claude et de Marguerite Cormier, marié à Marie Agnès Cormier et son frère Paul Thériault, de Beaubassin, marié à Anne Hébert et François Vincent, dit Clément, de Port-Royal, fils de Clément et de Madeleine Levron, marié à Marie Josephe Doiron. À *Rimouski,* Michel Dugas, de Port-Royal, fils de Claude et de Marguerite Bourg, marié à Élizabeth Robichaud et Sébastien Poirier, de Beaubassin, fils de Jean-Baptiste et de Marie Josephe Savoie, marié à Marie Anne Petit.

À Beauport, Saint-Joachim et à la baie Saint-Paul

Parmi les premières familles acadiennes qui, à la même époque, s'établiront sur la rive nord du fleuve Saint-Laurent, mentionnons: À *Beauport,* celle de Pierre Cyr, de Beaubassin, fils de Pierre et de Claire Cormier, marié à Anne Poirier. À *Saint-Joachim,* celles de Jean Brault, de Chipoudy, fils de François et de Marie Commeau, marié à Catherine Thibodeau; Jean-Baptiste Landry, de Port-Royal, fils de Jean-Baptiste et de Marguerite Melanson, marié à Catherine

Brault; Pierre Saulnier[88], de la rivière aux Canards, à Grand-Pré, fils de René et de Marie Josephe Trahan, marié à Marie Boudrot. À la *baie Saint-Paul,* celles d'Olivier Barriault, de Pisiguit, fils de Nicolas et d'Ursule Gauterot, marié à Marie-Reine Boucher; Jean-Baptiste Boudreau, de Grand-Pré, fils de Michel et de Cécile LeBlanc, marié à Agnès Pitre; Cyprien Hébert, de Cobequid, fils de Michel et de Marguerite Mius d'Entremont, marié à Félicité Luce Ringuet; Joseph Lord, de Port-Royal, fils d'Alexandre et de Françoise Barriault, marié à Anne Blanchard.

À Cap-Santé, Deschambault, Batiscan, Champlain, Trois-Rivières, Pointe-du-Lac, Yamachiche, Louiseville et Maskinongé

D'autres groupements d'Acadiens se dirigeront vers Cap-Santé, Deschambault, Batiscan, Champlain, Trois-Rivières, Pointe du Lac, Yamachiche, Louiseville et Maskinongé. Parmi les premières familles établies en ces localités se trouvaient:

À *Cap-Santé,* celle d'Olivier Thibodeau, de Chipoudy, fils de Pierre et de Marie Anne Aucoin, marié à Isabelle Melanson.

À *Deschambault,* celles de Charles Boudreau, de Port-Royal, fils de François et de Marie Madeleine Béliveau, marié à Marie Josephe Petitot; Jean Baptiste Cyr, de Beaubassin, fils de Pierre et de Claire Cormier, marié à Marguerite Luce Caissy; Tite Robichaud, de Port-Royal, fils de Pierre et de Madeleine Bourgeois, marié à Marie Landry; Michel Robichaud, de Port-Royal, fils de Joseph et de Marie Forest, marié à Marguerite Landry; Jean-Baptiste Savoie, de Chipoudy, fils de François et de Marie Richard, marié à Marie-Anne Haché-Gallant et de son frère Honoré Savoie, de Chipoudy, marié à Anne-Marie Comeau.

À *Batiscan,* celles de Jean Caissy (Quessy), de Beaubassin, fils de Jean dit Roger et d'Anne Bourgeois, marié à Marguerite Bourgeois; Nicolas Caissy (Quessy), de Beau-

---

88. Des descendants de Pierre Saulnier portent de nos jours le nom de Lacouline.

bassin, fils de Jean et de Marguerite Bourgeois et son frère Joseph Caissy, de Beaubassin, marié à Théotiste Bourg; Jean Devault, de Beaubassin, fils de Michel et de Marie Madeleine Martin, marié à Cécile Caissy et Pierre Doucet, dit Maillard, de Port-Royal, fils de Jacques et de Marie Pellerin, marié à Anne Dugas.

À *Champlain*, celles de Pierre Barriault, de Pisiguit, fils de Nicolas et d'Ursule Gauterot, marié à Marie Josephe Chainé et de Jean-Jacques LeBlanc, marié à Marie Héon.

À *Trois-Rivières*, celles de Pierre Cormier, de Beaubassin, fils de Germain et de Marie LeBlanc, marié à Marie Doucet; François Doucet, de Port-Royal, fils de Jacques et de Marie Pellerin, marié à Marie Anne Poirier; son fils, François Doucet, dit Maillard, de Port-Royal, marié à Jeanne Lafond; Charles Doucet, de Port-Royal, fils de René et de Marie Brossard, marié à Marguerite Préjean; Jean Doucet, de Port-Royal, fils de Charles et de Madeleine Préjean, marié à Madeleine Amirault; Pierre-Abel Doucet, de Port-Royal, fils de Joseph et de Marie-Anne Bourg, marié à Marie Leprince; Jean Gautereau, de Pisiguit, fils de François et de Marie Vincent, marié à Élizabeth Cyr; Jacques Raymond, de Port-Royal, fils de François et d'Anne Comeau, marié à Claire Pellerin et Jean Roy, de Port-Royal, fils de François et de Marie Bergeron, marié à Françoise Corporon.

À *Pointe-du-Lac*, celles de Charles Babineau dit Deslauriers, de Port-Royal, fils de René et de Madeleine Savoie, marié à Cécile Comeau; Joseph Comeau dit Chailloux, de Chipoudy, fils de Jean et de Marguerite Brigitte Savoie, marié à Élizabeth Lord; François Garceau, de Port-Royal, fils de Daniel et d'Anne Doucet, marié à Marie Josephe Martin et Charles Lord, de Port-Royal, fils d'Alexandre et de Françoise Barriault, marié à Marie Josephe Blanchard.

À *Yamachiche*, celles d'Alexis Aucoin, de la rivière aux Canards, à Grand-Pré, fils de Martin et d'Élizabeth Boudrot, marié à Thècle L'Heureux; Anselme Bastarache, de Port-Royal, fils de Jean et d'Angélique Richard, marié à Marguerite Melanson; Jean Bastarache, de Port-Royal, fils de Jean et d'Huguette Vincent, marié à Angélique Richard; Godefroy Benoît de la rivière aux Canards, à Grand-Pré, fils de Claude et de Jeanne Hébert, marié à Madeleine Babin;

Claude Benoît de Pisiguit, fils de Pierre et d'Élizabeth Le-
Juge, marié à Marie Comeau; Jean Comeau, de Chipoudy,
fils d'Abraham et de Marguerite Pitre, marié à Marguerite
Brigitte Savoie; François Comeau, de Beaubassin, fils de
Pierre et de Jeanne Bourg, marié à Anne Lord; son fils,
Maurice Comeau, de Chipoudy, marié à Brigitte Savoie; An-
toine-Firmin Comeau, de Petitcoudiac, fils d'Amand et de
Marie Babineau, marié à Marie Anne Beaudet; Joseph Doucet, de Chipoudy, fils de Pierre et de Françoise Dugas,
marié à Anne Melanson; Pierre Doucet, de Chipoudy, fils de
René et de Marie Brossard, marié à Françoise Dugas; Charles Doucet, son fils, de Chipoudy, marié à Marguerite Babineau; Bénoni-Benoît Doucet, de Chipoudy, frère de Charles,
marié à Marie Melanson; Germain Gaudet, de Port-Royal,
fils de Bernard et de Marguerite Pellerin, marié à Marguerite Bastarache; Daniel Garceau, de Port-Royal, fils de Jean
et de Marie Levron, marié à Anne Doucet; Jean Garceau,
son fils, de Port-Royal, marié à Marie Denevers dit Boisvert;
Charles Garceau, frère de Jean, de Port-Royal, marié à
Marie-Josephe Grenier; Pierre Garceau, frère de Charles, de
Port-Royal, marié à Angélique LeMay; Joseph Landry, de la
rivière aux Canards, à Grand-Pré, fils de Jean et de Madeleine Melanson, marié à Madeleine Doiron; Paul Landry
frère de Joseph, marié à Rosalie Benoît Charles Landry,
frère de Paul, marié à Marie Hébert; Joseph Landry, de
Port-Royal, fils de Jean et d'Anne Petitot, marié à Anne
Raymond; Étienne LeBlanc, de la rivière aux Canards, à
Grand-Pré, fils de Joseph et de Marie Madeleine Melanson,
marié à Marie Amable Rivard-Loranger; Jean LeBlanc, de
Grand-Pré, fils de René et de Jeanne Landry, marié à Marguerite Hébert; Pierre LeBlanc, de Grand-Pré, fils de Jean et
de Marguerite Hébert, marié à Madeleine Trahan; Augustin
LeBlanc, de Grand-Pré, fils de Pierre et de Françoise Lan-
dry, marié à Françoise Hébert; Jean-Baptiste Lord, de Port-
Royal, fils de Jacques et de Marie Bonnevie, marié à Marie
Garceau; Charles Lord, son frère, de Port-Royal, marié à
Marguerite Garceau; Honoré Lord, son frère, de Port-Royal,
marié à Appoline Garceau; Jean Lord, de Chipoudy, fils
d'Alexandre et de Françoise Barriault, marié à Marie Madeleine Comeau; Pierre Melanson, de Port-Royal, fils de Pierre

228

et d'Anne Granger, marié à Isabelle Richard ; Bénoni Melanson, de Grand-Pré, fils de Paul et de Marie Thériault, marié à Marie Benoît ; Joseph Melanson, son fils, de Grand-Pré, marié à Marie-Josephe Rivard-Loranger ; Étienne Melanson, son frère, de Grand-Pré, marié à Marie-Anne LeBlanc ; Jean Antoine Melanson, de Grand Pré, fils de Paul et de Marie Thériault, marié à Françoise Petit ; Pierre Pellerin, de Port-Royal, fils de Jean-Baptiste et de Marie Martin, marié à Anne Girouard ; Louis Rousse dit Languedoc, de Chipoudy, marié à Marie Comeau, Alain Castin Thibodeau, de Pisiguit, fils de René et d'Anne Boudrot, marié à Natalie Hébert ; Joseph Vincent, de Pisiguit, fils de Pierre et de Marie Granger, marié à Marie Jeanne Benoît

À *Louiseville,* celles de Charles Lord, de Port-Royal, fils de Julien et d'Anne Girouard, marié à Marie Doucet ; Charles Lord, de Port-Royal, fils de Pierre et de Marguerite LeBlanc, marié à Charlotte Genon-Lemaître ; Jean-Jacques Maillet, de Port-Royal, fils de Jacques et de Madeleine Hébert, marié à Ursule Blanchard ; Michel Picot, de Port-Royal, fils de Michel et d'Isabelle Levron, marié à Anne Blain ; Jean Picot, son frère, de Port-Royal, marié à Hélène De Jarlais ; François Savoie, de Chipoudy, fils de François et de Marie Richard, marié à Marguerite Thibodeau.

A *Maskinongé*, celles de Joseph Béliveau, de Port-Royal, fils de Charles et d'Anne Dugas, marié à Félicité LeBlanc ; Charles Doucet, de Port-Royal, fils d'Alexis et de Madeleine Léger, marié à Marguerite Landry ; Jacques Doucet, son frère, de Port-Royal, marié à Anne Landry ; Charles Brun (LeBrun), de Port-Royal, fils de Claude et de Cécile Dugas, marié à Marie Josephe Lord ; Pierre Landry, de Port-Royal, fils de Jean et d'Anne Petitot, marié à Euphrosine Doucet : Pierre Michel Lanoue, de Beaubassin, fils de François et de Marie Belou, marié à Madeleine Caissy.

Un grand nombre d'Acadiens se sont établis dans la ville de Québec à l'époque. Nous trouverons la plupart de leurs noms dans les autres tomes de cet ouvrage, traitant exclusivement des généalogies. Nous n'avons pas cru devoir les inclure dans la présente partie de notre travail pour l'excellente raison que, dans de nombreux cas, ils n'étaient à Québec que de passage.

À Saint-Grégoire-de-Nicolet, Nicolet, Bécancour, Saint-Pierre-les-Becquets et Gentilly

Nous connaissons déjà l'aventure de ces Acadiens qui, après avoir quitté l'embouchure de la rivière Saint-Jean, au Nouveau-Brunswick actuel, où ils s'étaient réfugiés, se mirent en marche, au printemps de 1758, sous la direction de Michel Bergeron dit de Nantes. S'étant dirigés vers le lac Témiscouata et le fleuve du Saint-Laurent, ils atteignirent Cacouna, après une randonnée de plusieurs mois.

Ils se mettent de nouveau en route au printemps de 1759. Remontant le fleuve en chaloupes, ils s'arrêtent sur la rive sud, en face de Trois-Rivières, et se rendent sur un territoire faisant partie des seigneuries de Bécancour, de Godefroy et de Rocquetaillade. C'est là que naîtra plus tard la paroisse de Saint-Grégoire-de-Nicolet, qu'ils auront défrichée, avec d'autres compatriotes d'infortune.

À la suite de la signature du traité de Paris, en 1763, les Acadiens déportés en 1755 au Massachusetts avaient reçu l'autorisation d'entrer au Canada, à la suite de négociations qui durèrent jusqu'en 1765. Les uns se dirigèrent aussitôt vers leur ancienne Acadie, où nous les retrouverons plus tard. D'autres partirent, soit en direction de Québec, en suivant les rivières Chaudière et Kennebec, ou de Montréal, en passant par la rivière Richelieu et le lac Champlain. D'autres, en plus grand nombre, furent transportés à Québec par bateaux.

Au moins deux importants groupes d'Acadiens arrivèrent du Massachusetts à Québec, l'un le 1er septembre 1766 et l'autre, huit jours plus tard[89]. Plusieurs d'entre eux allèrent alors s'établir dans les régions actuelles de Saint-Grégoire-de-Nicolet et de Bécancour. D'autres étaient aussi venus de l'île du Prince-Edouard, d'où ils étaient heureusement partis avant la reddition de l'île aux Anglais, à la suite de la capitulation de Louisbourg, en 1758. Un certain nombre arrivèrent aussi de la Nouvelle-Angleterre, à travers les bois.

---

89. *Archives canadiennes*, 1905, Vol. 2.

Parmi ces derniers se trouvaient Joseph Hébert et trois de ses frères qui, après avoir été faits prisonniers par les Anglais à Beaubassin et déportés sur les côtes de la Virginie en 1755, réussirent à s'échapper. La tradition nous révèle l'aventure de Joseph Hébert à partir de Boston, où il s'était rendu, on ne sait comment : « Il apprit des navigateurs que le méridien des Trois-Rivières était à peine de deux ou trois minutes de différence et que la distance entre les deux villes était moins de cent lieues, une randonnée de deux semaines pour un vigoureux marcheur.

« Des économies de son travail, il se procura un briquet, une boussole avec un cadran horizontal, des agrès de pêche et de chasse portatifs, en fil de laiton ou fils de fer, une hache, probablement un fusil pour se défendre contre les bêtes sauvages et un poëlon pour faire cuire ses aliments.

« Au printemps, il partit seul à travers bois, se dirigeant sur Trois-Rivières. Le soir venu il se choisissait un lieu de campement propice, se faisait un abri contre les animaux sauvages ou contre la pluie, tendait des engins de chasse ou de pêche et dormait à la grâce de Dieu. Il eut quelques désappointements sans conséquence et après plusieurs jours de marche — on ne sait combien — il tomba sur la rivière Nicolet, qu'il suivit jusqu'à ce poste (Saint-Grégoire).

« Il s'y fit des connaissances, explora les alentours et, trouvant dans le rang actuel de l'église de Saint-Grégoire des terrains qui lui convenaient, il revint immédiatement à Boston par le même chemin. [90] »

Quelques mois plus tard, Joseph Hébert revenait à Saint-Grégoire avec ses trois frères. En 1769 il s'établit avec deux d'entre eux, sur la petite rivière Marguerie, qui prit bientôt le nom de *Marguerite,* dans la seigneurie Godefroy, à Saint-Grégoire-de-Nicolet.

D'autres vinrent les rejoindre. Ainsi, Claude Bourgeois, jusque là réfugié à Saint-Pierre et Miquelon, fit l'acquisition, en 1788, dans le fief Rocquetaillade, d'une propriété s'étendant depuis le fleuve du Saint-Laurent jusqu'au *trait carré* du chemin des *Cayens.*

---

90. A Désilets, *Souvenirs d'un octogénaire,* pages 63-65.

Les premières familles qui se sont établies à *Saint-Grégoire-de-Nicolet* étaient celles de Jean-Baptiste Babineau dit Deslauriers, de Port-Royal, fils de Joseph et de Marguerite Dugas, marié à Marguerite Darois; Jean-Baptiste Béliveau, de Port-Royal, fils d'Antoine et de Marie Thériault, marié à Marguerite Melanson; David Béliveau, de Port-Royal, fils de Jean-Baptiste et de Marguerite Melanson, marié à Marguerite Gaudet; Charles Béliveau, son frère, de Port-Royal, marié à Élizabeth Doucet; Joseph Béliveau, son frère, de Port-Royal, marié à Rosalie Richard; François Béliveau, son frère, marié à Marie-Ange Poirier; Jean Béliveau, son frère, marié à Marie-Geneviève Marin; Michel Bergeron, dit de Nantes, de Port-Royal, fils de Barthelémy et de Geneviève Serreau, marié à Marie Jeanne Hébert; Pierre Bergeron, son fils, marié à Marguerite Bourg; Simon Bergeron, de Port-Royal, fils de Michel et de Marie Dugas, marié à Marie Saindon; Jean Blanchard, de Petitcoudiac, fils de René et de Marie Savoie, marié à Rose Thibodeau; Osias Boudreau, de Grand-Pré, fils de François et de Marguerite Pitre, marié à Judith Haché-Gallant; François Cormier, dit Grand-Pré, fils de Michel et de Cécile LeBlanc, marié à Marguerite Pitre; Joseph Bourg (Bourque), de Beaubassin, fils de François et de Marie Béliveau, marié à Marie Bergeron; François Bourg, de Beaubassin, fils de François et de Catherine Cormier, marié à Marie Prince; Claude Bourgeois, de Beaubassin, fils de Charles et de Madeleine Cormier, marié à Marie Vigneau; Pépin Gauthier Bourgeois, de Port-Royal, fils de Joseph et d'Anne LeBlanc, marié à Marie Poirier; Pierre Cormier, de Beaubassin, fils de Pierre et de Marie-Anne Cyr, marié à Madeleine Prince; Pierre Cormier, dit Perrault, de Beaubassin, fils de Pierre et d'Anne-Marie Pitre, marié à Judith Haché Gallant; François Cormier, dit Rossignol, de Beaubassin, fils de Pierre et de Marie-Anne Cyr, marié à Jeanne Victoire Prince; Paul Cyr, de Pisiguit, fils de Louis et de Marie Josephe Michel, marié à Marguerite Daigre; Charles Cyr, son frère, marié à Marguerite Gauterot: Laurent Cyr, de Beaubassin, fils de Pierre et de Madeleine Poirier, marié à Marie Vigneau; Vincent Cyr, de Beaubassin, fils de Michel et de Madeleine Bourgeois, marié à Angélique Vigneau; Louis Doucet, de Port-Royal, fils de Joseph et de Marie-Anne Bourg, marié à Marguerite Béliveau; Basile Forest, de Beaubassin, fils de François et de Marie Josephe Girouard marié à Modeste Poirier; Joseph Amand Forest, son frère, marié à Thérèse Morin; Joseph Gaudet, de Beaubassin, fils de Jean et de Marie Doucet, marié à Marie Josephe Comeau; Félix Hébert, de Beaubassin, fils de Magloire et d'Anne Cyr, marié à Esther Vigneau; Joseph Hébert, de Beaubassin, fils de Michel et d'Élizabeth Benoît, marié à Marie Perpétue Landry; Joseph Hébert, de Beaubassin, fils de François et d'Anne Bourg, marié à Charlotte Bénonie Poulin; Basile LeBlanc, de Port-Royal, fils de Paul et de Marie Josephe Richard, marié à Marguerite Amirault; Paul LeBlanc, son frère, marié à Marie Hébert; Pierre Benjamin Lord, de Port-Royal, fils de Jacques et de Marie Charlotte Bonnevie, marié à Marie Blanchard; Jean-Baptiste Pitre, de Grand-Pré, fils de François et d'Anne Préjean marié à Cécile Boudreau; Joseph Poirier, de Beaubassin, fils de Joseph et de Madeleine Doiron, marié à Marguerite Thibodeau; Pierre Poirier, dit Canique, son frère, marié à Madeleine Forest; Jean Poirier, son frère, marié à Marie Forest; Pierre Poirier, de Beaubassin, fils de Jean-Baptiste et de Marie Cormier, marié à Marie Gaudet; Pierre Prince, de Port-Royal, fils de Jean et de Jeanne Blanchard, marié à Félicité Bourgeois; Louis Thibault, de Port-Royal, fils de Louis et de Françoise Marchaile, marié à Jeanne Picot; Olivier Thibodeau, de Chipoudy, fils de Pierre et de Madeleine Cormier, marié à Marie Bourg; Jean-Baptiste Vigneau, de Beaubassin, fils de Maurice et de Marguerite Comeau, marié à Agnès Poirier; Joseph Vigneau, de Beaubassin, fils de Jacques et de Marguerite Arsenault, marié à Rose Cyr.

À *Nicolet,* s'établissaient les familles de François Amirault, du Cap-de-Sable, fils de François et de Madeleine Lord, marié à Madeleine Richard; Michel Bergeron, de Port-Royal, fils de Michel et de Marie Dugas; Pierre Pellerin, de Port-Royal, fils de Bernard et de Marguerite Gaudet, marié à Marie Josephe Béliveau; Pierre Pellerin, de Port-Royal, fils d'Alexandre et de Jeanne Gaudet, marié à Françoise Morin.

À *Bécancour,* situé à peu de distance de Saint-Grégoire-de-Nicolet, se sont établies, à la même époque, les familles suivantes: Jean-Baptiste Alain, de Grand-Pré, fils de Pierre et de Marguerite LeBlanc, marié à Rose Bujold; Pierre Arsenault, de Beaubassin, fils de Charles et de Françoise Mirande, marié à Françoise Poirier; Joseph Béliveau, de Beaubassin, fils d'Antoine et de Marie Thériault, marié à Marie Gaudet; François Bergeron, de Port-Royal, fils de Michel et de Marie Dugas, marié à Rosalie Bourg; François Bourg, de Beaubassin, fils de Michel et d'Élizabeth Melanson, marié à Catherine Cormier; Bénoni Bourg, de Beaubassin, fils de Michel et de Marie Cormier, marié à Félicité Bourgeois; Jacques Bourg, de Beaubassin, fils de Michel et de Marie Cormier, marié à Marguerite Cormier; Pierre Bourg, de Beaubassin, fils de François et de Marie Béliveau, marié à Marguerite Bourgeois; Simon Bourg, son frère, marié à Rosalie Gaudet; Jean Bourg, son frère, marié à Marguerite Poirier; Raphaël Bourg, son frère, marié à Marie Poirier; Joseph Bourgeois, de Port-Royal, fils de Germain et de Madeleine Dugas, marié à Anne LeBlanc; Joseph Abel Bougeois, de Port-Royal, fils de Claude et de Marie LeBlanc, marié à Marguerite Doucet; Jean-Baptiste Bourgeois, de Beaubassin, fils de Charles et de Madeleine Cormier, marié à Marie Élizabeth Leprince; Armand Brun, de Port-Royal, Marié à Marie Thibaud; François Comeau, de Chipoudy, fils de François et d'Anne Lord, marié à Françoise Paris; Pierre Cormier, de Beaubassin, fils d'Alexis et de Marie LeBlanc, marié à Marguerite Cyr; Jean Cormier, dit Tibier, de Beaubassin, fils de Pierre et de Marguerite Cyr, marié à Angélique Provencher; Simon Darois, de la rivière aux Canards, à Grand-Pré, fils de Jean et de Marguerite Breault, marié à Jeanne Leduc; Philippe Doiron, de Pisiguit, fils de Philippe et de Marie Guitry, marié à Ursule Lejeune; Joseph Doucet, de Port-Royal, fils de Mathieu et d'Anne Lord, marié à Marie Anne Bourg; François Doucet, de Beaubassin, fils de François et de Marie-Anne Haché-Gallant, marié à Geneviève Beaudet; Joseph Dupuis, de Port-Royal, fils de Joseph et d'Anne Marie Brun, marié à Marguerite Bourgeois; François Forest, de Beaubassin, fils de Jean-Baptiste et d'Élizabeth Labarre, marié à Marie-Josephe Girouard; Charles Gaudet, de Beaubassin, fils de Claude et de Marguerite Belou, marié à Marie Cormier; François Gaudet,

234

son fils, marié à Marie-Françoise Poisson; Michel Girouard, de Port-Royal, fils de François et d'Anne Bourgeois, marié à Marguerite Haché-Gallant; Jean-Baptiste Hébert, dit Benjamin, de Port-Royal, marié à Marie-Anne Amirault; Michel Hébert, dit Manuel, de Beaubassin, fils de Jean Hébert, dit Emmanuel et de Madeleine Dugas, marié à Anne Darois; Claude Hébert, son frère, marié à Marguerite Robichaud; Jean-Baptiste Hébert, de Pisiguit, fils de Jean et de Marie Marguerite Landry, marié à Élizabeth Granger; Jean-Baptiste Hébert, son fils, marié à Marie Rose LeBlanc; Étienne Hébert, son frère, marié à Marie Josephe Babin; Charles Héon, de Beaubassin, fils de Robert et de Jeanne Marie Picot, marié à Anne Clémenceau; Charles Héon, son fils, marié à Madeleine Labauve; Joseph Héon, son frère marié à Marie-Louise Delisle; Alexis Landry, de Pisiguit, fils de Jean-Baptiste et de Marguerite Gauterot, marié à Marguerite Aucoin; Pierre Landry, son frère, marié à Anne Brault; François-Régis Paré (Part); Joseph Poirier, de Beau-Jean Part et de Marie Josephe Roy, marié à Marie Béliveau, ainsi que son frère Jean Paré (Part); Joseph Poirier, de Beaubassin, fils de Jean-Baptiste et de Marie Cormier, marié à Madeleine Doiron; Honoré Prince, de Port-Royal, fils de Jean et de Jeanne Blanchard, marié à Isabelle Forest; son frère, Jean-Baptiste Prince, de Port-Royal, marié à Judith Richard; son frère, Joseph Prince, de Port-Royal, marié à Anne Forest; Jean Prince, de Pisiguit, fils d'Antoine et d'Anne Trahan, marié à Rose-Osite LeBlanc; Joseph Richard, de Beaubassin, fils de Martin et de Marie Cormier, marié à Françoise Cormier; Charles Simon, de Port-Royal, fils d'André et de Marie Martin, marié à Marie Josephe Pitre; Charles Thibodeau, de la rivière aux Canards, à Grand-Pré, fils de Jean et de Marguerite Hébert, marié à Anne Marie Melanson; Abraham Vigneau, de Beaubassin, fils de Jacques et de Marguerite Arsenault, marié à Marie Bourg.

Du 13 au 18 octobre 1764, le sieur Charles LeGardeur de Montesson, seigneur de Bécancour, avait accordé des concessions à 27 chefs de famille, tous Acadiens, sauf Bonaventure Durand, vraisemblablement originaire du Cap-Breton. Leurs noms sont conservés au greffe du notaire

Dielle à Trois-Rivières. Ce sont : Jean-Baptiste Alain, Pierre Arsenault, Bercase Bourgeois, Pierre Bergeron, Bélonie Bourque, Jacques Bourque, Pierre Bourque, Joseph Bourque, Jean Bourque, Simon Bourque, Amand Bourque, Pierre Cormier, François Cormier, Charles Gaudet, fils, François Gaudet, Claude Hébert, Charles Héon, Pierre-Joseph Héon, Jean Leprince (Prince), Joseph Leprince, Charles Leprince, Michel Leprince, Étienne Mignault, Jean Paré (Part), Régis Paré (Part), Joseph Richard, père et Amand Thibault.

De son côté, Joseph Godefroy, seigneur du fief Godefroy, accordait les concessions suivantes, dont copies sont conservées au greffe du notaire Jean-Baptiste Badeaux, à Trois-Rivières : le 7 janvier 1769, à Olivier Thibodeau, Acadien, résidant au petit lac Saint-Paul, voisin d'Étienne Hébert. Le 7 janvier 1769, à Augustin LeBlanc, Acadien, résidant au petit lac Saint-Paul, voisins : Michel et Charles Leprince et Amand Forest. Le 27 mars 1770, concession à Jean Leprince, Acadien, voisins : Pierre Richard et Pierre Leprince. Le 2 mai 1770, concession à Michel Richard, Acadien, résidant au fief Godefroy, voisin de Joseph Béliveau. Le 22 mai 1770, concession à François Béliveau, Acadien, au fief Godefroy, au bout de la terre de Pierre Landry et voisin de Joseph Béliveau. Le 22 mai 1770, concession à Alexis Thibodeau, Acadien. Le 11 juin 1770, concession à Joseph, Charles et David Béliveau, frères.

En même temps que des Acadiens s'établissaient dans la région de Saint-Grégoire et de Bécancour, d'autres s'installaient dans les environs, notamment à Saint-Pierre-les-Becquets et à Gentilly.

À *Saint-Pierre-les-Becquets,* s'établirent les familles de Jean Gaudet, de Beaubassin, fils d'Abraham et de Marie Brault, marié à Marie Doucet ; Alexandre Guilbeau, de Port-Royal, fils de Charles et d'Anne Bourg, marié à Marguerite Girouard ; Jean-Baptiste Michel, de Port-Royal, fils de Pierre et de Marie-Anne Guilbeau, marié à Élizabeth Comeau ; Joseph Michel, de Port-Royal, fils de Jacques et de Jeanne Brault, marié à Marie Doucet ; François Roy, dit Mazeret, de Port-Royal, fils de François et de Marguerite Bujold, marié à Marie Thérèse Brisson.

À *Gentilly,* s'est établie la famille de Pierre Barriault, de Pisiguit, fils de Nicolas et d'Ursule Gauterot, marié à Marie-Josephe Chaîné.

En 1774, Michel Bergeron et François Bourg érigèrent, à Saint-Grégoire, un moulin à farine. Vers la même époque, la famille Cormier, dite Rossignol, organisa à l'embouchure de la rivière Godefroy un chantier naval, bien outillé pour l'époque, où se construisaient des navires.

En souvenir de leur ancienne patrie, les Acadiens de Saint-Grégoire donnèrent à certains rangs de leur paroisse des noms typiquement acadiens, tels que Beauséjour, Saint-Charles, le bois des Acadiens.

Au nord-est du premier établissement des Acadiens dans cette paroisse, se trouvait le lac Saint-Paul, de cinq milles de longueur, ainsi que le petit lac aux Outardes, mesurant à peine une quarantaine d'arpents. Dans ces lacs, ainsi que dans les rivières de la région, foisonnaient le doré, l'achigan, le brochet, l'anguille, la barbotte et la perche. Sur les rives abondaient aussi la sarcelle, le canard sauvage, l'outarde et la bécassine ainsi que le castor, le vison et le rat musqué. Dans les forêts des régions avoisinantes se trouvaient l'orignal et le chevreuil. Tout en défrichant courageusement leur nouvelle patrie, ces pionniers acadiens de Saint-Grégoire ne négligeaient pas les randonnées de chasse et de pêche qui leur permettaient de se procurer l'essentiel de leur nourriture.

«La colonie se développait, écrit le père Lesage, o.m.i.[91], mais ne perdait pas pour autant la mentalité d'autrefois. De génération en génération, se transmettait le souvenir des scènes tragiques qui hantaient les esprits : l'abandon et la ruine des fermes prospères, la fuite et la misère dans les bois, la longue et stérile attente des secours de la France, les déchirements de la venue au Canada.»

Au début de la colonisation dans cette région, les Acadiens étaient desservis par des prêtres de Trois-Rivières. Les *Cayens* du lac Saint-Paul allaient cependant accomplir leurs devoirs religieux à Bécancour, tandis que ceux du vil-

---

91. *Les origines des Sœurs de l'Assomption de la Sainte-Vierge,* par Germain Lesage, o.m.i.

lage de Sainte-Marguerite se rendaient à Nicolet, la plupart du temps à dos de cheval, par des chemins impraticables.

Vers 1783, les quelque 400 communiants acadiens de cette région imploraient Mgr Briand, évêque de Québec, de leur permettre la construction d'une église et de leur accorder un curé. Certaines divergences d'opinion étant survenues chez les Acadiens, quant au choix du site de cette première église, ces projets seront retardés pendant de longues années.

En 1796, Mgr Jean-François Hubert, alors évêque de Québec, permet aux Acadiens de couper le bois en vue de la construction d'une église et d'un presbytère. Il les avertit cependant de ne pas commencer les travaux de construction, sans une nouvelle permission.

« Mais grâce à l'intervention du grand-vicaire de Trois-Rivières, Mgr François Noiseux, les habitants de Sainte-Marguerite et du lac Saint-Paul obtiennent enfin de Mgr l'évêque l'autorisation de construire un presbytère-chapelle, au village de Sainte-Marguerite, sans leur promettre de prêtre résident ni plus de quatre fois la messe par an, jusqu'à nouvel ordre. [92] »

En 1797, le grand-vicaire fut délégué par l'évêque pour déterminer les limites de la nouvelle paroisse, qui comprenait les seigneuries Rocquetaillade et Godefroy ainsi qu'une partie du fief Bruyères et qui allait recevoir de Mgr Hubert, le nom de Saint-Grégoire-le-Grand.

Ce n'est pourtant qu'en 1801, à la suite de la présentation d'une pressante requête, que Mgr Denaut, par l'intermédiaire, cette fois, de l'abbé Alexis Durocher, curé de Nicolet, permettait de bénir la chapelle, construite sous « l'invocation de Saint-Grégoire », d'y administrer les sacrements d'y faire « l'inhumation des grandes personnes, la communion pascale et la communion des enfants ».

En 1802, après avoir lui-même visité les lieux, Mgr Denaut approuva définitivement la délimitation de la paroisse, faite par le grand-vicaire Noiseux, procéda à l'érection canonique et autorisa la construction de l'église, récla-

---

92. *Les origines des Sœurs de l'Assomption de la Sainte-Vierge,* par Germain Lesage, o.m.i.

mée par les Acadiens depuis plus de vingt ans. L'abbé
Alexis Durocher cumula alors la double fonction de curé
de Nicolet et de desservant à Saint-Grégoire. Les registres
paroissiaux datent du jour de la célébration de la première
messe en cette première église, le 4 novembre 1802 « en dépit
de l'opposition de certains habitants du lac Saint-Paul qui
désiraient demeurer rattachés à Bécancour ».

Le 17 septembre 1805, l'abbé Louis-Antoine Desforges,
originaire de Montréal, était désigné comme premier curé
résident de Saint-Grégoire-de-Nicolet. Alors âgé de quaran-
te-et-un ans, il en comptait dix-sept de vie sacerdotale. Il
avait auparavant exercé son ministère à Beaumont, Saint-
Jacques-de-l'Achigan, Saint-Michel-de-Bellechasse, Saint-
Sulpice et Saint-Vincent-de l'île Jésus.

En confiant la paroisse de Saint-Grégoire au curé Desforges, Mgr Denaut lui avait donné cet avis prudent : « Mé-
nagez l'esprit turbulent de ce peuple ; méritez sa confiance ;
soyez ferme et doux. Vous aurez avec lui la paix et vous en
ferez de fervents chrétiens. [93] »

Au cours des années, la population de la région de
Saint-Grégoire et de Bécancour dirigera sa jeunesse vers les
terres neuves des comtés actuels de Beauce, Arthabaska,
Mégantic, Frontenac et Dorchester. Ainsi, le fondateur de
Princeville, dans le comté d'Arthabaska, fut Pierre Prince,
originaire de Saint-Grégoire. Il était le frère de Mgr Jean-
Charles Prince, premier évêque de Saint-Hyacinthe. Des
Béliveau, des Bourque et des Cormier, venus aussi de Saint-
Grégoire-de-Nicolet, comptent parmi les pionniers de Ples-
sisville et de Victoriaville, dans la région des Bois-Francs.

À Yamaska, Sorel, Saint-Ours, Contrecœur, Verchères et Saint-Hyacinthe

À la même époque d'autres réfugiés acadiens s'établissaient dans la région de *Yamaska, Sorel, Saint-Ours, Contre-
cœur, Verchères et Saint-Hyacinthe.* C'étaient les familles
de Charles Arsenault, de l'île Saint-Jean, fils de Charles et

---

93. Lettre de Mgr Denaut, publiée dans le *Rapport de l'archiviste de la
province de Québec,* pour l'année 1931-1932.

de Cécile Breault, marié à Anne Arsenault; Claude Arsenault, de l'île Saint-Jean, fils de Pierre et de Marguerite Cormier, marié à Marie Jeanne Doucet; Claude Benoît de la rivière aux Canards, à Grand-Pré, fils de Claude et de Jeanne Hébert, marié à Anne Girouard; Joseph Blanchard, de Port-Royal, fils de Guillaume et de Jeanne Dupuy, marié à Marguerite LeBlanc; Amand Brault, de la rivière aux Canards, à Grand-Pré, fils de Pierre et d'Anne LeBlanc, marié à Madeleine LeBlanc; Jean-Baptiste Brun, de Port-Royal, fils d'Antoine et de Françoise Comeau, marié à Marguerite Gaudet; Joseph Comeau, de Chipoudy, fils de François et d'Anne Lord, marié à Marie Josephe Maranda; Jean-François Cormier, de Beaubassin, fils de Pierre et de Marie Anne Cyr, marié à Marie-Josephe Cyr; Charles Daigle, dit Baptiste, de Pisiguit, fils de François et de Marie Boudreau, marié à Marguerite Doiron; Charles Daigle, de Grand-Pré, fils de Bernard et d'Angélique Richard, marié à Marie-Josephe Babin; Alexis Doucet, de Port-Royal, fils de Jacques et de Marie Pellerin, marié à Madeleine Léger; Alexandre Forest, de Beaubassin, fils de Jean-Baptiste et d'Élizabeth Labarre, marié à Marie Babineau dit Deslauriers; Joseph Gaudet, de Beaubassin, fils d'Abraham et de Marie Brault, marié à Anne Bourgeois; Pierre Girouard, de Port-Royal, fils de Guillaume et de Marie Bernard, marié à Théotiste Dupuis; Joseph Girouard, de Port-Royal, fils de Claude et d'Isabelle Blanchard, marié à Rosalie Hébert; Joseph Hébert, de Grand-Pré, fils d'Augustin et de Madeleine Labonne Landry, marié à Marguerite-Josephe Thibodeau; Pierre Hébert, de Beaubassin, fils de Pierre et de Madeleine Gaudet, marié à Marie-Félix Hébert; Joseph Michel, de Port-Royal, fils de Joseph et de Marie-Anne Boudreau, marié à Anne Lord; Jean-Baptiste Migneau, de Beaubassin, fils de Pierre et de Catherine Ouellet, marié à Françoise Lecours; Jean Simon LeBlanc, de Port-Royal, fils de Pierre et de Madeleine Bourg, marié à Jeanne Dupuis; Germain Richard, de Port-Royal, fils de Pierre et de Marie Boudreau, marié à Marie Cormier; Charles Richard, de Port-Royal, fils de René et de Marguerite Thériault, marié à Félicité LeBlanc; René Roy, de Port-Royal, fils de Jean et de Marie Aubois, marié à Marie-Josephe Daigle.

À Saint-Denis-sur-Richelieu, Saint-Charles, Boucherville, Saint-Antoine de Chambly, Saint-Philippe de Laprairie, Saint-Jean-d'Iberville, L'Acadie et Napierville

À partir de 1767, des Acadiens revenus d'exil s'établiront sur les terres de Pierre-Claude Pécaudy, seigneur de Richelieu. En 1768, un important groupe de réfugiés acadiens, revenus de la Nouvelle-Angleterre par le Vermont, fondait la paroisse de L'Acadie, près de Saint-Jean d'Iberville. Ils s'étaient alors installés sur la vaste seigneurie de Longueuil, appartenant au capitaine Alexandre Grant, qui en avait hérité de son épouse, Charlotte LeMoyne.

C'est alors que de nombreuses familles acadiennes se sont établies à *Saint-Denis-sur-Richelieu, à Saint-Charles-sur-Richelieu, à Boucherville, à Saint-Antoine de Chambly,* à *Saint-Philippe de Laprairie,* à *Saint-Jean-d'Iberville,* à *L'Acadie* et à *Napierville.* C'étaient les familles de Jean-Baptiste Bernard, de Beaubassin, fils de René et de Madeleine Doucet, marié à Cécile Gaudet; son fils, Joseph Bernard, de Beaubassin, marié à Marguerite Deguire; son frère, François Bernard, de Beaubassin, marié à Marguerite Sincennes; Étienne Boudreau, de Beaubassin, fils d'Anselme et de Marguerite Gaudet, marié à Marie Boudreau; Anselme Boudreau, de Beaubassin, fils de Michel et de Madeleine Cormier, marié à Marguerite Gaudet; Antoine Boudreau, de Pisiguit, fils d'Antoine et de Cécile Brasseau; Pierre Boudreau, de Grand-Pré, fils de Claude et de Catherine Hébert, marié à Marie Richard; Charles Boudreau, de Grand-Pré, fils de François et de Marguerite Pitre, marié à Madeleine Clouâtre; Charles Bourg (Bourque), de Port-Royal, fils d'Abraham et de Marie Dugas, marié à Cécile Doucet; Claude Bourg, de Port-Royal, fils de Claude et de Judith Guérin, marié à Marie Guilbaut; Grégoire Bourgeois, de Port-Royal, fils de Joseph et d'Anne LeBlanc, marié à Catherine Comeau; Amand Brault, de la rivière aux Canards, à Grand-Pré, fils de Joseph et d'Élizabeth Thibodeau, marié à Madeleine Dupuy; Joseph Brault, de la rivière aux Canards, fils de Joseph et d'Élizabeth Thibodeau, marié à Marie-Anne Picot; Charles Brault, de Port-Royal, fils de René et de Marie Hébert, marié à Marie-Osite Célestin dit

Bellemère; Antoine Brault, de Port-Royal, fils de Jean et d'Anne Chiasson, marié à Ursule Blanchard; Dominique Cloâtre, de Grand-Pré, fils de Pierre et de Marguerite Le-Blanc, marié à Françoise Boudreau; Jean-Baptiste Cormier, de Beaubassin, fils de Pierre et de Marie-Anne Cyr, marié à Marie Madeleine Bernard; Joseph Cyr, de Beaubassin, fils de Joseph et de Marie Josephe Cormier, marié à Madeleine Gaudet; son frère Jean-Baptiste, marié à Marguerite Herpin, dit Turpin; Joseph Cyr, de Beaubassin, fils de Pierre et de Claire Cormier, marié à Marie-Josephe Cormier; Jean Doucet, de Port-Royal, fils de René et de Marie Brossard, marié à Anne Bourg; Olivier Dupuy, de Grand-Pré, fils de Germain et de Marie Granger, marié à Anne Boudreau; Sylvain Dupuis, de Grand-Pré, fils de Jean et de Marguerite Richard, marié à Françoise LeBlanc; Claude Gaudet, de Beaubassin, fils de Claude et de Marguerite Belou, marié à Marie Girouard; Claude Girouard, de Beaubassin, fils de Germain et de Marie Doucet, marié à Marie Bernard; Jacques Girouard, de Beaubassin, fils de Germain et de Marie Doucet, marié à Françoise Gaudet; Pierre Hébert, de Beaubassin, fils de Jacques et de Jeanne Gautereau, marié à Madeleine Gaudet; François Hébert, de Beaubassin, fils de Joseph et de Marie Boudreau, marié à Marie Arsenault; Pierre Hébert, de Grand-Pré, fils de René et de Marie Boudreau, marié à Élizabeth Dupuis; son frère, Joseph Hébert, marié à Madeleine Dupuis; son frère Charles Hébert, marié à Ursule Forest; son frère Olivier Hébert, marié à Cécile Dupuis; son frère, Jacques Hébert, marié à Marie Landry; Fabien Hébert, de Grand-Pré, fils de Pierre et d'Élizabeth Dupuis, marié à Anastasie Landry; son frère, Simon Hébert, de Grand-Pré, marié à Marguerite Richard; Michel Poncy Lanoue, de Port-Royal, fils de Joseph et de Marguerite Béliveau, marié à Madeleine Brun; Joseph Lanoue, de Port-Royal, fils de Pierre et de Marie Granger, marié à Marguerite Béliveau; son fils Pierre Lanoue, de Port-Royal, marié à Marie Hébert; Jean LeBlanc, de Port-Royal, fils de Jean-Simon et de Jeanne Dupuis, marié à Marie-Josephe Landry; Joseph LeBlanc, de Port-Royal, fils de Joseph et de Marguerite Bourgeois, marié à Cécile-Claire Benoît; Joseph Le-Blanc, de Port-Royal, fils de Pierre et de Madeleine Bourg, marié à Marguerite Bourgeois; Pierre-Hilaire LeBlanc, de Grand-Pré, fils de Pierre et de Françoise Landry, marié à Marie-Élizabeth Hébert; Jean-Baptiste Levron, de Chipoudy, fils de Jean-Baptiste et de Françoise Labauve, marié à Marguerite Comeau; Jean Migneault, de Beaubassin, fils de Pierre et de Catherine Ouellet, marié à Marie Bernard; son frère, Étienne Migneault, de Beaubassin, marié à Madeleine Cormier; Jean Pitre, de Chipoudy, fils de Pierre et d'Agathe Doucet, marié à Marie-Anne Thibodeau; Joseph Pitre, de Chipoudy, fils de Claude et d'Anne Henry, marié à Catherine Thibodeau; Martin Richard, de Beaubassin, fils de Marin et de Marie Cormier, marié à Marguerite Cormier; François Richard, de Port-Royal, fils de François et d'Anne Comeau, marié à Geneviève David; Pierre Richard, de Beaubassin, fils de Pierre et de Marie Boudreau, marié à Madeleine Bourg; Pierre Robichaud, de Port-Royal, fils de Pierre et de Madeleine Bourgeois, marié à Marguerite Robichaud; Joseph Robichaud, de Grand-Pré, fils de Charles et de Marie Thibodeau, marié à Madeleine Dupuis; Joseph Suret, de Grand-Pré, fils de Pierre et de Jeanne Pellerin, marié à Marguerite Thériault; Jean Trahan, de Pisiguit, fils de Jean-Charles et de Marie Boudreau, marié à Marie Hébert.

L'une des premières préoccupations des Acadiens, à leur arrivée d'exil, était celle de se mettre à la recherche de leurs parents ou de leurs enfants dont ils avaient été séparés lors de la déportation. C'est ce qui explique souvent le fait que des membres de certaines familles acadiennes, d'abord installés dans une région de la province, apparaissent plus tard établis ailleurs. Il s'en trouvera aussi qui, pour cette même raison, quitteront leurs terres du Québec où ils étaient déjà installés, pour se rendre plus tard au Nouveau-Brunswick.

À l'Assomption, Saint-Sulpice, Repentigny et Saint-Jacques-de-l'Achigan

En 1766, douze premières familles acadiennes, comprenant quatre-vingts personnes, arrivées du Massachusetts par le lac Champlain, furent accueillies à l'Assomption, sur la seigneurie de Saint-Sulpice, près de Montréal. L'Assomption était alors le poste le plus important de la seigneurie des Sulpiciens et portait le nom de Saint-Pierre du Portage, ou tout simplement Le Portage. C'étaient les familles de Joseph Brault, Joseph Dupuis, Armand Dupuis, Joseph Hébert, Pierre Lanoue, Pierre Martin, Charles Landry, Jean-Baptiste Landry, Germain Landry, Joseph LeBlanc, François LeBlanc et François Poirier[94].

M. de Montgolfier, supérieur des Messieurs de Saint-Sulpice et vicaire-général de Mgr l'évêque de Québec, pour la région de Montréal, accorda, avec beaucoup de bienveillance, des terres à ces réfugiés. De son côté l'abbé Jacques Degeay, missionnaire à l'Assomption, se dévoua pour eux sans compter et déploya toute son énergie à l'établissement des premiers colons acadiens dans la région, en particulier à Saint-Jacques-de-l'Achigan, situé dans le comté actuel de Montcalm.

« M. Degeay fait appel au bon cœur de ses paroissiens. Ceux-ci donnent l'hospitalité aux Acadiens et mettent à leur usage une immense bâtisse, sur la ferme Leroux, devenue plus tard la ferme du collège de l'Assomption. Certains se creusent des grottes dans le sable et y passent l'hiver. Puis, le curé prépare pour eux le départ vers les belles plaines toutes couvertes d'érables, au fond de la seigneurie, vers la future paroisse de Saint-Jacques. [95] »

Au mois de mai 1767, une quarantaine de familles, formant quelques centaines d'Acadiens, arrivées à Québec, du Massachusetts et du Connecticut, par goélette, se dirigeront également vers l'Assomption. Nombreux étaient les déportés de 1755 en Nouvelle-Angleterre qui, pendant leur séjour en exil, faute de prêtre, avaient été mariés civilement, le plus souvent devant des témoins assignés à cette fin par les autorités du diocèse de Québec. Tous ces mariages, de même que les baptêmes des enfants, furent revalidés à l'Assomption, comme en font foi les registres de cette paroisse.

Les premières familles acadiennes installées dans la région immédiate de l'*Assomption,* de même qu'à *Saint-Sul-*

---

94. *Une nouvelle Acadie, Saint-Jacques-de-l'Achigan,* 1772-1947, par Guy Courteau, s. j. et François Lanoue, ptre.
95. Ibid.

pice et à *Repentigny* étaient celles de Jean-Baptiste Blanchard, de Port-Royal, fils d'Antoine et d'Élizabeth Thériault, marié à Marguerite Girouard; Paul Blanchard, de Petitcoudiac, fils de René et de Marie Savoie, marié à Marie-Josephe Martin; Charles Boudreau, de Pisiguit, fils de Paul et de Marie Joseph Doiron, marié à Marie Josephe Doucet; Joseph Bourg (Bourque), de Port-Royal, fils d'Abraham et de Marie Brun, marié à Louise Robichaud; Joseph Brault, de la rivière aux Canards, à Grand-Pré, fils de Pierre et d'Anne LeBlanc, marié à Élizabeth Thibodeau; son frère, Pierre Brault, de la rivière aux Canards, marié à Marie-Josephe Dupuis; François Cormier, de Beaubassin, fils de Germain et de Marie LeBlanc, marié à Madeleine Doucet; Charles Doucet, de Port-Royal, fils de Claude et de Marie Comeau, marié à Madeleine Préjean; François Dupuis, de Grand-Pré, fils de Germain et de Marie Granger, marié à Marguerite Préjean; Louis Thaddée Fontaine, de Port-Royal, fils de Louis et de Marie Madeleine Roy, marié à Marie Thérèse Robichaud; Jean-Baptiste Forest, de Port-Royal, fils de François et de Jeanne Girouard, marié à Marie Hébert; son frère, Simon Forest, de Port-Royal, marié à Rosalie Richard; Joseph Forest, de Beaubassin, fils de Jean-Baptiste et d'Élizabeth Labarre, marié à Anne Girouard; son frère, Jacques, de Beaubassin, marié à Marguerite Girouard; François Forest, de Port-Royal, fils de René et de Françoise Dugas, marié à Jeanne Girouard; Pierre Girouard, de Port-Royal, fils de François et d'Anne Bourgeois, marié à Marie-Josephe Forest; son frère, Joseph Girouard, de Port-Royal, marié à Françoise Blanchard; Marin Granger, de Port-Royal, fils de Joseph et de Marie Josephe Robichaud, marié à Marguerite Lanoue; Jean Landry, de la rivière aux Canards, à Grand-Pré, fils de François et de Marie-Josephe Doucet marié à Marguerite Daigle; son frère, Germain Landry, de la rivière aux Canards, marié à Marguerite Benoît; Antoine Landry, de Beaubassin, fils de Jean et de Madeleine Melanson, Marié à Anne Cormier; Basile LeBlanc, de Port-Royal, fils de Joseph et de Marguerite Bourgeois, marié à Anne Richard; Jean-Baptiste Lord, de Port-Royal, fils de Pierre et de Jeanne Doucet, marié à Madeleine Dugas; son frère, Louis Lord, de Port-Royal, marié à Luce Fontaine; Jean-Baptiste

Richard, de Port-Royal, fils d'Alexandre et d'Élizabeth Petit-pas, marié à Marguerite Robichaud ; Jean-Baptiste Richard, de Port-Royal, fils de Michel et d'Agnès Bourgeois, marié à Marie Josephe Hébert ; Amand Thibodeau, de Pisiguit, fils de Philippe et d'Isabelle Vincent, marié à Agnès Pellerin ; Jean-Baptiste Thibodeau, dit La Croix, de Pisiguit, fils de Jean-Baptiste et de Marguerite Boudreau, marié à Isabelle Landry ; Jean-Baptiste Thibodeau de Chipoudy, fils d'Olivier et de Madeleine Melanson, marié à Marguerite Dugas.

Parmi les premières familles acadiennes qui se sont établies à *Saint-Jacques-de-l'Achigan,* mentionnons celles de Paul Arsenault, de Beaubassin, fils d'Abraham et de Jeanne Gaudet, marié à Marguerite Hébert ; François Amirault (Mirault), du Cap-de-Sable, fils de Joseph et de Marguerite Lord, marié à Cécile Bourg ; Charles Béliveau, de Port-Royal, fils de Charles et de Marguerite Granger, marié à Osite Dugas ; Claude Bourgeois, de Port-Royal, fils de Germain et de Madeleine Dugas, marié à Marie LeBlanc ; son fils, Amand Bourgeois, marié à Marguerite Dugas ; son frère, Amable Bourgeois, marié à Louise Richard ; son frère, Germain Bourgeois, marié à Ludivine Élizabeth Béliveau ; Guillaume Bourgeois, de Port-Royal, fils de Guillaume et de Catherine Thibodeau, marié à Anne Hébert ; Joseph-Grégoire Bourgeois, de Port-Royal, fils de Grégoire et de Catherine Comeau, marié à Marie Séraphine LeBlanc ; Joseph Timothée Bourgeois, de Port-Royal, fils de Joseph et d'Anne LeBlanc, marié à Élizabeth Ouimet ; Paul Brault, de la rivière aux Canards, à Grand-Pré, fils de Pierre et d'Anne LeBlanc, marié à Marie-Josephe Landry ; Jean Daigle, de Pisiguit, fils de Jean et de Marie-Anne Brault, marié à Marie-Josephe Thériault ; Alexandre Dugas, de Port-Royal, fils de Joseph et de Marguerite Robichaud, marié à Marie-Josephe Brossard ; Claude Dugas, de Port-Royal, fils d'Abraham et de Marie-Madeleine Landry, marié à Marie Melanson ; Jean-Baptiste Dupuis, de Grand-Pré, fils de Jean et de Marguerite Richard, marié à Marie-Josephe Granger ; son frère, Amand Dupuis, de Grand-Pré, marié à Marie-Blanche Landry ; Ambroise Dupuis, de Grand-Pré, fils de Germain et de Marie Granger, marié à Anne Aucoin ; son frère Germain Dupuis, de Grand-Pré, marié à Angélique LeBlanc ; Charles

Forest, de Port-Royal, fils de François et de Jeanne Girouard, marié à Marie Josephe Robichaud; Jean Guédry, de Port-Royal, fils de Pierre et de Marguerite Brasseau, marié à Marguerite Picot; Thomas Jeanson, de Port-Royal, fils de Guillaume et de Marie Girouard; Pierre Lanoue, de Port-Royal, fils de Pierre et de Marie Granger, marié à Anne Béliveau; son fils, Pierre, de Port-Royal, marié à Marie Josephe Dugas; Jean-Baptiste Lanoue, de Port-Royal, fils de Pierre et d'Anne Béliveau, marié à Théotiste Bourgeois; François LeBlanc, de Grand-Pré, fils de François et de Marguerite Boudreau, marié à Isabelle Dugas; Simon LeBlanc, de Grand-Pré, fils d'Antoine et d'Anne Landry, marié à Marguerite Thériault; René Martin, de Port-Royal, fils de René et de Marie Meunier, marié à Marguerite Michel; son frère, Pierre Martin, de Port-Royal, marié à Marie-Anne Granger; Pierre Martin, de Port-Royal, fils de Pierre et de Marie-Anne Granger, marié à Marie Forest; son frère Joseph Martin, de Port-Royal, marié à Marie-Louise Girouard; Charles Melanson, de Port-Royal, fils de Charles et d'Anne Bourg, marié à Anne Granger; Pierre Mirault (Amirault), du Cap-de-Sable, fils de Joseph Amirault et de Marguerite Lord, marié à Anne Robichaud; son frère, Louis Mirault (Amirault), du Cap-de-Sable, marié à Marie Richard; son frère Joseph Mirault (Amirault), du Cap-de-Sable, marié à Félicité Forest; Pierre Mirault (Amirault), du Cap-de-Sable, fils de François et de Madeleine Lord, marié à Marie-Eustache Hébert; Jean-Baptiste Pellerin, de Port-Royal, fils de Jean-Baptiste et de Marie Martin, marié à Marie Josephe Bourg; Jean Petitot, dit Sincennes, de Port-Royal, fils de Denis et de Marie-Josephe Granger, marié à Geneviève Caron; Dominique Robichaud, de Port-Royal, fils de Prudent et de Françoise Bourgeois, marié à Marguerite Forest; Antoine Thibodeau, de Port-Royal, fils d'Antoine et de Marie Préjean, marié à Marie-Josephe Landry; Jean Thibodeau, dit La Croix, de Pisiguit, fils de Jean-Baptiste et de Marguerite Boudreau, marié à Anne Pellerin.

C'est au mois de juin 1767 que les Acadiens ont entrepris les premiers défrichements à Saint-Jacques-de-l'Achigan, dans la région des ruisseaux Vacher et Saint-Georges. Cinq ans plus tard, soit en juin 1772, l'abbé Degeay y célébra la

première messe, dans la maison de Charles Forest, construite en 1771 sur les bords du ruisseau Vacher, et démolie
en 1946[96].

Le 31 décembre 1767, dans une lettre exprimant ses
vœux à son évêque, l'abbé Degeay écrit[97]: «J'ai reçu avec
beaucoup de joie et plaisir toutes les familles acadiennes que
vous m'avez adressées. La majeure partie fut cabanée tout
autour du Portage (L'Assomption), en attendant qu'elles
puissent aller s'établir sur les terres qui leur ont été concédées; je voudrais, pour le bien de leurs âmes, qu'elles y
fussent déjà et je suis dans la disposition de tout sacrifier
pour les y suivre. J'en ai aux environs de cinquante familles
dont je suis fort content. Je n'ai rien négligé jusqu'à présent
pour leur procurer les faveurs spirituelles qu'elles pourraient
attendre de moi; j'ai fait faire ces jours derniers, la première
communion à vingt-cinq; rien n'a été plus édifiant ni plus
touchant. Je m'attache tellement à eux que je commence à
me détacher de ma paroisse, vu l'ingratitude dont ils (ses
anciens paroissiens) me paient tous les jours. Il est vrai que
je ne dois pas attendre de récompense en ce monde... Pour
ce qui est du temporel, conjointement avec M. Brassier,
nous leur procurons toutes les faveurs qu'il nous est possible, mais avec tout cela, quelques vieillards, quelques familles très nombreuses et très pauvres... auraient encore besoin d'un secours étranger... C'est ce que je compte faire
lorsque M. le général (Carleton) sera à Montréal, avec un
peu d'aide de votre part». De fait, en 1768, M. Degeay
interviendra auprès du gouverneur Carleton en faveur des
Acadiens de sa région.

À partir de 1773, des lots de trois arpents de front sur
trente de profondeur furent concédés aux colons acadiens de
Saint-Jacques. Plusieurs de ces lots étaient déjà occupés depuis 1767. Dès le début, les terres furent défrichées d'un
bout à l'autre, dans cette partie de la seigneurie qui fut as-

---

96. Cette maison avait été érigée à l'endroit précis où se trouve de nos
    jours la croix du chemin ainsi qu'une souche d'arbre, coulée dans le
    béton et bénite en 1920.
97. Lettre de M. Degeay à l'évêque de Québec, *Archives de l'Arche-
    vêché de Montréal.*

signée aux Acadiens « aussi bien dans le Haut-du-Ruisseau que dans Sainte-Marie-Salomée (le bas du ruisseau), à l'exception cependant du rang des Continuations et de celui de Saint-Liguori, qui ne seront concédés qu'à partir de 1795. [98] »

En 1773, Mgr Jean-Olivier Briand accordait aux Acadiens de Saint-Jacques-de-l'Achigan un missionnaire en la personne de l'abbé Jean-Baptiste Bro (Brault), fils de Séraphin Breaux de la paroisse de Saint-Joseph-de-la-Rivière-aux-Canards, à Grand-Pré, en Acadie. Né le 20 avril 1743, déporté en Virginie avec ses parents en 1755, l'abbé Jean-Baptiste Bro étudia chez les Jésuites et chez les Spiritains de Paris. Ordonné prêtre par Mgr d'Esglis, le 15 novembre 1772, en la chapelle du Séminaire diocésain, à Québec, il passa un an au Séminaire de Québec puis, en 1773, Mgr Briand l'envoya à Saint-Pierre-du-Portage (l'Assomption) comme assistant de M. Degeay. Il desservait en outre le poste éloigné de Longue-Pointe et les deux missions de Saint-Roch et de Saint-Jacques-de-l'Achigan, aussi connu des Acadiens sous le nom de *Saint-Jacques, de la Nouvelle Acadie*. Quelques mois après la mort de M. l'abbé Degeay, en 1774, l'abbé Bro devenait d'office curé de Saint-Jacques, ministère qu'il exerça pendant quarante ans, soit jusqu'en 1814. Il décéda à Saint-Jacques, en 1824 à plus de quatre-vingts ans.

Un presbytère-chapelle avait été érigé à Saint-Jacques en 1776, sur l'emplacement du presbytère actuel. Puis, en 1801, Mgr Denaut autorisa la construction d'une église sur le site du temple actuel. La paroisse avait été dédiée à Saint-Jacques-le-Majeur par Mgr Briand, vers 1773, sans doute sur la recommandation de M. de Montgolfier, supérieur des Sulpiciens.

Au cours des années, les descendants des pionniers acadiens de Saint-Jacques-de-l'Achigan rayonneront dans la plupart des paroisses des comtés actuels de Joliette, de l'Assomption et de Montcalm. Ils deviendront en outre les ancêtres de milliers de familles de la ville et de la région de Montréal qui portent des noms authentiquement acadiens.

---

98. *Une nouvelle-Acadie, Saint-Jacques-de-l'Achigan, 1772-1947,* par Guy Courteau S. J., et François Lanoue, ptre.

En Gaspésie

Située dans l'est du Québec, la Gaspésie, vaste péninsule qui s'avance dans le golfe du Saint-Laurent, a reçu un apport considérable de réfugiés acadiens. À partir de 1760 surtout, plusieurs se sont établis sur la rive québécoise de la baie des Chaleurs, en Gaspésie, particulièrement à Bonaventure, Tracadièche (Carleton) et Cascapédia (New-Richmond).

Des centaines d'années avant l'arrivée de Jacques Cartier dans la baie de Gaspé, le 24 juillet 1534, des pêcheurs venus, soit du Groënland, soit de l'Islande ou des pays de l'Europe continentale, visitaient régulièrement Terreneuve et le littoral du golfe du Saint-Laurent.

« Le vingt-quatrième jour de juillet, écrit Cartier, nous fîmes une croix, haute de trente pieds, sur la pointe de l'entrée de ce port (Gaspé), au milieu de laquelle nous mîmes un écusson avec trois fleurs de lys, et dessus était en grosses lettres entaillées en du bois: *Vive le Roy de France*. Et après la plantâmes en leur présence (des Indiens), sur ladite pointe; et l'ayant levée en haut, nous agenouillâmes tous, ayant les mains jointes... de laquelle chose ils s'émerveillèrent beaucoup... »

Par la suite, et jusqu'à la fondation de Québec en 1608, « ce lieu ne cessa d'être fréquenté par les pêcheurs français qui y faisaient d'abondantes pêches et y trouvaient un endroit commode pour faire sécher le poisson. Quand Québec fut fondé, ils alimentèrent ce poste en provisions, et Champlain se servait également d'eux pour faire parvenir son courrier en Europe. [99] »

En 1672, Talon, alors intendant de la Nouvelle-France, accorda à Pierre Denys, neveu de Nicolas Denys (l'ancien seigneur des côtes du golfe du Saint-Laurent) un domaine de « trois lieues de front », à Percé pour y faire *«la pesche de molues, marsouins, loups marins et de toute autre espèce de poisson que la mer et les rivières produisent»*.

---

99. *La Gaspésie,* Alfred Pelland, Québec, 1914.

En 1673, les pères récollets s'établiront à *l'isle Percé* [100] et le père Christian Leclercq, le premier historien de la Gaspésie, s'étonnera des multiples connaissances que les Indiens de ce territoire possédaient sur la religion chrétienne et la navigation.

En 1685, Percé semble faire partie du domaine de Richard Denys, sieur de Fronsac, fils de Nicolas Denys, puisque les habitants de ce poste de pêche lui « adressent une supplique comme à leur seigneur et maître » ; le sieur de Fronsac, faisant droit à leur requête, les établit dans la libre possession de leurs terres.

Le recensement de 1686, effectué sur les instructions de l'intendant de Meulles, signale la présence à Percé de « Boissel, sa femme et 8 enfants ; Lamothe, sa femme et 4 enfants ; Lespine, sa femme et 4 enfants ; Le Gascon et sa femme ». Le personnel résident était alors peu nombreux, « mais c'était bien autre chose durant la saison de pêche. Durant six mois, du printemps à l'automne, 400, 500 et même 600 pêcheurs s'assemblaient à Percé, ainsi qu'un grand nombre de sauvages ; ceux-ci pour la traite (des fourrures). Il y eut même un temps où il y avait un *fort* de sauvages à la Petite Rivière (non loin de Percé). Plusieurs vaisseaux, jusqu'à 8 ou 10, y prenaient tous les ans leurs chargements. [101] »

Les pêcheurs de France, basques, normands ou bretons, continuèrent sans cesse à fréquenter les côtes gaspésiennes jusqu'à l'époque de la dispersion des Acadiens. De fait, les plus anciens registres de la Gaspésie sont ceux de l'établissement de pêche de Pabos (Chandler) commençant le 21 novembre 1751 et se terminant le 23 janvier 1757.

Après la chute de Louisbourg, les Anglais établirent une patrouille, entre le Cap-Breton et Gaspé, tant pour attaquer et s'emparer des frégates françaises se dirigeant vers Québec que pour détruire les postes de pêche et capturer les Acadiens fugitifs.

---

100. Monographie de *L'Établissement des Récollets à l'Isle Percé*, par le père Hugolin.
101. Extrait d'un document de la collection Clairambault, où Pierre Denys détaille : *L'estat de la seigneurie de l'Isle de Percé et dépendances.*

Wolfe, le futur vainqueur de la bataille des Plaines d'Abraham, à Québec, a été l'un de ceux qui furent chargés, en 1758, de détruire les postes de pêche de la Gaspésie. Sept navires et quinze cents hommes formaient l'expédition. Quand celle-ci arriva à Gaspé, les quelques soixante habitants du lieu s'enfuirent dans les bois. Un détachement de soldats, lancé à leur poursuite, se rendit jusqu'à l'établissement de pêche de Mont-Louis qui fut saccagé.

Plusieurs pêcheurs français des côtes de Gaspé, à la suite de la destruction de leurs établissements, se réfugièrent alors dans le fond de la baie des Chaleurs, à l'embouchure de la rivière Ristigouche, où Jean-François Bourdon venait d'obtenir le commandement du poste fortifié de Petite Rochelle. Ils firent cause commune avec les Acadiens qui, venus de Miramichi et de l'île Saint-Jean, y étaient déjà arrivés.

À Bonaventure [102]

À l'époque de la dispersion, les Acadiens fugitifs s'installaient de préférence aux embouchures des rivières, pour mieux y dissimuler leurs barques de pêche et leurs canots d'écorce. Ces embarcations étaient indispensables aux réfugiés de la baie des Chaleurs puisque, pendant de longues années, le gibier de la forêt, les poissons d'eau douce et les produits de la mer furent leur principale source de subsistance. De plus, ils pouvaient, en un tour de main et au moindre signe de danger, sauter dans leurs canots et trans-

---

102. Ce nom rappelle le souvenir de Simon-Pierre Denys de Bonaventure (1654-1711), mieux connu sous les noms de Denys de Bonaventure et de Monsieur de Bonaventure. Fils de Simon Denys, sieur de la Trinité, il était le neveu de Nicolas Denys, légendaire figure de l'ancienne Acadie.

Simon-Pierre Denys de Bonaventure partagea la gloire de Pierre LeMoyne d'Iberville (1661-1706), dont il fut le principal compagnon de lutte contre les Anglais, à la baie d'Hudson, en 1690; sur les côtes d'Acadie, à Terreneuve et en Nouvelle-Angleterre, en 1696, alors qu'en cette même année, tous deux s'emparèrent du fort Pemaquid, sur les côtes du Maine.

L'année suivante, soit le 23 avril 1697, le comte de Frontenac, alors gouverneur du Canada, accorda au sieur de la Croix, la « sei-

porter leurs femmes et leurs enfants en sécurité, dans le haut de ces rivières, en des lieux habilement camouflés.

Lors de l'arrivée des premiers Acadiens à Bonaventure, les Anglais venaient de détruire le poste fortifié de Petite-Rochelle, situé à l'embouchure de la rivière Ristigouche, dans le fond de la baie des Chaleurs. Moins de deux ans auparavant, ils avaient incendié les vieux établissements de pêche de Gaspé, de Percé, de Pabos, de Mont-Louis et de Caraquet.

L'embouchure de la rivière Bonaventure offrait, à l'époque, comme d'ailleurs encore de nos jours, le seul havre naturel de la rive québécoise de la baie des Chaleurs, parfaitement protégé de tous les vents et dont l'eau profonde pouvait accommoder des voiliers de fort tonnage, lesquels, une fois ancrés dans le barachois, formé à l'intérieur, ne pouvaient être aperçus de la haute mer.

Parmi les premiers Acadiens établis à Bonaventure se trouvait Joseph Gauthier, fils de Joseph-Nicolas et de Marie Alain, de Port-Royal. Il était propriétaire d'une goélette avec laquelle il avait vraisemblablement transporté sa famille et ses parents de l'île du Prince-Édouard, où les Gauthier s'étaient réfugiés, à la baie des Chaleurs, avant l'invasion de cette île par les Anglais, en 1758.

La flotte française, forcée de se réfugier à Pointe-à-la Garde et à Ristigouche, au mois de mai 1760, transportait des vivres et des munitions destinés à Québec. Mais la ville

---

gneurie de la rivière Bonaventure avec deux lieues de front, savoir: une demi lieue d'un côté de la dite rivière, au sud-ouest, vers Kiscabériac (Cascapédia) et une lieue et demie de l'autre, au nord-est, tirant vers Paspébiac, sur quatre lieues de profondeur, avec isles, islets et battures qui se trouveront dans la dite étendue, le tout situé dans le fond de la baie des Chaleurs. (Voir: *Description topographique du Bas-Canada,* publié en 1815 par l'arpenteur Joseph Bouchette et *Dictionnaire topographique du Bas-Canada,* version anglaise, publié par le même auteur, en 1831). La Couronne reprit possession de cette seigneurie, en 1785, les censitaires originaux ne s'y étant jamais intéressé. Dans ses écrits, l'arpenteur Bouchette signale que l'embouchure de la rivière Bonaventure formait à l'époque *un excellent havre pour vaisseaux de n'importe quel tonnage.* Bonaventure porte donc officiellement son nom depuis 1697.

de Québec était déjà tombée aux mains des Anglais, en septembre 1759 et, malgré la victoire de Lévis sur Murray, à Sainte-Foy, en avril 1760, les Anglais n'en faisaient pas poins le blocus du golfe du Saint-Laurent.

S'attendant à une attaque ennemie, Jean-François Bourdon, commandant à Petite-Rochelle, avait sans aucun doute fait effectuer le déchargement des provisions et munitions apportées par la flotte française C'était la coutume, à l'époque, de placer de tels approvisionnements dans des caches sûres, aménagées en forêt.

Nous savons que les quelque huit cents Acadiens qui se trouvaient dans cette région, de 1758 à 1760, furent ravitaillés à même ces provisions, providentiellement arrivées de France. Sans doute ont-elles aussi servi à l'établissement des premiers Acadiens à Bonaventure, Carleton et autres postes de la baie des Chaleurs.

De plus, le transport à Bonaventure des femmes, des enfants, des vieillards et de tout ce qui était essentiel à la subsistance immédiate de ces premières familles acadiennes, pouvait difficilement être effectué autrement que par eau.

Par ailleurs, nous avons vu que, lors du combat de Ristigouche, les Anglais se sont emparés de trois goélettes françaises et de dix-neuf barques de pêche appartenant à des Acadiens. Or, si la goélette de Joseph Gauthier n'a pas alors été saisie par les Anglais, car nous savons positivement qu'il la possédait encore en 1772, c'est qu'elle devait être cachée en lieu sûr avec d'autres embarcations. Elle ne pouvait être mieux dissimulée qu'à l'intérieur du havre de Bonaventure.

En outre, on sait déjà que Joseph Gauthier était le beau-frère du commandant de Petite-Rochelle, Jean-François Bourdon. Prévoyant que les Anglais attaqueraient le poste dont il avait le commandement, il est tout à fait raisonnable de croire que le commandant Bourdon, par l'intermédiaire de Joseph Gauthier, le frère de sa femme, ait voulu mettre en sécurité son épouse Marguerite et ses jeunes enfants. C'était aussi une élémentaire stratégie que celle d'aménager un poste secondaire, sur la baie des Chaleurs, à une distance raisonnable de Petite-Rochelle, où Jean-François Bourdon pourrait se replier, dans le cas d'une défaite aux mains des Anglais. En de telles circonstances, nul endroit, sur la baie des Chaleurs, n'offrait plus de sécurité que Bonaventure, grâce à son havre parfaitement abrité, invisible du côté de la mer et à son importante rivière, en amont de laquelle des caches, inaccessibles aux Anglais, pouvaient être aménagées.

Le premier recensement de la Gaspésie, après la conquête, date de 1765. Il fut publié dans le rapport de l'archiviste du Québec pour l'année 1936-1937 et il ne fait mention que de deux postes : Bonaventure et Gaspé [103]. Or, en comparant ce premier recensement de la Gaspésie en 1765 à ceux qui furent tenus de nouveau à Bonaventure en 1774 et en 1777 [104] de même qu'aux premiers recensements tenus à Tracadièche (Carleton) [105] et à Paspébiac [106], en 1777, nous constatons que des réfugiés acadiens et français, dont les noms apparaissent au recensement de Bonaventure, en 1765, sont par la suite signalés au recensement de 1777 tenu à Tracadièche (Carleton), tels les Alain, Comeau, Dugas et LeBlanc (Joseph LeBlanc, père, Joseph LeBlanc, fils et Benjamin LeBlanc) ; au recensement tenu à Paspébiac, également en 1777 : les Brasseux (Lebrasseur), Chapados, Cronier, Denis, Duguay, Huard et Langlois ; ou même à Pabos (Chandler) ou Caraquet, tels qu'Alexis Landry, Olivier Légère et Louis Brideau qui comptent parmi les pionniers de Caraquet.

L'étude de ces divers recensements démontre, sans aucun doute, que plusieurs des premières familles établies à l'époque sur la rive nord de la baie des Chaleurs s'étaient donné rendez-vous à Bonaventure, où nous les retrouvons au recensement de 1765. Ce n'est que par la suite qu'un certain nombre d'entre-elles s'établiront à Tracadièche (Carleton), Paspébiac, et autres entroits de la région.

---

103. Extrait du *Rapport de l'Archiviste du Québec*, 1936-37 (vol. 17) pages 113 à 116, reproduit dans les *Registres de la Gaspésie*, par le Révérend Patrice Gallant.
104. *Haldimand Papers* B 202, pages 1 à 7.
105. *Ibid* B 202. page 17 A.
106. *Ibid* B 202, page 16.

D'ailleurs l'attestation de Louis Bourdages, notaire et député, datant de 1787, que nous citons plus loin, confirme le fait que des familles acadiennes, dont les noms apparaissent au recensement de Carleton en 1777, s'étaient en premier lieu installées sur des terres à Bonaventure, *en 1760 ou 1761.*

Le premier recensement, effectué en 1765, signale à Bonaventure la présence des personnes suivantes[107]: Benjamin Alain; Joseph Arsenault; Jean Arsenault; Ambroise Babin; Joseph Bernard; Joseph Boudreau, père; Joseph Bourque; Louis Brideau; Pierre Brasseux (Lebrasseur); François Brasseux; Mathieu Brasseux; Amand Bujold; Amand Bujold, fils; Charles Bujold; Paul Bujold; Placide Bujold; Joannis Chapados; Ambroise Commeau; Jean Cronier; Louis Denys; Charles Dugas; J.-M. Duguay; François Duguay; François Huard; Jacques Huard; Pierre Langlois; François Laroque; Charles Laroque; Georges Laroque; Joseph LeBlanc, père; Joseph LeBlanc; Benjamin LeBlanc; Olivier Léger; Pierre Poirier; Léon Roussy[108] et quatre étrangers: Will. Mitchel, représentant d'Alexander MacKenzie; Robert Quillin, représentant de Moore & Finlay; William Van Felson et Jos. Bootman.

Lors de ce recensement de 1765, il se trouvait à Bonaventure: 40 maisons; 32 hommes; 20 femmes; 39 enfants mâles, au-dessus de 15 ans; 58 enfants mâles, au-dessous de 15 ans; 9 filles; 6 domestiques femelles; 4 étrangers; 5 bœufs; 17 vaches; 17 *taurailles*; 1 mouton et 7 chevaux. Aucun Acadien ne possédait de chevaux. Moore & Finlay en possédaient 2; Georges Laroque, 2; Léon Roussy, Louis Denys et Joannis Chapados, pêcheurs français, possédaient chacun un cheval.

Les noms de quelques-uns des pionniers de Bonaventure n'apparaissent pas à ce premier recensement, soit que, navigateurs, ils se soient trouvés en mer ou que, pêcheurs,

---

107. Nous utilisons l'orthographe, actuellement en usage, des noms de famille, que nous avons également placés par ordre alphabétique.

108. Une note au recensement indique que Léon Roussy demeurait alors à Paspébiac; conséquemment, tous les autres devaient être résidents de Bonaventure.

ils aient été employés au poste de pêche, exploité à Caraquet[109], par Raymond Bourdages, qui était arrivé à Bonaventure dès 1762.

Les *quatre étrangers* signalés à ce recensement sont des commerçants ou des représentants de négociants installés au pays après le traité de Paris de 1763. Leurs principaux postes d'affaires étaient situés à Québec. Ils étaient installés à Bonaventure pour acheter le poisson, le bois de charpente et les mâts de vaisseaux que leur fournissaient les pionniers de cette localité[110].

Le poisson et le bois de charpente étaient surtout expédiés aux Antilles anglaises alors que les mâts étaient ordinairement dirigés vers l'Angleterre. À une vingtaine de milles dans le haut de la rivière Bonaventure, il se trouvait alors une magnifique forêt de pins rouges, qui a servi à alimenter le marché des mâts et du bois de charpente pendant de longues années.

Un autre commerçant de poisson, dont le nom est devenu légendaire, en Gaspésie, Charles Robin, arrivera à Paspébiac, de l'île Jersey, en 1766[111]. C'est alors qu'il fondera une maison de commerce, connue de nos jours sous le nom de Robin Jones & Whitman, dont le principal établissement est encore situé à Paspébiac. Dans les nombreuses notes et écrits laissés par Charles Robin ainsi que dans la masse des dossiers accumulés par ses successeurs depuis bientôt deux siècles, se trouvent de précieuses informations touchant l'histoire des pionniers de la baie des Chaleurs, de Carleton, Bonaventure, Caraquet et Paspébiac en particulier. Ainsi, d'après une note laissée par Charles Robin, en date du 11 septembre 1767[112], il se trouvait ce jour là, à l'intérieur du havre de Bonaventure: « Un navire de 300 tonnes, arrivant de Londres, devant prendre un chargement de mâts; un autre vaisseau de 200 tonnes, venant du même endroit, de-

---

109. Caraquet est situé du côté sud de la baie des Chaleurs, au Nouveau-Brunswick.
110. *Charles Robin on the Gaspé Coast, 1766,* par Arthur G. LeGros, publié en une série d'articles parus dans la *Revue d'Histoire de la Gaspésie,* au cours de l'année 1964.
111. *Charles Robin on the Gaspé Coast, 1766,* par Arthur G. Le Gros.
112. *Ibid.*

vant également prendre un chargement de mâts; un brigantin de 80 tonnes, devant prendre un chargement de poisson
pour les ports d'Espagne et le détroit de Gibraltar; il se
trouve aussi un brigantin de 100 tonnes qui est arrivé ici
(Bonaventure) de Québec, avant les trois autres vaisseaux,
et qui doit prendre un chargement pour les Antilles. Ces
quatre vaisseaux sont consignés à Hugh Montgomery, juge
de paix, qui est l'associé d'Alexander MacKenzie, commerçant de Québec. Avant l'arrivée de ces quatre voiliers, il y
avait, dans ce port, un brigantin de 40 tonnes, qui est parti
pour les Antilles avec un chargement de poisson et un autre
vaisseau de 120 tonnes, qui s'est dirigé vers Gibraltar avec
600 quintaux de poisson. Ces deux derniers navires sont consignés à William Smith qui s'est établi en cette localité, l'an
dernier. Les voiliers qui sont déjà partis doivent faire un arrêt à Gaspé afin de compléter leur chargement. La plupart
des commerçants ont des entrepôts à Gaspé. Les mâts dont
il est question plus haut ont été coupés par les résidents
de la localité, il y a deux ans, pour le compte de Moore &
Findlay & Montgomery. Ils ont été payés à raison de *12 sols*
du pied linéaire y compris l'équarrissage sur huit faces. Les
habitants en ont coupé 900 et la plupart de ces mâts ont
70 pieds de longueur. Ils sont tous faits de pin rouge, qui
se trouve ici en grande quantité...»

On s'explique facilement la présence à Bonaventure, au
recensement de 1765, d'Acadiens qui s'établiront plus tard à
Tracadièche (Carleton) et de pêcheurs français qui, à partir
de 1766, suivront Charles Robin à Paspébiac. Dès les premières années de l'établissement des pionniers de la baie des
Chaleurs, Bonaventure fut le premier centre de pêche et de
commerce organisé dans la région, grâce à la sécurité que
son havre offrait aux voiliers de l'époque. On le constate par
le nombre de commerçants signalés à cet endroit au recensement de 1765 de même que par les expéditions considérables
de poisson, de bois de charpente et de mâts de vaisseaux
qui s'y faisaient déjà.

Il existe de multiples autres preuves, les unes circons-
tantielles, les autres formelles, de la présence des premiers
Acadiens à Bonaventure en 1760.

Ainsi, rappelons en premier lieu que c'est au mois de mai 1760 que les vaisseaux français, commandés par Dangeac et La Giraudais, assaillis par une flotte anglaise, supérieure en nombre, dans le golfe du Saint-Laurent, furent forcés de se diriger vers le fond de la baie des Chaleurs, à Ristigouche. Or, il est significatif que les noms de plusieurs membres des premières familles acadiennes, établies à Bonaventure, apparaissent dans les registres de Sainte-Anne-de-Ristigouche pour l'année 1759 et le début de l'année 1760 et que, par contre, aucun de ces noms ne puisse être signalé dans ces mêmes registres, après le 12 mai 1760. Pourtant le père Étienne, curé de Ristigouche à l'époque, demeura dans l'exercice de ses fonctions jusqu'au mois d'août 1760, alors que son compagnon, le père Ambroise, consigna des actes aux registres de Ristigouche jusqu'au 21 décembre 1761.

Mais il y a encore davantage. Le premier marchand et propriétaire de moulin à farine à Bonaventure, Raymond Bourdages, avait été maître-chirurgien des troupes du lieutenant Charles de Boishébert, en 1755, à la rivière Saint-Jean. Marié à ce dernier endroit[113] en 1756, par le père Germain, à Esther LeBlanc, fille du notaire René LeBlanc[114] de Grand-Pré, le chirurgien Bourdages fut rappelé à Québec, en cette même année. Il s'installa alors à Saint-Ambroise de l'Ancienne Lorette, près de Québec[115] où plusieurs enfants lui sont nés. Raymond Bourdages partit pour la France, à l'automne de 1760, vraisemblablement pour régler une succession. En 1762, sachant que des parents de sa femme, dont son beau-frère Benjamin LeBlanc, étaient à Bonaventure, il s'y rendit et décida d'y organiser un commerce de même qu'un poste de pêche, à Caraquet, de l'autre côté de la baie des Chaleurs. Son fils, Louis Bourdages, notaire et député, écrivant à Lord Dorchester le 17 décembre 1787, s'exprime ainsi : « En conséquence d'une proclamation, émanée de la Cour de Londres, permettant à tous les Acadiens et autres de s'établir dans la baie des Chaleurs, mon père, voulant profiter de la bonté de Sa Majesté, fut, en

---

113. *Bonaventure 1760-1960,* dont la partie historique est du même auteur.
114. L'un des héros du poème *Évangéline,* de Longfellow.
115. Maintenant connu sous le nom de Neufchatel.

mil sept cent soixante-deux, s'établir à Bonaventure, poste de la baie des Chaleurs. Il y fixa aussitôt un établissement pour sa famille. Il trouva beaucoup de misère parmi les habitants. Quoique le commerce qu'il entreprit parut encourager ces infortunés, il voyait toujours une certaine misère qui ne venait que du peu d'encouragement qu'ils avaient à cultiver des terres qui, avec un peu d'aide, pouvaient suffire à leur subsistance. Mon père s'offrit à leurs besoins. Alors, il vit avec satisfaction, plusieurs habitants travailler avec succès leurs terres.

« Cependant, tandis qu'il s'efforçait, par ses encouragements, à rendre ces misérables heureux, sa mauvaise fortune ne cessait de le poursuivre malicieusement dans son commerce. Mais rien ne put le détourner de son établissement ; il continua d'avancer aux habitants blé, animaux et autres choses nécessaires à la culture des terres.

« Après quelques années de travail, les habitants recueillant passablement de grains, représentèrent à mon père que s'ils n'avaient aucun moyen de convertir leur froment en farine, leurs travaux seraient inutiles. Enfin, ils pressèrent mon père d'entreprendre un moulin, sur une petite rivière (Cullen's Brook) qui se trouvait sur son établissement. Avant de faire un pas d'une telle conséquence, il eut l'honneur de s'adresser à Votre Excellence l'an mil sept cent soixante-quatorze, pour savoir s'il y avait quelque seigneur sur nos terres, et s'il pouvait faire sur son établissement des frais de conséquence, sans crainte de trouble. Votre Excellence eut la bonté de nous répondre que nous pourrions travailler sans craindre aucun dérangement, et que notre travail servirait de contrat. De plus, Vous voulûtes bien nous faire dire par Monseigneur Briand, évêque de Québec, que nous pourrions travailler nos terres avec sûreté, et que nous n'aurions pas d'autres seigneurs que le Roi.

« Avec de telles assurances, mon père poussa vivement son établissement et à la sollicitation des habitants, il fit faire deux moulins propres pour l'endroit. Cependant, mon père craignant toujours quelque dérangement, prit tous les soins possibles pour s'assurer s'il n'y avait quelque seigneur sur nos terres. Il s'est humblement adressé à tous les Gou-

260

verneurs de la Province. Tous lui ont répondu avec bonté que nous pouvions travailler nos terres sans crainte.

« La guerre des Américains, de funeste mémoire pour nous, peut prouver combien les habitants ont reçu de secours de mon père, pour leur établissement. Car sans les avances qu'il leur a faites, les uns auraient succombé à leurs misères et les autres, abandonné leurs terres.

« Sans cesse exposé au pillage des Américains et des Sauvages, aucuns marchands n'osaient risquer leurs biens dans la baie des Chaleurs, qui se trouvait dans une pitoyable situation, sans provisions et marchandises pour procurer quelque soulagement aux habitants abattus par leur misère.

« Mon père exposa le bien de sa famille. Je ne puis me rappeler, sans une douleur réelle, un père pillé, pris et enchaîné par l'ennemi. Comment vous représenterais-je une famille éplorée, obligée de se sauver dans les bois pour éviter la violence des Américains.

« Mais voilà que sans égard à la proclamation du Roi et aux assurances verbales que Votre Excellence nous a données, sans considérer les fortes avances que mon père a faites pour l'établissement de la baie des Chaleurs et qui nous restent encore dues, nous n'avons pu jusqu'à présent avoir aucune assurance de nos terres et de nos moulins qui sont les seuls secours qui restent à une pauvre veuve [116], chargée d'une nombreuse famille, qui dans ses malheurs n'a point d'autres espérances que dans la bonté que vous avez toujours manifestée aux malheureux.

« C'est en vertu de toutes ces raisons que j'ose supplier Votre Seigneurie d'accorder, au nom de la veuve Bourdages, les titres de trente arpents de terre de front sur soixante de profondeur, qui sont actuellement occupés par notre nombreuse famille. Je supplie aussi Votre Excellence de nous accorder le droit de banalité dans Bonaventure, pour nous indemniser des grands frais que feu mon père a fait pour bâtir nos moulins et pour l'établissement de la baie des Chaleurs. [117] »

116. Son père, Raymond Bourdages, était décédé en cette même année 1787.
117. Cette lettre, adressée par Louis Bourdages à Lord Dorchester, ainsi que le mémoire qui l'accompagnait, ont été publiés par l'abbé Patrice

En 1776, des corsaires américains étaient venus à Bonaventure, lors de la guerre de l'Indépendance américaine. Ils avaient fait Raymond Bourdages prisonnier et avaient incendié sa maison, ses magasins et un groupe de maisons appartenant à des Acadiens. Le 22 mars 1779, des Micmacs de Ristigouche, Pokemouche et Miramichi, pillaient ses établissements de Caraquet, emportant pour 12000 livres de marchandises, alléguant le fait de guerre. De plus, trois concessionnaires anglais, Holland, Collins et Finlay, avaient obtenu des territoires considérables sur la baie des Chaleurs, comprenant les terres occupées par plusieurs Acadiens, dont celles de Raymond Bourdages. Ce n'est cependant qu'en 1825 que cette question recevra une solution favorable aux héritiers de Raymond Bourdages et aux Acadiens intéressés.

Dans un mémoire, attaché à la lettre de Louis Bourdages à Lord Dorchester, en date du 17 décembre 1787, on lit en outre ce qui suit: «On m'objecte, écrit Louis Bourdages, que M. Holland a pris des terres dans un endroit où il n'y avait aucun habitant et que même dans Bonaventure il n'y avait que quelques petites cabanes sur un banc inculte. Voilà sur quoi M. Holland appuie ses raisons et ses prétentions. C'est pourquoi je vous supplie de considérer ce que je vais répondre à cela... *je dis que précisément dans cet endroit il y avait plusieurs habitants, même cinq ou six ans avant qu'il ait fait mesurer ses terres. C'est ce que je peux prouver par le témoignage des mêmes habitants qui y étaient établis en mil sept cent soixante ou soixante et un: Benjamin LeBlanc, (Ambroise) Comeau et quelques autres étaient précisément établis dans cet endroit (Bonaventure) avant que M. Holland ait fait mesurer pour lui (en 1766):* par là il paraît que M. Holland avait pris des terres que de pauvres habitants possédaient. *Mon père avait des terres en suite de ces habitants* et il est vrai qu'il n'y était point établi, parce que n'ayant point encore sa famille avec lui, il aimait mieux loger chez un habitant.»

Gallant, dans les *Mémoires de la Société généalogique canadienne-française,* en 1965 en appendice à la rubrique intitulée: *Les Registres de la Gaspésie.*

Nous avons tenu à publier cette lettre et des extraits du mémoire qui y était attaché parce que ces précieux documents nous révèlent un épisode peu connu de l'histoire de l'établissement des premiers Acadiens à la baie des Chaleurs.

Il existe aussi, aux archives, la copie d'une requête adressée le 5 avril 1789 à Lord Dorchester, par dix-huit chefs de famille de Bonaventure, touchant l'obtention des titres de leurs terres. À ce document est également attaché un mémoire énumérant «*le nombre d'arpents de front que chacun des signataires de la requête occupe depuis 1762, ainsi que le nombre d'arpents en culture et en défrichement*».

Du côté ouest de la rivière Bonaventure, comprenant le village actuel, les signataires de la requête de 1789 étaient: *Joseph Arsenault,* capitaine de milice; *Grégoire Arsenault* (fils de Joseph); *Jean Arsenault,* l'aîné (frère de Joseph); *Jean Bernard* et *Isaac Bernard* (fils de Joseph Bernard et de Marguerite Arsenault); *Joseph Bourque; Joseph Gauthier* et *Jean-Baptiste Lavache* (né en 1747, à Caraquet, fils d'Honoré et de Marie-Madeleine Daigle).

Du côté est de la rivière Bonaventure: *Ambroise Babin* et *Thomas Babin* (fils d'Ambroise); *Charles Bujold,* l'aîné; *Charles Bujold,* fils (fils de Paul Bujold); la veuve *Raymond Bourdages* (Esther LeBlanc); *Charles Poirier,* dit Commis et *Pierre Poirier* dit Parrot (fils de Pierre et de Marguerite Arsenault); *Pierre Poirier* dit Chiche (fils de Pierre Poirier et de Marguerite Bourg, de Beaubassin); *François Richard* et *Jean-Baptiste Richard.*

Pour que ces Acadiens aient pu, dès 1762, occuper des terres qu'ils défrichaient, il fallait que la distribution de ces lots ait été faite au plus tard en 1761, sinon dès 1760. D'ailleurs Louis Bourdages, dans son mémoire du 17 décembre 1787 à Lord Dorchester, affirme que *des habitants y étaient établis en mil sept cent soixante ou soixante et un,* tels que Benjamin LeBlanc et Ambroise Comeau, déménagés par la suite à Carleton.

Dans ce mémoire, Louis Bourdages révèle que les pionniers acadiens établis à Bonaventure, avaient deux logis, l'un en forêt et l'autre près du rivage de la mer: «On m'objecte, précise Louis Bourdages, qu'il n'y avait que quelques petites cabanes sur un banc inculte. À cela je dis que M. Collins (l'un des concessionnaires) en allant à la baie des Chaleurs n'a point appris l'usage des Acadiens qui était d'avoir de bonnes et chaudes maisons, près du bois, sur leurs terres, où ils passaient l'hiver, à leurs travaux, le printemps et l'automne à cultiver leurs terres ; et dans l'été, ils s'assemblaient dans de petites maisons, sur un banc, très proches de leurs pêches ».

Le deuxième recensement effectué à Bonaventure date de 1774. À l'aide de divers documents, dont les registres paroissiaux de l'Acadie et ceux de la paroisse de Bonaventure, il nous a été possible d'identifier positivement les chefs de famille et d'y ajouter les noms de leurs épouses, comme suit : *Joseph Arsenault,* dit Cointine, capitaine de milice, né à Beaubassin, en 1733, fils de Charles et de Françoise Mirande, marié à Marguerite Bujold ; *Jean Arsenault,* son frère, né en 1735, marié à Élizabeth Bujold ; *Ambroise Babin,* né à Grand-Pré en 1731, fils de Pierre et de Madeleine Bourg ; *Joseph Bourque,* né à Beaubassin, en 1733, fils de François et de Marguerite LeBlanc, marié à Catherine Comeau ; *Paul Bujold,* né vers 1726, à Pisiguit, fils de Joseph et de Marie-Josephe Landry, marié à Marie Poirier ; *Charles Bujold,* frère de Paul, né en 1731, marié à Marguerite Cormier ; *Placide Bujold,* frère de Charles et de Paul, marié à Marie-Josephe Bernard ; *Amand Bujold,* né en 1731, veuf ayant un garçon et deux filles en bas âge, fils de Louis-Amand et de Claire **Doucet de Grand-Pré ;** *Gilles Cayouette,* né vers 1726, fils d'Henri et de Marie Emery (Henry) de Saint-Louis de Brest, en France, marié à Québec, en 1750, à Marie-Anne Méthot ; *Charles Cyr,* marié à Geneviève Langlois ; *Madame d'Egoufle (* Louise Beaudeau*), native de l'endroit ; Aubin d'Egoufle, natif de l'endroit,* marié à Madeleine-Barbe Dupuis ; *Jean-Marie Duguay, natif de l'endroit,* marié à Marie-Anne Olivier ; *François Duguay, natif de l'endroit,* marié à Madeleine Chapados ; *Louis Gagnier* (le nom de l'épouse est illisible) ; *Joseph Gauthier,* fils de Joseph-Nicolas et de Marie Alain, de Port-Royal, marié à Théotiste Landry ; *Veuve François Huard,* née Geneviève Duguay ; *Charles Poirier,* dit Commis, né à Beaubassin, en 1741, fils de Pierre et de Marguerite Arsenault, marié à Claire Bujold ;

son frère, *Pierre Poirier,* dit Parrot, né à Beaubassin, en 1743, marié à Anne Gaudet; *Pierre Poirier,* dit Chiche, né à Beaubassin en 1744, fils de Pierre et de Marguerite Bourg; *François Richard,* marié à Marie Daigle; *Jean-Baptiste Richard,* marié à Rosalie Gaudet; *W. Smith,* anglais; *W. Van Felson,* hollandais; *Welch,* irlandais.

Le total de ce recensement de 1774 est donné comme suit: 26 familles, 48 adultes, 31 garçons, 51 filles, 28 étrangers, (soit 130 hommes, femmes et enfants, sans compter les 28 étrangers), 71 bestiaux, 7 moutons.

Le troisième recensement effectué à Bonaventure, en date du 18 août 1777, signale les personnes suivantes: Joseph Arsenault, marié à Marguerite Bujold; Jean Arsenault, marié à Élizabeth Bujold; Ambroise Babin, marié à Anne Cyr; Joseph Bernard, marié à Marguerite Arsenault; Louis Bernard, marié à Louise LeGouffe; Joseph Bourque, marié à Catherine Comeau; Veuve Marie-Josephe Landry (la mère de Paul, Charles et Placide Bujold); Paul Bujold, marié à Marie Poirier; Charles Bujold, marié à Marguerite Cormier; Placide Bujold, marié à Marie-Josephe Bernard; Alexis Cormier, marié à Élizabeth Gauthier; Pierre Cotter; François Duguay, marié à Madeleine Chapados; Joseph Gauthier, marié à Théotiste Landry; Simon Henry, marié à Marguerite-Josephe Brault; Michel Lepage, marié à Rose Arsenault; Charles Poirier, marié à Claire Bujold; Pierre Poirier, dit Parrot, marié à Anne Gaudet; Pierre Poirier, marié à Marguerite Bourg; François Richard, marié à Marie Daigle; Jean-Baptiste Richard, marié à Rosalie Gaudet; Pierre Robichaud, marié à Anne Michel, Isidore Robichaud, marié à Marguerite Boudreau; Jean-Baptiste Robichaud, marié à Félicité Cyr; Michel Robichaud, marié à Françoise Landry; Charles Robichaud; Joseph Robichaud; Pierre Thériault, marié à Jeanne LeBlond.

D'après ce recensement de 1777, il y avait à Bonaventure: 24 familles, dont 52 adultes, 46 garçons, 50 filles, soit un total de 138 personnes. Animaux: 2 chevaux, 20 bœufs, 40 vaches, 12 veaux, 40 moutons. Vaisseaux: 2 goélettes (sans doute celles de Joseph Gauthier et de Raymond Bourdages), 16 chaloupes, 12 petites embarcations.

Comparativement au recensement précédent, celui de 1774, de nouveaux noms apparaissent, d'anciens noms sont disparus. Les nouveaux noms sont ceux d'*Alexis Cormier,* marié à Élizabeth Gauthier, qui s'établira définitivement à Caraquet; *Joseph Bernard,* né à Beaubassin vers 1723, marié vers 1749, à Marguerite Arsenault, fille de Charles et de Françoise Mirande et veuve de Pierre Poirier (Joseph Bernard apparaissait au recensement de 1765, à Bonaventure); *Louis Bernard,* son fils né vers 1754, marié à Louise Le-Gouffe; *Simon Henry* (probablement venu de Bretagne, avec le groupe de réfugiés acadiens arrivés à Bonaventure en 1774), fils de Jean Henry dit le Vieux, de Cobequid; *Michel Lepage,* né vers 1746, fils de Blaise et de Suzanne Barbeau, marié à Rosalie Arsenault; *Pierre Robichaud, Isidore Robichaud, Jean-Baptiste Robichaud et Michel Robichaud,* tous fils de Joseph Robichaud et de Marie-Claire LeBlanc, de Grand-Pré, arrivés de France, avec leurs familles en 1774, de même que *Charles Robichaud, Joseph Robichaud* et *Pierre Thériault.*

Quant à ceux dont les noms sont disparus du recensement de 1777, comparativement à celui de 1774, mentionnons Amand Bujold et Charles Cyr, vraisemblablement décédés ou partis de Bonaventure; Gilles Cayouette, qui devait être à Bonaventure puisqu'il y est décédé en 1803; Madame d'Esgoufle; Aubin d'Esgoufle; Jean-Marie-Duguay; Louis Gagnier et la veuve François Huard.

Parmi les autres familles qui s'établiront plus tard à Bonaventure mentionnons: *Charlemagne Arbour,* né vers 1756, marié vers 1788, à Angélique Babin, fille d'Ambroise et d'Anne Cyr et en secondes noces, en 1799, à Marie-Claire Poirier, fille de Charles, dit Commis, et de Marie-Claire Bujold; *Jean Boudreau,* né en 1715 à Beaubassin, fils de Michel et d'Anne Landry, marié à Beaubassin en 1746, à Françoise Arsenault, fille d'Abraham et de Jeanne Gaudet; arrivé à Bonaventure vers 1768, il passa une partie de sa vie à Cascapédia (New-Richmond); *Jacques Brière,* né en 1781 à Cap-Santé, près de Québec, fils de Joseph de la Bruère et de Marie-Josephe Morissette, marié en 1826, à Julie Lava, fille de Jean-Baptiste et de Madeleine Doiron, de Bonaventure; *Charles Cavanagh* (Cavenaugh), né vers 1766, fils de Maurice et d'Élizabeth willcox, marié en 1784, à Marguerite Arsenault, fille de Joseph et de Marguerite Bujold et en secondes noces, en 1790, à Louise Loubert, fille de Pierre et d'Euphrosine Landry, de Maria; il était juge de paix à Bonaventure; *Peter Cullen,* né vers 1802 à Liverpool, Angleterre, marié en 1830, à Marie Poirier, fille de Charles et d'Angélique Arbour; *Joseph Dion,* instituteur, né vers 1820, fils de Joseph et de Marie-Louise Mercier, de Saint-Michel de Bellechasse, marié en 1848, à Rose Caissy, fille de Pierre et de Scholastique Lévesque, de Bonaventure; *Isaac Ferlatte,* né à Caraquet, Nouveau-Brunswick, en 1783, fils de Jean et de Catherine Savoie, marié vers 1805, à Julienne Comeau, et son frère, Jean-Baptiste, né vers 1784 et marié vers 1810, à Julienne Poirier; *Charles Forest,* né à Arichat, au Cap-Breton, en 1794, fils de Maximien et de Scholastique LeBlanc, marié en 1820, à Bonaventure, à Marie-Anne Poirier, fille de Pierre et d'Euphrosine Babin; *Joseph Désilets dit Fournier,* né vers 1759, tonnelier, marié vers 1793, à Hélène Cormier; *André Glazer,* né en 1748, marié en 1790, à Marie Bourré; *Jean-Baptiste Lavache,* né en 1747, fils d'Honoré et Marie-Madeleine Daigle, de Caraquet, Nouveau-Brunswick, marié en 1793, à Madeleine Doiron, fille de Zacharie et d'Anne Vicaire, de Bonaventure; *François Paquet,* né en 1789, fils de Michel et de Marie Nadeau, de la Pointe Lévis, près de Québec, marié en 1817, à Olive-Sophie Bernard, fille d'Isaac et de Victoire Robichaud; ses frères, *Louis Paquet* et *Pierre Paquet*; Il y aura ensuite les familles: Alain, Appleby, Bigaouette, Cousin, Couture, Daigle, Doucet, Gallagher, Garant, Hughes, Joncas, LeBlanc, Mauger, Pitre, Richard, Roy, Savoie, etc.

En 1774, une quinzaine de familles acadiennes, comprenant 81 personnes, arrivaient à Bonaventure, de Saint-Malo, en France, sur deux voiliers dont l'un appartenait à Charles Robin, propriétaire d'un poste de pêche à Paspébiac.

La plupart de ces Acadiens avaient d'abord été déportés en Virginie, en 1755, puis gardés prisonniers en Angleterre et, enfin, transportés en Bretagne, en 1763. Un extrait du procès-verbal d'une séance du Conseil, tenue au Château

Saint-Louis, à Québec, le 13 mai 1774[118], nous instruit de l'arrivée de ce groupe d'Acadiens à Bonaventure. Un certain nombre d'entre eux s'installeront à Bonaventure, d'autres iront à Carleton, ou à divers autres endroits de la baie des Chaleurs.

Vers 1790, plusieurs d'entre eux, dont les Robichaud, allèrent s'établir au Nouveau-Brunswick, où ils pouvaient obtenir les titres de leurs terres plus facilement que dans la baie des Chaleurs. Les uns allèrent fonder Aldouane, aujourd'hui Saint-Louis de Kent, les autres s'installèrent à Shippagan et à Pokemouche, au Nouveau-Brunswick. Parmi ceux qui se dirigèrent vers Saint-Louis de Kent, signalons Joseph-Servan Robichaud, né vers 1765, à Saint-Servan de Saint-Malo, en France, fils de Pierre Robichaud et d'Anne Michel, arrivé à Bonaventure de Saint-Malo en 1774. Il est l'ancêtre de M\ :sup:`gr` Norbert Robichaud, qui fut archevêque de Moncton, au Nouveau-Brunswick.

Pendant plusieurs années, les Acadiens de Bonaventure n'eurent pas de prêtre au milieu d'eux. Les dimanches et fêtes, comme d'ailleurs dans la plupart des autres établissements acadiens, à l'époque, ils avaient recours aux touchants exercices de la *messe blanche,* ordinairement présidés par un respectable vieillard qui, en outre, baptisait et dirigeait les cérémonies des funérailles. Il était aussi parfois autorisé à recevoir les consentements de mariage et à accorder des dispenses.

Le père Bonaventure, capucin, (né Étienne Carpentier) avait accompagné les Acadiens dans la région de Bonaventure dès 1760. Il fut nommé missionnaire résident de l'endroit en 1764 et il y demeura jusqu'en 1769. Pourtant, le 28 novembre 1766, le père Bonaventure écrivait à M\ :sup:`gr` L'évêque de Québec dans les termes suivants: «Je vous écris par un sauvage nommé François Condo, pour vous informer de la situation des missions qu'on m'a confiées tant des Français (Acadiens) que des sauvages. Tous ont montré leur zèle pour soutenir la religion et le prouvent encore tous les jours, malgré tous les obstacles qu'ils ont eus à vaincre et j'espère

---

118. Archives d'Ottawa, *Lower Canada*, série Q. Vol. 10.

qu'eux, leurs enfants et tous leurs descendants seront fidèles à en observer tous les préceptes.

« Je commence à être sur l'âge, très infirme et presque incapable de les desservir comme il conviendrait. J'ai bien encore des raquettes, mais je n'ai plus de jambes pour aller secourir les malades à sept ou huit lieues. [119] »

Le père Jean-Baptiste de la Brosse, missionnaire jésuite du golfe du Saint-Laurent, visita les Acadiens de la baie des Chaleurs, en 1771 et en 1772 puis l'abbé Mathurin Bourg, dont nous parlerons plus loin, exerça son ministère au milieu d'eux, de 1773 à 1794.

C'est sur la goélette de Joseph Gauthier, de Bonaventure, que le père de la Brosse s'était rendu de Québec à Bonaventure. Ce qui indique que cette goélette a vraisemblablement été le premier moyen de transport régulier entre la baie des Chaleurs et le monde extérieur. Le père de la Brosse a confié un rapport de ses missions à Raymond Bourdages, pour être transmis à Mgr Briand, alors évêque de Québec.

Il existait une première chapelle sur le banc de Bonaventure (voir plan de 1765 en appendice) portant, depuis 1955, le nom officiel de Pointe Beaubassin [120], en souvenir des premiers habitants de Bonaventure, dont la plupart étaient originaires de Beaubassin, en Acadie.

Subséquemment agrandie et dotée d'une sacristie, cette première chapelle portait le nom d'église lorsqu'elle fut détruite par un incendie, en 1791, ainsi que le relate l'abbé Joseph Mathurin Bourg, dans une lettre à son évêque. Une deuxième église fut construite et inaugurée en 1796. Elle était située à l'est du presbytère actuel. C'est de cette église qu'il est question dans une note laissée dans les registres paroissiaux de Bonaventure en 1840, sans doute par l'abbé Jean-Louis Alain, alors curé, indiquant que la première église avait été construite sur le banc de Bonaventure « à

---

119. Le père Bonaventure exerça ensuite son ministère à Sainte-Marie de Beauce et à Trois-Rivières, au Québec. Il fut ensuite nommé curé de Saint-Nicolas, près de Lévis, où il fut inhumé le 6 janvier 1778.

120. À la suite de l'intervention du député fédéral de Bonaventure, à l'époque, l'auteur du présent ouvrage.

environ dix ou douze arpents au sud-est de l'église actuelle». Enfin, une troisième église, érigée sur le site actuel, face à la mer, sera inaugurée et bénie en 1860.

Mgr Jean-Olivier Briand, premier évêque de Québec après la conquête, fut toujours animé de la plus vive sollicitude à l'endroit des victimes de la dispersion. Il demeura toute sa vie l'un des plus influents protecteurs des Acadiens établis à la baie des Chaleurs, qui relevaient alors de son diocèse. De son côté, dès son arrivée à la baie des Chaleurs, à l'été de 1773, l'abbé Bourg s'occupa activement de l'organisation de la vie économique des deux paroisses naissantes de Bonaventure et de Carleton, grâce à l'appui efficace de Mgr Briand et à la précieuse collaboration du secrétaire diocésain, l'abbé Joseph-Octave Plessis, plus tard coadjuteur de Mgr Denaut et ensuite évêque de Québec.

À Carleton

Se basant sans doute sur une tradition locale, alimentée par l'imagination populaire, un ancien curé de Carleton, le révérend E.-P. Chouinard, publia en 1906, une histoire de cette paroisse, dans laquelle il a prétendu que dès l'automne de 1755, l'année même de la dispersion des Acadiens, «*sept familles de Beaubassin, du nom de François Comeau, Claude Landry, Charles Dugas, Benjamin LeBlanc, Joseph LeBlanc, Raymond LeBlanc et Jean-Baptiste LeBlanc*», avaient déjà réussi à atteindre la baie des Chaleurs où elles s'étaient réfugiées au barachois de Carleton, alors connu sous le nom de Tracadièche.

Or, aucune de ces personnes n'ont jamais vécu à Beaubassin. De plus la plupart d'entre elles n'étaient que des adolescents et non pas des chefs de famille, en 1755. Quant aux deux adultes faisant parti de ce groupe: *Charles Dugas* et *Joseph LeBlanc, père,* ils demeuraient à Bonaventure lors du premier recensement tenu en Gaspésie, en 1765, comme nous l'avons déjà vu. Pour sa part Raymond LeBlanc n'a jamais existé à l'époque. Il s'agit sans doute de Raymond Bourdages, un autre citoyen de Bonaventure, beau-frère de Benjamin LeBlanc.

François Comeau n'avait que neuf ans en 1755. Né en 1746, il était le fils d'Ambroise Comeau et de Marguerite Cormier de Chipoudy (de nos jours Hopewell Hill, Nouveau-Brunswick). Il épousa Marie LeBlanc, vers 1768. Son père occupait une terre à Bonaventure en 1760 (voir mémoire de Louis Bourdages à Lord Dorchester, daté de 1787) et il était encore à Bonaventure au recensement de 1765. Le nom de François Comeau apparaît au premier recensement tenu à Carleton, en 1777. Il est alors âgé de 30 ans.

Claude Landry n'avait que sept ans en 1755. Né en 1748, il était le fils de Joseph Landry et de Jeanne Robichaud, de Port-Royal. Déporté avec sa famille au Massachusetts, en 1755, il revint à Québec, après le traité de paix de 1763, où il épousa, à Québec, le 16 octobre 1770, Hélène Dugas, fille de Charles et d'Anne LeBlanc, de Carleton. Claude Landry est établi à Carleton, lors du recensement de 1777.

Charles Dugas, né en 1711, était le fils de Joseph Dugas et de Marguerite Richard, de Louisbourg. Il épousa à Grand-Pré, en 1739, Anne LeBlanc, fille de Pierre LeBlanc et de Françoise Landry. Il demeurait à Bonaventure lors du recensement de 1765 et le 28 août 1766 il signa à Bonaventure, conjointement avec Benjamin LeBlanc, une requête adressée au gouverneur Guy Carleton (Lord Dorchester), au nom « de 25 habitants » de Bonaventure, réclamant l'autorisation d'aller s'établir dans la région de Carleton, «*depuis l'entrée de la rivière Ristigouche jusqu'au Cap-Noir* ». Il réclamait cette concession afin de pouvoir s'y rendre «*au printemps de 1767* ». Nous citons le texte de cette requête plus bas.

Benjamin LeBlanc était âgé de quinze ans en 1755. Né en 1740, il était le fils du notaire René LeBlanc, de Grand-Pré, et de Marguerite Thébault. Il épousa, vers 1764, Marie Dugas, fille de Charles Dugas et d'Anne LeBlanc. Il demeurait à Bonaventure lors du recensement de 1765 et à Carleton en 1777. Il était le beau-frère de Raymond Bourdages, de Bonaventure.

Joseph LeBlanc, père, né en 1718 était le fils de François LeBlanc et de Marguerite Boudrot, de Grand-Pré. Il épousa, vers 1740, Madeleine Girouard, fille de Pierre Girouard et de Marie Doiron, de Pisiguit (Windsor, Nouvelle-Écosse). Il était à l'île du Prince-Édouard en 1752 et à Bonaventure, au recensement de 1765.

Joseph LeBlanc, fils, né en 1743, n'avait que douze ans en 1755. Il était le fils de Joseph LeBlanc et de Madeleine Girouard. Il épousa, vers 1772, Françoise Dugas, fille de Charles et d'Anne LeBlanc. Il était avec ses parents à l'île du Prince-Édouard en 1752, à Bonaventure en 1765 et il apparaît au recensement de Carleton en 1777.

Raymond LeBlanc. Il s'agit sans aucun doute de Raymond Bourdages, de Bonaventure.

Jean-Baptiste LeBlanc n'avait que onze ans en 1755. Né en 1744, il était le fils du notaire René LeBlanc et de Marguerite Thébault, de Grand-Pré, donc le frère de Benjamin LeBlanc. Il épousa, vers 1770, Marguerite Boudreau, fille de Joseph Boudreau et de Rosalie Arsenault. Il était à Carleton lors du recensement de 1777.

Pétition signée par Charles Dugas et Benjamin LeBlanc, à Bonaventure, en 1766[121].

« À Son Excellence Guy Carleton. Ecr. Lieutenant Gouverneur et commandant en chef de la province de Québec et à l'honorable Conseil de la Province. Joseph Arceneau, Amand Bugeau, Paul, Charles, Placide Bugeau, Joseph Douaron, Joseph Bourquet, Joseph Bourg, Charles et Pierre Poirier, Benjamin Leblanc, Benjamin Alain, Charles Dugas, père, Charles Dugas, fils, prennent la liberté de remercier son Excellence et l'honorable Conseil des offres gracieuses que vous avez daigné nous faire par la lettre du greffier de votre Conseil du 28 mai pour nous engager à monter au Canada, nous établir dans l'intérieur du pays. Les engagements que nous avons en ce pays aux marchands qui s'y sont établis ne nous permettent pas d'en sortir.

L'année dernière nous avons supplié Votre Excellence de nous accorder des terres dans la Baie-des-Chaleurs près de la pêche à la morue. Comme nous sommes accoutumés

---

121. Publiée dans les *Registres de la Gaspésie,* par le Père Patrice Gallant.

au climat du pays et que la pêche et la culture des terres nous feraient vivre gracieusement et augmenteraient le commerce dans cette partie, nous osons de rechef vous supplier très humblement de nous accorder dans cette Baie-des-Chaleurs quelques portions de terre pour laquelle grâce nous ne cesserons de prier le Seigneur pour la prospérité de Georges, notre Roi, Votre Excellence et l'honorable Conseil. »

À L'endos du document on lit: No 51. No 110 — Petition from the Acadians at Bonaventure for land. Dated 28 august 1766.

« Monsieur Hugh Finlay Bonaventure ce 29 août 1766

Monsieur,

Comme nous sommes dans le dessein de quitter cet endroit, nous avons l'honneur de vous représenter que quand vous nous avez fait le plaisir de nous dire que vous représenteriez un placet à l'honorable Conseil de la province de Québec pour nous, nous souhaiterions, si telle chose pouvait être, avoir la jouissance d'habiter depuis l'entrée de la rivière de Ristigouche jusqu'au Cap Noir qui est l'espace de six lieues, lequel terrain, nous tâcherons d'employer le mieux qui sera dans nos pouvoirs en payant les droits au Roi et au Seigneur. Si nous pouvions avoir cette concession le printemps prochain, nous remercierions l'honorable Conseil et vous comme des humbles et obéissants sujets de sa Majesté britannique.

Charles Dugas
Benjamin LeBlanc
marque X ordinaire de Joseph Arceneau

Les deux habitants qui ont signé ci-dessus et la marque ordinaire serviront pour vingt cinq habitants.

F. BONAVENTURE CARPENTIER, Missionnaire
des Français et Sauvages dans la Baie-des-Chaleurs. »

Signé devant moi
Joseph Duval

Nous savons par ailleurs par les écrits de Charles Robin[122] qu'il est allé vendre du sel à Tracadièche (Carleton), aux premiers Acadiens de cette localité, le 6 juin 1767, et que l'un de ses employés, du nom de Lecouteur, a passé l'hiver 1767-1768, chez Charles Dugas, fils, à Tracadièche.

Dans les *Registres de la Gaspésie,* publiés en premier lieu en 1764-1765 dans les Mémoires de la *Société généalogique canadienne-française,* et sous sa forme actuelle en 1768, le Révérend Patrice Gallant écrit:

« La famille de Claude Landry est-elle une des familles pionnières de Carleton, comme l'indiquent plusieurs historiens ? Le nom de Claude Landry figure même au côté de ceux des LeBlanc, Comeau et Dugas sur le monument élevé à la mémoire des premiers résidents français à Carleton. Au moment de la dispersion, Claude Landry a à peine 10 ans. En 1755, toute sa famille est déportée au Massachusetts. S'il est venu à Carleton en 1755, c'est qu'il avait été adopté par une autre famille; ce ne serait pas un cas unique, car les deux frères LeBlanc, Benjamin et Jean-Baptiste, fils du notaire René, étaient seuls de leur famille à leur arrivée à Carleton et ils n'étaient guère plus âgés que Claude Landry. Il est plus probable que Claude suivit sa famille dans ses pérégrinations et que, au retour de la famille au Canada, vers 1767, il commença, comme navigateur, son service pour Raymond Bourdages, résidant à Québec, comme l'indique son contrat de mariage, le 6 octobre 1770. Quoi qu'il en soit, la famille de Claude Landry, qui ne se marie qu'en 1770, ne peut être comptée parmi les premières familles de Carleton... »

Quant aux LeBlanc, voici ce qu'écrit encore l'abbé Gallant, dans les mêmes *Registres de la Gaspésie*: « Benjamin et Jean-Baptiste n'étaient donc âgés, en 1755, que de 15 et 11 ans. C'est donc inexact de prétendre qu'ils étaient au nombre des *sept premières familles* arrivées à Carleton, cette année là. Ils semblent avoir été à l'emploi de leur beau-frère, Raymond Bourdages, dès qu'ils furent en âge de

---

122. *Charles Robin on the Gaspé Coast,* par Arthur G. LeGros, publié en 1964 dans *la Revue d'Histoire de la Gaspésie.* Voir: vol. 2, No 1, page 39 et vol. 2, No. 3, page 145.

gagner leur vie. En 1762, Benjamin sert de parrain à son neveu, Benjamin Bourdages, à l'Ancienne Lorette... »

De plus, après avoir suivi les fugitifs acadiens dans leurs pérégrinations, le long des côtes de l'est du Nouveau-Brunswick actuel, depuis la chute du fort Beauséjour, en 1755, jusqu'à l'hiver de 1756-1757, qu'ils ont passé à Miramichi, il nous semble pour le moins invraisemblable d'affirmer que, dès 1755, sept familles, se détachant du groupe principal, se soient rendues à la baie Verte, comme des auteurs l'affirment, pour se diriger immédiatement vers Carleton, où n'existait à l'époque aucun poste de ravitaillement.

Rendues à la baie Verte, ces familles auraient plutôt suivi la foule des réfugiés acadiens qui, vers 1750 et encore en 1755, se rendaient précisément à cet endroit pour traverser le détroit de quelques milles, séparant ce poste de l'île du Prince-Édouard, se placer sous la protection de la garnison française qui s'y trouvait et obtenir les ravitaillements les plus essentiels à la vie. Car ce n'est qu'en 1758, après la chute de Louisbourg, que l'île du Prince-Édouard sera envahie par les Anglais.

Aucun document historique connu ne confirme la présence de réfugiés acadiens dans le haut de la baie des Chaleurs en 1755. Alors que nous savons de source certaine que des Acadiens, établis à Bonaventure vers 1760, comme l'affirme Louis Bourdages, dont les noms apparaissent au recensement tenu à cet endroit, en 1765, se sont ensuite établis à Carleton et que, parmi eux, se trouvaient Benjemin Alain, Joseph Boudreau, Ambroise Comeau, dont le fils *François Comeau,* plus tard établi à Carleton, n'avait que 9 ans, en 1755; *Charles Dugas,* dont le nom apparaît au recensement de Bonaventure, en 1765; *Benjamin LeBlanc,* qui, d'après Louis Bourdages, occupait une terre à Bonaventure, vers 1760, qui n'avait d'ailleurs que 15 ans en 1755 et dont le nom apparaît également au recensement tenu à Bonaventure, en 1765, de même que *Joseph LeBlanc,* père et *Joseph LeBlanc* (sans doute son fils), dont les noms sont aussi mentionnés à ce recensement de la population de Bonaventure, effectué en 1765.

À cette époque, Carleton était connu sous le nom de Tracadièche. C'est Lord Dorchester (Sir Guy Carleton) qui, vers 1795, donna son nom de famille à cette localité située à une quarantaine de mille à l'ouest de Bonaventure sur la baie des Chaleurs. Il donna le nom de son épouse, Maria, à la paroisse voisine. Lord Dorchester avait été l'un des lieutenants de Wolfe, à la bataille des plaines d'Abraham, à Québec, où il a d'ailleurs été blessé.

Nommé lieutenant-gouverneur de la province de Québec, en 1766, Lord Dorchester a occupé le poste de gouverneur, de 1768 à 1778. En 1782, il devint commandant en chef des forces britanniques, en Amérique du Nord et il fut gouverneur du Canada de 1786 à 1796. En 1772, il avait épousé Lady Maria Howard. Durant son séjour en notre pays, il fit de fréquentes visites en Gaspésie, notamment dans la région de Carleton, qu'il affectionnait particulièrement.

Le recensement de Carleton pour l'année 1777[123], publié dans le Rapport des Archives du Canada pour l'année 1898, indique qu'il s'y trouvait alors: « 36 hommes, 36 femmes, 90 garçons, dont 14 étaient orphelins, 93 enfants, 63 bêtes à corne, 2 chevaux, 37 moutons et douze cochons ».

Complété à la suite de l'étude d'autres documents[124] ce recensement comprend les personnes suivantes: *Benjamin Alain,* 45 ans, marié à Marie-Rose Bujold, 35 ans: 4 garçons et 1 fille; *Charles Allard,* 32 ans, marié à Agnès Comeau, 27 ans: 2 garçons et 3 filles; *Vincent Arseneau,* 54 ans, marié à Marguerite Porlier, 46 ans: Michel, 23 ans, Joseph, 21 ans, en plus de 3 garçons et 1 fille; *Louis Arsenault,* 38 ans, marié à Marie Poirier, 38 ans: 2 garçons et 1 fille; *Olivier Barillot,* 39 ans, marié à Élizabeth Landry, 30 ans: 3 garçons et 2 filles; *Étienne Bergeron dit d'Amboise,* 36 ans, marié à Claire Couroit, 22 ans; *Charles Bernard,*

---

123. *Haldimand Papers,* B 202, page 17-A.
124. En publiant ce recensement dans *Les Registres de la Gaspésie,* l'abbé Patrice Gallant a lui-même ajouté les noms des épouses, recueillis dans les registres paroissiaux de Carleton. Les noms des enfants âgés de moins de seize ans ne sont pas mentionnés.

30 ans, marié à Élizabeth LeBlanc, 28 ans: 2 garçons et 3 filles; *Joseph Boudreau,* père 56 ans, veuf de Rosalie Arsenault: Amant, 16 ans, en plus de 1 garçon et 2 filles; *Étienne Berthelot,* 44 ans, marié à Angélique Vautour, 48 ans: Angélique, 16 ans en plus de 1 garçon; *Joseph Boudreau, fils,* 31 ans, marié à Marguerite LeBlanc, 26 ans: 3 garçons et 1 fille; *Révérend Joseph-Mathurin Bourg,* prêtre-curé; *Mathurin Bujold,* 31 ans, marié à Marie Bernard, 22 ans: 1 garçon; *François Comeau,* dit l'aîné, 31 ans, marié à Marie LeBlanc, 30 ans: 1 garçon et 5 filles; *Pierre Couroit,* 24 ans, marié à Marie LeGouffe, 28 ans; *Charles Dugas,* 37 ans, marié à Félicité Bujold, 29 ans: 2 garçons; *Pierre Dugas,* 33 ans, marié à Françoise Robichaud, 38 ans; *Joseph Dugas,* 32 ans, marié à Françoise Dugas, 24 ans: 2 garçons; *Abraham Dugas,* 30 ans, marié à Marguerite Bujold, 17 ans: *Joseph Gravois,* 34 ans, marié à Madeleine Bourg, 30 ans: 1 garçon et 4 filles; *Guillaume Jeanson,* 59 ans, marié à Josette Aucoin, 55 ans: Jean-Baptiste 21 ans, Michel, 17 ans, en plus de 3 garçons et 1 fille; *Charles Landry,* 38 ans, marié à Marie Girouard, 38 ans; *Claude Landry,* 29 ans, marié à Hélène Dugas, 28 ans: 5 garçons et 2 filles; *Jean Landry,* 23 ans, marié à Marthe Dugas, 22 ans: 1 fille; *Alain LeBlanc,* 44 ans, marié à Anne-Marie Babin, 40 ans; *Benjamin LeBlanc,* 37 ans, marié à Marie Dugas, 32 ans: 3 garçons et 5 filles; *Basile LeBlanc,* 36 ans, marié à Victoire Bourg, 27 ans; *Jean-Baptiste LeBlanc,* 35 ans, marié à Marguerite Boudreau, 28 ans: 2 garçons et 1 fille; *Joseph LeBlanc, fils,* 34 ans, marié à Françoise Dugas, 40 ans: 2 garçons et 2 filles; *Marin LeBlanc,* 30 ans, marié à Marguerite LeBlanc, 27 ans: 2 garçons et 2 filles; *Pierre LeBlanc,* 23 ans, marié à Marie Landry, 26 ans; *Michel LeBrun,* 50 ans, marié à Marguerite Comeau, 32 ans: 3 garçons et 2 filles; *Henri Meunier,* 47 ans, marié à Marie-Anne Meunier, 48 ans; *Hilaire Poirier,* 29 ans, marié à Angélique Dugas, 24 ans: 1 garçon et 1 fille; *Joseph Richard,* 35 ans, marié à Luce Bourg, 26 ans: 2 garçons et 1 fille; *Marie Savoye,* servant chez l'abbé Joseph-Mathurin Bourg.

Voici maintenant les noms des *14 orphelins* signalés dans le recensement et ne faisant pas partie des familles précitées: *André Barnet,* 24 ans; *Charles Bourg,* le frère de l'abbé Bourg, 27 ans; *François Comeau, dit le jeune*, 27 ans; *André Godin*, 18 ans; *Robert Loisel*, 18 ans; *Joseph Landry*, 33 ans; *Alexis Langlois*, 26 ans; *Joseph Lamontagne*, 25 ans; *Urbain Laviolette*, 21 ans; *Joseph LeBlanc*, 40 ans et son frère, *Augustin LeBlanc*, 30 ans; *Jean LeBlanc*, 21 ans; *Louis Normandeau*, 19 ans et *Martin Richard*, 25 ans.

L'abbé Joseph-Mathurin Bourg

En 1760, comme nous l'avons vu, le père Bonaventure Carpentier était déjà installé dans la région de Bonaventure où se trouvait alors plusieurs familles de réfugiés acadiens.

Après le départ du père Bonaventure, en 1769, et jusqu'en 1771, il semble qu'aucun missionnaire n'ait rendu visite aux pionniers de la baie des Chaleurs, sur la rive québécoise. On sait cependant qu'en 1768 et jusqu'en 1772, l'abbé Bailly était missionnaire au Nouveau-Brunswick et en Nouvelle-Écosse. C'est, en effet, l'abbé Bailly qui a ouvert les registres paroissiaux de Caraquet, sur la rive sud de la baie des Chaleurs, en 1768.

Lors de sa deuxième visite à la baie des Chaleurs, en 1772, le père Jean-Baptiste de la Brosse, missionnaire du golfe du Saint-Laurent, séjourna à Bonaventure et à Carleton. Il fit ériger la première église de Carleton, en cette même année 1772, à l'endroit où se trouve de nos jours le cimetière de cette paroisse.

En 1773, Monseigneur l'évêque de Québec confia à l'abbé Joseph-Mathurin Bourg les missions de la baie des Chaleurs et des provinces maritimes. Né à la Rivière-aux-Canards, dans la région de Grand-Pré, le 9 juin 1744, l'abbé Bourg était le fils de Michel Bourg et d'Anne Hébert et le petit-fils d'Alexandre Bourg dit Belle-Humeur, notaire royal à Grand-Pré. Lors de la déportation des Acadiens, 1755, le jeune Mathurin Bourg, alors âgé de onze ans, avait été embarqué sur un vaisseau anglais avec les membres de sa famille pour être déporté en Virginie. Cette colonie anglo-américaine ayant, comme on le sait, refusé de recevoir les Acadiens que lui avait expédiés Lawrence, la famille Bourg fut du nombre des Acadiens envoyés en Virginie à l'automne de 1755 et dirigés vers l'Angleterre, comme prisonniers de guerre, au début de l'année 1756. Elle languit en captivité jusqu'au traité de paix de 1763, alors qu'elle fut envoyée en France, avec les autres Acadiens qui avaient survécu.

L'abbé Bourg avait eu la douleur de perdre sa mère, décédée, soit au cours de la traversée de Virginie en Angleterre, soit durant les années de captivité. Son père s'était alors remarié à Brigitte Martin, veuve en premières noces de Séraphin Breaux, père de l'abbé Jean-Baptiste Bro.

En France, l'abbé de L'Isle-Dieu, jusque là vicaire général des colonies françaises de l'Amérique du Nord et demeurant au Séminaire des Missions Étrangères, à Paris, s'était vivement intéressé au sort des Acadiens. À la même époque, l'abbé Jean-Louis Leloutre, ancien missionnaire en Acadie et revenu lui-même des prisons de l'île Jersey, fit preuve d'un grand dévouement en vue d'alléger le sort des milliers d'Acadiens dispersés dans les ports de France, après la signature du traité de Paris. C'est à l'un et à l'autre que plusieurs jeunes Acadiens, victimes de la déportation, seront redevables de l'éducation supérieure qu'ils ont reçue lors de leur séjour en France. D'ailleurs, le Séminaire du Saint-Esprit, à Paris, offrait gratuitement l'instruction aux jeunes ayant des dispositions pour la vocation religieuse et désireux de consacrer leur vie au travail missionnaire.

L'abbé Joseph-Mathurin Bourg fut de ceux-là, de même que l'abbé Jean-Baptiste Bro, fils de la veuve Breaux, mariée au père du missionnaire Bourg. Pendant que l'abbé Bro exercera son ministère à Saint-Jacques-de-l'Achigan, auprès des Acadiens revenus du Massachusetts et du Connecticut, l'abbé Bourg consacrera sa vie au service de ses compatriotes de la baie des Chaleurs et des provinces maritimes.

À l'été de 1771, les abbés Bourg et Bro, ayant reçu les ordres mineurs, revinrent au Canada pour y compléter leurs études théologiques. Le 19 septembre 1772, l'abbé Mathurin Bourg était élevé à la prêtrise, par Mgr Jean-Olivier Briand, en la chapelle de l'Hôtel-Dieu de Saint-Joseph, à Montréal. Deux mois plus tard, soit le 15 novembre 1772, l'abbé Jean-Baptiste Bro sera à son tour ordonné prêtre, par Mgr d'Esglis, coadjuteur à Québec de Mgr Briand, en la chapelle du Séminaire de Québec.

On conçoit la joie que ressentirent les Acadiens de Carleton, de Bonaventure, des autres postes de la baie des Chaleurs et de l'Est du pays lorsqu'à l'été 1773, le premier prêtre acadien devint missionnaire.

L'abbé Bourg résidait habituellement à Tracadièche (Carleton). Il consacra vingt-et-un ans de sa vie à l'exercice de son apostolat chez les Acadiens de la baie des Chaleurs et des provinces maritimes. Il se rendait de Carleton à Nipisiguit (Bathurst), au Nouveau-Brunswick actuel puis, de là, jusqu'à Shédiac en visitant tous les postes acadiens dispersés sur les côtes de l'est du Nouveau-Brunswick. Il descendait ensuite à la baie de Fundy, en canot d'écorce, pour se rendre jusqu'à la baie Sainte-Marie, en Nouvelle-Écosse, à Tousquet, Pubnico et, enfin, à Halifax, où il rendait visite aux Acadiens établis à proximité de cette ville, à Prospect et Chezzetcook. Il passait ensuite à l'île du Cap-Breton ainsi qu'à l'île du Prince-Édouard, d'où il retournait à la baie des Chaleurs, pour reprendre, après un court repos, cette laborieuse et exténuante randonnée.

Brisé par les incessants labeurs d'un aussi dur apostolat, l'abbé Bourg fut forcé d'abandonner ses missions acadiennes en 1794. Il se retira dans la paroisse de Saint-Laurent, près de Montréal, où il mourut, le 20 août 1797, et où il fut inhumé.

En 1774, la famille de l'abbé Bourg était revenue de France. Charles Bourg (Bourque), l'unique frère vivant du missionnaire, s'installa à Carleton, à un endroit connu encore de nos jours sous le nom de Pointe Bourg.

C'est en particulier l'abbé Joseph-Mathurin Bourg qui, pendant son séjour de plus de vingt ans au milieu de ses frères acadiens de Carleton, de Bonaventure et des autres établissements de la baie des Chaleurs, donna la première et la plus forte impulsion à la vie religieuse, économique et sociale de cette nouvelle Acadie gaspésienne.

En 1860, des Acadiens venus de l'île du Prince-Édouard, en particulier de Rustico, jetèrent les fondements de la paroisse de Saint-Alexis de Matapédia, dans le haut du comté de Bonaventure. Puis, à partir de 1868, alors que se construisait le tronçon du chemin de fer *Intercolonial,* dans la vallée de la Matapédia, un courant d'émigration des îles de la Madeleine et du haut du comté de Bonaventure s'est établi en direction du comté actuel de Matapédia. C'est la paroisse du Lac au Saumon qui, à l'époque, a reçu l'apport le plus considérable de familles acadiennes.

Aux îles de la Madeleine

L'archipel des îles de la Madeleine, situé dans le golfe du Saint-Laurent, a reçu de nombreux réfugiés acadiens venus, surtout, des îles du Prince-Édouard, du Cap-Breton et des îles Saint-Pierre et Miquelon.

Jacques Cartier avait abordé en ces îles, le 26 juin 1534, soit avant de se diriger vers Gaspé. Il s'y arrêta de nouveau, au retour de son deuxième voyage au Canada, le 24 mai 1536.

Les îles de la Madeleine avaient fait partie de la vaste concession accordée à Nicolas Denys, dans le golfe du Saint-Laurent, en 1653. Elles furent successivement concédées à François Doublet, apothicaire de Honfleur, qui y envoya les premiers pêcheurs et colons, en 1663 ; à Gabriel Gauthier, en 1686, et au comte de Saint-Pierre, en 1720, lequel reçut ses lettres patentes de Louis XIV, en 1722. Aucun de ces concessionnaires ne persévéra dans ses entreprises aux îles de la Madeleine.

Le 28 mars 1742, deux négociants de La Rochelle, Antoine Pacaud et Joseph Pacaud, obtenaient le privilège exclusif *«de la tuerie des vaches et loups marins»* sur le littoral des îles de la Madeleine, sous la surveillance du gouverneur de Louisbourg. Puis, des pêcheurs canadiens-français, habitant les rives du fleuve et du golfe du Saint-Laurent, se rendirent bientôt périodiquement en ces îles, pour y faire la chasse aux loups marins et la pêche au homard, deux des principales richesses de cet archipel.

En 1761, des Acadiens venus des îles du Prince-Édouard et du Cap-Breton, voire même de la baie des Chaleurs, se réfugiaient aux îles de la Madeleine. Puis, en 1765, d'autres familles s'établissaient à Havre-Aubert, aux îles de la Madeleine. Les chefs de ces familles travaillaient pour le compte de Richard Gridley, un ancien compagnon d'armes du général Wolfe, qui y organisa un poste de pêche au homard et de chasse aux loups-marins. « Vingt-deux engagés de Gridley, dix-sept Acadiens et cinq Canadiens-français, prêtèrent le serment d'allégeance, le 31 août 1765.[125] » Certains de ces pionniers s'établirent ensuite à Havre-aux-Maisons, en compagnie d'autres réfugiés acadiens venus de l'île du Prince-Édouard et des îles Saint-Pierre et Miquelon. D'autres se dirigeront vers Cap-aux-Meules, La Grande-Échouerie, L'Étang-du-Nord, La Grande-Entrée ou autres établissements de l'archipel.

Puis, le 12 avril 1793, se dirigeront vers les îles de la Madeleine une quarantaine de familles acadiennes, comprenant quelque 250 personnes, venus directement des îles Saint-Pierre et Miquelon.

C'était à l'époque de la révolution française, dont les répercussions s'étendaient jusqu'aux lointaines colonies de la mère-patrie. Alarmé du sort réservé au clergé français, l'abbé Jean-Baptiste Allain, missionnaire à Saint-Pierre et Miquelon, décida alors d'émigrer aux îles de la Madeleine, avec la plupart de ses paroissiens. Parmi ces Acadiens, il s'en trouvait qui avaient été retenus prisonniers, en Nouvelle-Écosse, au cours de la guerre de Sept Ans; d'autres qui, ayant été déportés au Massachusetts, en 1755, avaient été libérés, à la suite du traité de Paris; d'autres, enfin, qui, déportés en Virginie en 1755, transportés en captivité en Angleterre en 1756, dirigés vers la France après le traité de paix de 1763, étaient venus de France aux îles Saint-Pierre et Miquelon.

En 1787, Sir Isaac Coffin, par l'intermédiaire de Lord Dorchester, gouverneur du Canada, réclamait la concession des îles de la Madeleine, en récompense de ses services militaires. En 1798, il recevait ses lettres patentes le constituant seigneur de l'archipel.

Les quelque 100 familles acadiennes des îles de la Madeleine furent alors contraintes de payer au seigneur Coffin une rente de censitaires, ce à quoi les Acadiens s'objectaient. Une longue lutte s'engagea. Coffin décéda en Angle-

---

125. *Histoire de la Survivance Acadienne*, Antoine Bernard, c.s.v.

terre en 1839, léguant son domaine des îles de la Madeleine à son neveu John Townsend Coffin, qui mourut à son tour en 1882, sans qu'un règlement convenable ait été consenti en faveur des Acadiens qui ne pouvaient encore, après un siècle, obtenir la libre possession de leurs terres. Pendant cette longue période, plusieurs familles, prises de découragement, s'étaient retirées des îles de la Madeleine pour émigrer, soit à la baie Saint-Georges, à Terreneuve, soit à l'île d'Anticosti, soit sur les côtes du Labrador.

En 1872, Pierre Fortin, député de Gaspé, comté comprenant alors les îles de la Madeleine, obtint la création d'un comité de l'Assemblée législative du Québec, qui étudia la question et fit rapport, le 13 février 1875. Comme aucune mesure ne fut prise par le gouvernement provincial du temps, à la suite de la présentation du rapport du Comité à la Législature, de vigoureuses protestations s'élevèrent, des assemblées publiques furent tenues et une requête conçue en termes énergiques, portant 838 signatures, fut adressée, le 6 mai 1889, à Honoré Mercier, alors premier ministre de la province de Québec. Les requérants reçurent encore une réponse évasive. Ce n'est qu'en 1895 que, grâce aux interventions d'Edmund James Flynn, alors député de Gaspé et commissaire des terres de la Couronne, une loi fut votée, permettant aux habitants des îles de la Madeleine d'acquérir la propriété de leurs terres, moyennant certaines conditions de rachat.

À partir de 1774 et jusqu'en 1782, un prêtre breton, l'abbé Thomas-François Leroux, exerça son ministère aux îles de la Madeleine, en même temps qu'il était le missionnaire attitré des îles du Prince-Édouard et du Cap-Breton. De 1782 jusqu'à l'arrivée de l'abbé Jean-Baptiste Allain, en 1792, c'est un Irlandais, l'abbé William Phelan, curé d'Arichat au Cap-Breton, qui dispensa les secours religieux aux résidents de l'archipel. Une première chapelle avait déjà été construite à Havre-Aubert.

Au cours de son voyage dans cet archipel du golfe du Saint-Laurent, au mois de juin 1811, Mgr Plessis, évêque de Québec, donna le sacrement de confirmation à 143 personnes «dont plusieurs sexagénaires et octogénaires, les autres étant absents ou ayant été confirmés en France», lors de leur séjour après leur déportation en Angleterre. Pendant cette tournée pastorale, Mgr Plessis avait également rendu visite à tous les principaux établissements acadiens de la baie des Chaleurs et des provinces maritimes.

Le dimanche 23 juin 1811, après avoir passé quatre jours au milieu de la population des îles de la Madeleine, Mgr Plessis bénit solennellement une croix qu'il fit ériger «*sur la Demoiselle*[126] *la plus voisine de l'église*», à Havre-Aubert, en souvenir de sa visite épiscopale.

De nos jours, la population de langue française des îles de la Madeleine est presqu'exclusivement d'origine acadienne.

La forte natalité chez les familles acadiennes et des conditions économiques souvent difficiles ont contraint une forte partie de la jeunesse des îles de la Madeleine à émigrer, à diverses époques.

Ainsi, des Acadiens des îles de la Madeleine, ou leurs descendants, se rencontrent nombreux dans la région du Saguenay, en particulier dans les villes industrielles d'Arvida, de Jonquière et de Kénogami, de même que dans la région du lac Saint-Jean. On estime que 150 familles acadiennes, originaires des îles de la Madeleine, se sont établies dans la seule ville de Kénogami, au cours de l'année 1925. Les grands centres, tels que Montréal et Toronto, ont également reçu un apport considérable de l'émigration acadienne provenant de cet archipel du golfe du Saint-Laurent, de même que les villes industrielles de la Nouvelle-Angleterre.

Sur la côte nord

C'est en 1854 que les premières familles acadiennes des îles de la Madeleine émigrèrent sur la rive nord du golfe du Saint-Laurent, dans le comté actuel de Duplessis. Originaires de l'Étang du Nord, ces Acadiens s'établirent en premier lieu à Kégaska. L'année suivante, en 1855, d'autres familles acadiennes partirent de Havre-Aubert pour aller s'établir à Natashquan. Puis, en 1857, c'est le tour d'un important groupe des îles qui émigre de Havre-aux-Maisons

---

126. Élévation de terrain.

vers Havre-Saint-Pierre. D'année en année, cette émigration d'Acadiens des îles de la Madeleine vers la côte nord du Saint-Laurent s'est poursuivie avec plus ou moins d'intensité.

Par ailleurs, à la faveur du gigantesque développement forestier, hydro-électrique et minier qu'a connu cette partie du territoire québécois, en ces dernières années, de nombreux Acadiens, originaires de diverses régions de la province, notamment de la Gaspésie, se sont dirigés vers les villes industrielles de la rive nord du Saint-Laurent, telles que Forestville, Baie-Comeau, Hauterive et Sept-Îles.

La population acadienne du Québec

Comme on peut facilement s'en rendre compte, les Acadiens ont essaimé en de multiples endroits de la province de Québec, au cours des années qui ont suivi la déportation et la dispersion de 1755. Malgré les siècles, le pieux souvenir des ancêtres d'Acadie est encore très vivace chez la plupart des descendants de ces Acadiens, en particulier dans des régions comme celles de Saint-Grégoire-de-Nicolet, de Saint-Jacques-de-l'Achigan, de la Gaspésie, des îles de la Madeleine et de la côte nord du Saint-Laurent.

Il n'est certes pas exagéré d'affirmer que plus de dix pour cent des Québécois portent de nos jours des noms acadiens, ou comptent des Acadiens parmi leurs ancêtres. La raison en est que ces familles acadiennes ont continué d'être très prolifiques et aussi très solidaires. Voici un exemple, entre mille: pour l'année 1847, dans la seule paroisse de Saint-Grégoire de Nicolet, le père Adrien Bergeron a relevé les statistiques suivantes: «Sur 525 familles habitant ladite paroisse, 277 étaient exclusivement acadiennes, 246, acadiennes par alliances, deux seulement demeurant exclusivement canadiennes. [127]»

La population québécoise d'origine acadienne est plus dense en certaines régions, particulièrement où s'étaient établis les groupes des premiers exilés. Mais si l'on prend

---

127. *Mémoires de la Société généalogique canadienne-française*, avril-juillet 1955.

la peine de consulter, par exemple, les centaines de bottins téléphoniques qui servent à tous les secteurs de la province, on peut repérer partout de nombreux noms acadiens.

Deux noyaux toutefois méritent d'être signalés de façon particulière pour leur attachement inaltérable à leur pays d'origine: celui du comté de Bonaventure, sur la baie des Chaleurs, et celui des îles de la Madeleine.

En raison de l'éloignement des centres canadiens-français, les mariages en ces régions ont, depuis plus de deux siècles, été contractés presque exclusivement entre conjoints d'origine acadienne. De plus, ayant maintenu des contacts plus fréquents, depuis la dispersion, avec les Acadiens des provinces maritimes, en particulier ceux du Nouveau-Brunswick dont ils sont voisins, ils ont conservé, plus que partout ailleurs au Québec, le culte des ancêtres, la mentalité, l'accent linguistique et les traditions de l'ancienne Acadie.

25. LES ACADIENS ACCUEILLIS EN LOUISIANE

C'EST vers la Louisiane que s'est dirigé le plus fort groupe des Acadiens victimes du *Grand Dérangement*. C'est dans cette région du sud des États-Unis, baignée par le golfe du Mexique, que se trouvent, de nos jours, près d'un million de leurs descendants.

Ce territoire, remarquable par la douceur de son climat, la prodigieuse fertilité de son sol et la variété de ses richesses naturelles, avait déjà attiré des Canadiens, des Français, voire des Allemands et plus tard des Espagnols, qui y avaient fondé de prospères établissements.

On sait que l'explorateur canadien Louis Jolliet, le père Jacques Marquette et autres compagnons de voyage avaient, dès 1673, descendu les ondes rapides du grand fleuve Meschacébé (Mississipi) jusqu'à l'embouchure de la rivière Arkansas. Jolliet tenait désormais la preuve que cet incomparable cours d'eau se déversait, non pas dans le *golfe de la Californie,* comme on l'avait prétendu jusque-là, mais bien dans le golfe du Mexique. Cette découverte, écrit le père Dablon, en 1674, «est la plus belle et la plus hasardeuse de toutes celles qui ont été faites jusqu'à présent, en ce pays».

En 1682, Robert Cavelier, sieur de La Salle, parti également du Canada, passe par la rivière des Illinois et descend tout le cours du Mississipi jusqu'à son embouchure, au golfe du Mexique. La Salle donne à ce grand fleuve le nom de Colbert et, au nom du roi de France, il prend possession de l'immense territoire qu'il vient de parcourir et qui portera le nom de Louisiane, en l'honneur de Louis XIV.

À son tour, Pierre Le Moyne sieur d'Iberville, accompagné de son frère cadet, Jean-Baptiste Le Moyne sieur de Bienville, tous deux nés à Montréal, redécouvrent, par mer, l'embouchure du Mississipi, en 1699. D'Iberville confirme la prise de possession de la Louisiane, au nom du roi de France et établit sa capitale dans la baie de Biloxi, où il érige un poste temporaire. En 1700, il construit le fort Maurepas et, en 1702, il fonde Mobile.

Nommé commandant de la Louisiane, poste qu'il conservera jusqu'à sa mort, en 1706, d'Iberville confiera les affaires de cette colonie à son frère, le sieur de Bienville, qui deviendra gouverneur de ce territoire et fondera la Nouvelle-Orléans, à l'embouchure du Mississipi, en 1718.

À partir de cette époque, un nombre considérable de Canadiens et de Français s'établiront en Louisiane, soit à la Nouvelle-Orléans ou dans les environs, soit en divers autres points sur le Mississipi, comme à Bâton-Rouge et à Pointe-Coupée, soit encore sur la rivière Rouge, dans les régions de Natchez et de Natchitoches.

En 1719, un aventurier écossais, du nom de John Law, à qui la France avait confié la réorganisation de ses finances et dont les plans fantastiques frisèrent le désastre, s'était fait accorder une concession territoriale en Arkansas, région faisant alors partie de la Louisiane.

Devant la méfiance des Français à son endroit et les hésitations qu'ils éprouvaient à aller s'établir sur sa concession, John Law fit recruter 1600 Allemands en Rhénanie, en Lorraine et en Silésie et les fit transporter en Arkansas. Quelques centaines d'entre eux descendirent bientôt le Mississipi jusqu'à une faible distance de la Nouvelle-Orléans, où ils fondèrent une colonie, sur la rive nord du fleuve, qui fut baptisée *côte des Allemands*. Des Acadiens iront par la suite s'établir près d'eux, sur le Mississipi, en fondant, dans la région de Saint-Jacques, la première colonie acadienne louisianaise. Des familles allemandes s'allieront à des familles acadiennes, ce qui explique qu'un grand nombre de personnes, de nos jours, en Louisiane, tout en portant un nom de famille allemand, parlent couramment le français et se disent d'origine acadienne.

Puis, à la suite de la cession de la Louisiane à l'Espagne, en vertu d'une clause secrète du traité de Fontainebleau, en 1762, des Espagnols s'établiront en Louisiane, fraterniseront avec les Acadiens, apprendront leur langue et adopteront leurs coutumes.

Enfin, des Américains d'origine anglo-saxonne se dirigeront, eux aussi, vers la Louisiane, surtout à la suite de la vente de ce riche territoire aux États-Unis, par Napoléon 1er , en 1803.

L'arrivée des premiers Acadiens en Louisiane

Des Acadiens déportés dans les colonies anglo-américaines du sud, en 1755, notamment au Maryland, aux Carolines et en Géorgie, auraient réussi à atteindre la Louisiane dès 1756. Nous savons, par exemple, que les Acadiens débarqués en Caroline du sud ont obtenu sans difficulté l'autorisation de quitter cette colonie. Parmi ceux qui ont été déportés en d'autres colonies anglaises d'Amérique, certains se seraient dirigés vers le Mississipi, soit par mer, soit en suivant le cours de certaines rivières. D'autres se seraient évadés des navires sur lesquels ils avaient été transportés en Virginie à l'automne de 1755, avant que ces vaisseaux soient dirigés vers l'Angleterre au début de l'année suivante.

C'est à ces premiers Acadiens de la Louisiane que Longfellow réfère, dans son immortel poème, lorsqu'il écrit: «Au-delà des rivages de l'Ohio et de l'embouchure du Wabash, sur les ondes dorées du large et rapide Mississipi, flottait une barque toute pleine, guidée par des rameurs acadiens.

«C'était un groupe d'exilés. On eût dit le radeau d'une nation naufragée, d'abord dispersée le long de la côte, puis rattachée de nouveau. Unis par les liens d'une croyance commune et d'une commune infortune, hommes, femmes et enfants, guidés par l'espérance ou par des vagues rumeurs, allaient chercher dans les riantes prairies des Opelousas, leurs parents et leurs proches, chassés comme eux des rives acadiennes.

«Les jours succédaient aux jours et, sans cesse, le fleuve impétueux roulait sur les sables submergés, entre des plaines désertes, ombragées de forêts. Nuit après nuit, ils campaient sur les bords, à la lueur de leurs feux. Ils glissaient avec le courant, tantôt sur l'écume des rapides, tantôt entre des îles verdoyantes où le cotonnier étalait la pourpre de son panache...»

Le juge louisianais Félix Voorhies, dans *Acadian Reminiscences*, publié au début du siècle, raconte la touchante histoire d'un groupe d'Acadiens déportés au Maryland en 1755 et qui, quelques années plus tard, réussirent à atteindre la Louisiane. Il tenait cette histoire de la bouche même de sa grand-mère, une Acadienne, qui était du nombre de ces exilés.

Ayant reçu de l'aide des familles catholiques qui les avaient hébergés au Maryland, pendant quelques années, ces Acadiens se procurèrent des chevaux et des voitures couvertes, seuls moyens de transport par terre, à l'époque, et se mirent courageusement en marche vers l'ouest.

Après avoir traversé la Virginie et le territoire montagneux de la Caroline du nord, ils atteignirent la rivière Tennessee. Ce trajet avait duré deux mois. Ayant appris qu'ils pourraient plus facilement atteindre la Louisiane en se laissant porter par le courant des rivières qui se déversent dans le fleuve Mississipi, ils vendirent chevaux et voitures, abattirent des arbres et se construisirent des radeaux. Ils empruntèrent les eaux de la rivière Tennessee, du fleuve Mississipi, du bayou[128] Plaquemine et enfin du bayou Tèche, le long duquel ils s'établirent dans la région du poste des Attakapas, aujourd'hui Saint-Martinville.

Charles Gayarré, un historien de la Louisiane, affirme que des réfugiés acadiens arrivèrent au Mississipi, presque sans interruption, du lendemain de leur déportation dans les colonies anglaises du sud, jusqu'au traité de Paris de 1763. Il est cependant impossible d'en préciser le nombre.

Des Antilles à la Louisiane

Nous savons qu'à la suite de leur déportation dans les colonies anglo-américaines, de nombreux exilés avaient

---

128. Un *bayou* est un cours d'eau navigable, particulier à la Louisiane.

réussi à se diriger vers les possessions françaises des Antilles, en particulier vers Saint-Domingue, la Guadeloupe et la Martinique. De plus, à la suite de la signature du traité de paix de 1763, des centaines de familles se dirigèrent vers ces terres françaises, le gouvernement français leur garantissant leur subsistance pendant un an. C'est ainsi que la majeure partie des Acadiens déportés à New-York, en 1755, se fit transporter aux Antilles, ainsi qu'un grand nombre de ceux qui venaient de passer huit années d'exil dans les autres colonies anglo-américaines. Mais, le climat tropical des Antilles ne leur convenant pas, ils songèrent bientôt à aller rejoindre, en Louisiane, leurs parents et amis déjà rendus.

Le commandant militaire de la Louisiane, Charles Aubry, écrit, en date du 14 mai 1763 : «Lorsque j'ai rendu compte de l'arrivée d'une soixantaine de familles acadiennes, venues de Saint-Domingue, je ne croyais pas qu'elles seraient suivies de beaucoup d'autres, qui arrivent continuellement, et que la Louisiane allait bientôt devenir une Nouvelle Acadie. J'apprends à l'instant qu'il y en a 300 dans le fleuve (Mississipi), tant hommes, femmes et enfants... Ce n'est plus présentement de centaines que l'on parle, mais de milliers. On dit qu'il y en a au moins 4000 qui viennent fixer à la Louisiane leur destinée errante depuis dix ans... Cet événement inattendu me jette, aussi bien que M. Foucault (l'officier-ordonnateur), dans le plus grand embarras. Rien n'est prévu pour placer une peuplade si considérable et la circonstance où nous nous trouvons est des plus critiques. Jamais la colonie n'a été aussi dépourvue de vivres qu'aujourd'hui.

«Pour comble de malheur, ils apportent avec eux la petite vérole et vont affliger notre colonie de ce nouveau fléau. Cependant, c'est un devoir dans une occasion pareille de ne pas les abandonner. Quoique nous ayons ordre de suspendre toute dépense jusqu'à l'arrivée des Espagnols, j'ose me flatter que vous ne désapprouverez pas les secours indispensables que nous leur donnerons pour les faire subsister...»

En se dirigeant ainsi des Antilles françaises vers la Louisiane, ces infortunés Acadiens, à la recherche d'une patrie, croyaient bien émigrer en terre française. Ils ignoraient alors que, par une clause secrète du traité de Fontainebleau, signé en 1762, la France avait cédé la Louisiane à l'Espagne, qui allait en prendre officiellement possession quelques années plus tard.

De la Nouvelle-Écosse à la Louisiane

Nous avons déjà signalé que quelques milliers d'Acadiens qui avaient échappé à la déportation avaient été capturés par les Anglais après 1755 et retenus en captivité en Nouvelle-Écosse, notamment à Halifax, jusqu'après le traité de paix de 1763.

Ces Acadiens avaient été faits prisonniers, au cours des expéditions organisées par les troupes anglaises, en diverses régions de l'est du pays: sur l'isthme de Chignectou, sur les rivières Petitcoudiac et Memramcook, au Cap-de-Sable, à l'île Saint-Jean, à Ristigouche et à Petite-Rochelle, à la baie des Chaleurs et sur les côtes du golfe du Saint-Laurent. À la suite du traité de Paris, ces Acadiens furent libérés et se dirigèrent, en premier lieu, vers les premières terres françaises, les îles Saint-Pierre et Miquelon, situées à proximité de Terreneuve, à l'entrée du golfe du Saint-Laurent. Pendant que plusieurs familles décidaient de s'établir en ces îles, d'autres partaient pour la France et un bon nombre faisaient voile vers la Louisiane.

En 1764, Joseph Brossard dit Beausoleil, dont une partie de l'histoire mouvementée a été signalée dans un chapitre précédent, conduisit un groupe de ces Acadiens aux Antilles françaises. Décimés par une épidémie et ne pouvant réussir à s'acclimater, ils n'y restèrent pas. Ils se dirigèrent bientôt vers la Louisiane et s'établirent dans la région des Attakapas, composée de nos jours des paroisses[129] de Saint-Martin, Lafayette, Ibérie, Vermilion et Sainte-Marie.

Ce nom d'Attakapas est celui d'une tribu indienne qui habitait cette fertile région que traverse le bayou Tèche.

---

129. En Louisiane on emploie le mot *paroisse* (parish) pour désigner les subdivisions de territoire connues sous le nom de *comté* au Canada.

Dès 1757, Louis Billouard, chevalier de Kerlérec[130], alors gouverneur de la Louisiane, avait permis à des Canadiens et sans doute aussi à des Acadiens, de s'y établir.

Le 28 février 1765, le commissaire-ordonnateur Nicolas Foucault, de la Nouvelle-Orléans, écrivait au gouvernement français: « Il y a quelques jours, 193 Acadiens sont arrivés en Louisiane venant de Saint-Domingue. Comme ils sont dans la plus extrême indigence, nous les assurerons des secours nécessaires d'ici à ce qu'ils soient en mesure de se choisir des terres dans la région des Opelousas[131]. Le 4 mai 1765 et de nouveau le 13 mai de la même année, Foucault signale l'arrivée de familles acadiennes, au nombre d'une cinquantaine, qu'il a dirigées vers les Attakapas et les Opelousas.

Aux Attakapas et aux Opelousas

Joseph Brossard dit Beausoleil et ses compagnons durent arriver dans la région des Attakapas, au sud-ouest de la Louisiane, vers le début de 1765, puisque son nom et les noms de sept autres Acadiens apparaissent dans un contrat, daté du 4 avril 1765[132], en vertu duquel un capitaine français, licencié de l'armée, du nom d'Antoine Bernard d'Hauterive, s'engageait à leur fournir des bestiaux pour fins d'élevage. Les signataires du contrat, outre le capitaine d'Hauterive, étaient: *Pierre Arcenaud, Joseph Broussard[133] dit Beausoleil, Alexandre Broussard, Jean-Baptiste Broussard, Victor Broussard, Jean Dugas, Joseph Guillebeau et Olivier Tibaudau.*

Le capitaine d'Hauterive accordait à ces huit chefs de famille: 6 pièces de bêtes à cornes, chacun, dont un taureau reproducteur, contre le remboursement, au bout de six ans, d'un nombre égal de pièces de bétail de même âge et condi-

---

130. *They Tasted Bayou Water,* par Maurine Bergerie, Pelican Publishing Co. Nouvelle-Orléans, 1962.
131. Territoire situé immédiatement au nord de la région des Attakapas et portant le nom des Indiens qui l'habitaient.
132. *They Tasted Bayou Water*, Maurine Bergerie.
133. Dès cette époque, *Brossard* était transformé en *Broussard,* en Louisiane.

tions, en plus de cinquante pour cent des profits réalisés par le reproduction. Comme le contrat l'indique, Joseph Broussard dit Beausoleil était alors *capitaine commandant des Acadiens des Attakapas.* Il est décédé prématurément, le 20 octobre 1765, aux Attakapas et il fut inhumé au *camp Beausoleil,* près du site actuel de la ville de Broussard, qui porte son nom.

Les registres paroissiaux de Saint-Martinville, connu à l'époque sous le nom de *poste des Attakapas,* signalent l'arrivée des Acadiens dans cette région, en 1765, lors du baptême d'Anne Thibodeaux, fille d'Olivier et de Madeleine Broussard. De plus, le père Jean-François, missionnaire, inscrit aux registres qu'il est *curé de la Nouvelle Acadie.*

Même après le décès de Broussard dit Beausoleil, des Acadiens, restés jusque là, soit en Nouvelle-Écosse, soit aux îles Saint-Pierre et Miquelon, continuèrent à se diriger vers la Louisiane. Ainsi, en date du 18 novembre 1766, le commissaire-ordonnateur Nicolas Foucault écrit de la Nouvelle-Orléans : « Il nous est arrivé, il y a un mois, deux cent seize personnes acadiennes sortant d'Halifax, sur un bateau anglais qu'elles avaient loué à leurs frais. »

De plus, plusieurs Acadiens réfugiés à la Baie des Chaleurs, faits prisonniers par les Anglais au cours des années 1760 et 1761, s'étaient établis en Louisiane après le traité de paix de 1763. Par ailleurs, nous savons déjà que des embarcations appartenant à des Acadiens, dont la goélette de Joseph Gauthier, avaient été soustraites à la vue des Anglais, cachées qu'elles devaient être, en lieu sûr, à l'intérieur du havre de Bonaventure. Les Gauthier comptaient parmi les principaux négociants d'Acadie. Ils avaient commercé pendant de longues années avec les Antilles, troquant de la morue séchée et du bois de charpente contre du sucre, de la mélasse et autres denrées. La première planche de salut des Acadiens de la baie des Chaleurs avait été la pêche. Déjà, quatre commerçants sont signalés à Bonaventure, au recensement de 1765. Nul doute que Joseph Gauthier qui, comme on le verra plus tard, transporta le père Jean-Baptiste de la Brosse de Québec à Bonaventure, avec sa goélette, en 1772, s'était dirigé le plus tôt possible, après la capitulation de Montréal du mois de septembre 1760, vers les Antilles, avec cette même goélette, pour aller échanger du poisson séché contre des approvisionnements essentiels aux pionniers de la baie des Chaleurs. Nous constatons, aussi que des noms d'Acadiens inscrits dans les registres de Sainte-Anne de Ristigouche en novembre 1760 et en janvier 1761 se retrouvent au premier recensement tenu à Saint-Jacques, en Louisiane, en 1766.

Il y a le cas de Marcel LeBlanc, fils de Jacques et de Marie Josephe Forest, de Pisiguit, marié à Ristigouche, le 10 novembre 1760, à Marie Josephe Breaux, de Cobequid. Au recensement de 1766, il demeurait à Saint-Jacques sur le Mississipi. De même, Charles Savoie, fils de François et de Marie Richard, de Chipoudy, marié à Ristigouche, le 7 janvier 1761, à Judith Arsenault, fille de Claude et de Marguerite Richard, était lui aussi à Saint-Jacques, sur le Mississipi, au recensement de 1766. Parmi d'autres réfugiés acadiens qui étaient à Ristigouche, en 1760 et que nous retrouvons au même endroit de la Louisiane en 1766, mentionnons: Antoine Breaux, marié à Marie LeBlanc; Louis Mouton, marié à Anne Bastarache, Amand Préjean, marié à Madeleine Martin et Louis-Charles Babineaux, marié à Anne Guilbaut.

Il y a aussi le cas de Michel Bernard, fils de Jean-Baptiste et de Cécile Gaudet, de Beaubassin, marié à Ristigouche, le 25 janvier 1760, à Marie Guillebeau, fille de Joseph Guillebeau et de Marie Michel de Port-Royal. Michel Bernard était vraisemblablement le gendre du même Joseph Guillebeau, qui fut l'un des signataires du contrat du 4 avril 1765, avec le capitaine d'Hauterive.

À la suite de l'arrivée des premiers Acadiens en Louisiane, l'élevage des bestiaux prit un grand essor aux Attakapas, ainsi que dans la région des Opelousas, située immédiatement au nord et aussi connue sous le nom de *paroisse Saint-Landry*. Les Acadiens, à l'exemple des Français et des Canadiens-français qui les y avaient précédés, durent se choisir des signes distinctifs qu'ils appliquaient au fer rouge, sur la peau des animaux, pour fins d'identification. Ces marques, particulières à chaque propriétaire, étaient inscrites dans un registre heureusement conservé jusqu'à nos jours.

Ce volume, qui contient l'enregistrement de plus de 28 000 marques diverses de bestiaux, ainsi que les noms de leurs propriétaires pour les années 1739 à 1888, est conservé aux archives de l'Université Southwestern Louisiana[134]. Il contient les noms d'un grand nombre d'Acadiens, parmi les premiers qui se sont établis en Louisiane. Or, le nom de Michel Bernard y apparaît pour l'année 1761 et celui de Simon Broussard, un autre Acadien, pour l'année 1762.

Parmi les autres noms acadiens inscrits dans ce précieux registre, mentionnons les Arceneaux, Aucoin, Babin, Babineau, Benoît, Bertrand, Blanchard, Boudreaux, Bourque, Brasseux, Breaux, Bujol, Chiasson, Clément, Comeaux, Cormier, Daigle, Doucet, Dugas, Duon, Dupuis, Guidry, Guillebeau, Granger, Hébert, Jeanson, Landry, Lavergne, LeBlanc, Léger, Lejeune, Manuel, Martin, Melançon, Mouton, Pellerin, Pitre, Poitier, Préjean, Prince, Richard, Saulnier, Savoy, Thériot, Thibodeaux, Trahan, etc.

Les plaines immenses et prodigieusement fertiles des Attakapas et des Opelousas, situées dans la partie sud-ouest de la Louisiane, ont donné naissance aux localités de Saint-Martinville, Lafayette, Broussard, Pont-Breaux, Carancro, Grand-Coteau, Opelousas, Ville-Platte, Dubuisson, Saint-Landry, Nouvelle-Ibérie, Jeannerette, Kaplan, Abbeville, Delcambre, etc., soit le cœur de la Louisiane acadienne de nos jours.

À l'époque de l'établissement des premiers Acadiens en Louisiane, l'esclavage des Noirs y avait déjà été érigé en une florissante institution. Ce n'est qu'un siècle plus tard que Lincoln abolira l'esclavage dans tous les États d'Amérique, dont la Louisiane fera alors partie.

Éleveurs de bestiaux ou planteurs de riz, de patates douces, ou de canne à sucre, ces Acadiens connurent bientôt la prospérité et ils eurent des esclaves, qui adoptaient le plus souvent les noms de famille de leurs maîtres. Ils

---

134. Extrait d'une conférence prononcée à Bâton-Rouge, Louisiane, en janvier 1963, par le Dr Thomas J.-Arceneaux, Doyen de la faculté d'Agriculture de l'Université Southwestern Louisiana, devant les membres de La *Genealogical and Historical Society*. Le Dr Arceneaux avait intitulé sa conférence: *The Attakapas-Opelousas Brand Book: A source of genealogical information.*

ont aussi perpétué jusqu'à nos jours un style particulier, en usage chez les premiers Acadiens, pour la construction de leurs modestes demeures.

Nous avons vu que, parmi les signataires du contrat du 4 avril 1765, en vertu duquel le capitaine Antoine Bernard d'Hauterive s'engageait à fournir, pour fins d'élevage, des bestiaux à des Acadiens, se trouvait le nom de *Pierre Arcenaud*. Né à Beaubassin, en Acadie, en 1731, fils de Jean et d'Anne-Marie Hébert, Pierre Arceneaux épousa Anne Bergeron, vers 1758, dont il eut huit enfants: cinq fils et trois filles. Établi à Saint-Jacques, sur le Mississipi, où nous le trouvons au recensement de 1766, il y demeura jusqu'en 1787, alors qu'il déménagea au poste des Attakapas (Saint-Martinville). Il possédait aux Attakapas un nombre considérable de bestiaux de même que des esclaves. Décédé à Saint-Martinville, en 1793, le testament de Pierre Arceneaux et le mémoire qui y est attaché ont été récemment découverts aux archives du palais de justice de cette localité[135]. Ces documents illustrent bien la prospérité dont jouissaient des Acadiens de la Louisiane, à l'époque, comme ils confirment aussi le fait qu'ils étaient propriétaires d'esclaves.

Ainsi, lors de l'élection d'un tuteur et curateur des biens du défunt, au poste des Attakapas (Saint-Martinville), le 25 juin 1793, à neuf heures du matin, l'énumération des biens de la succession est dûment faite et consignée aux registres. Dans la *vacherie* considérable que possédait Pierre *Arsenaux,* à sa mort, se trouvaient *400 têtes de bêtes à cornes* évaluées, en dollars américains de l'époque, au total de $1800.00; 15 *chevaux dantés (domptés) et non dantés de deux ans,* $150.00; deux pouliches, des moutons et des porcs. La valeur marchande des 16 esclaves, faisant partie de la succession, dont 9 sont âgés de moins de 15 ans, est fixée à $3730.00, soit plus du double du prix établi

---

135. Le Dr Thomas J.-Arceneaux, alors doyen de la faculté d'Agriculture à l'Université Southwestern Louisiana et membre du Conseil de la Vie française en Amérique, a collaboré étroitement avec l'auteur, dans ses recherches, depuis plus de vingt ans, aux diverses archives de la Louisiane. C'est grâce à lui si nous sommes en mesure de citer ce testament révélateur de cet ancêtre.

pour les 400 bêtes à cornes. Dans ce groupe d'esclaves, se trouvaient: une négresse et trois enfants, $600.00; un nègre, âgé de 26 ans, $350.00; une jeune négresse de 14 ans, $250.00; un nègre de 50 ans, $200.00; un nègre, âgé de 25 ans, $400.00; une négresse, âgée de 35 ans, $400.00; deux petites négresses âgées de 8 ans, $350.00; un couple de nègres, l'homme âgé de 45 ans et la femme, 44 ans, $500.00; deux jeunes mulâtres âgées de 6 ans, $380.00 et un petit nègre, $300.00. Le poste des Attakapas possédait à l'époque deux registres paroissiaux, que nous avons consultés: dans l'un sont inscrits les baptêmes, mariages et sépultures des Blancs, dans l'autre, ceux des esclaves noirs.

Plusieurs Acadiens qui pratiquaient l'élevage des bestiaux dans les régions des Attakapas et des Opelousas n'en continuèrent pas moins à demeurer à Saint-Jacques de Cabahannocer, première colonie acadienne établie sur le Mississipi.

Avant l'arrivée des Acadiens aux Attakapas et aux Opelousas, des Français et des Canadiens-français s'étaient dirigés vers ces territoires, à partir de 1757, soit durant le terme d'office du dernier gouverneur français de la Louisiane, le Chevalier Billouard de Kerlerec.

À la suite de la prise de possession de la Louisiane par l'Espagne, le gouverneur espagnol de la Nouvelle-Orléans envoyait, à l'automne de 1769, une expédition dans les régions des Attakapas, des Opelousas, des Natchitoches et des Rapides, avec instructions d'effectuer un recensement, ainsi qu'un inventaire des biens de la population habitant ces districts.

Dans leur rapport, les chefs de cette mission, le capitaine Éduardo Nugent et le lieutenant Juan Kelly, signalent la présence des Acadiens qui y sont déjà établis et ajoutent qu'il s'y trouve quelque 500 personnes, tant Français, Canadiens-français qu'Acadiens, incluant 148 esclaves.

À part l'élevage des bestiaux, ces habitants s'adonnaient à la culture du riz, du coton, du blé-d'inde et de la patate douce.

Quant au bétail, on dénombrait aux Attakapas, 1300 têtes de bêtes à cornes, 270 chevaux, 565 porcs et 18 moutons et aux Opelousas, 1400 bêtes à cornes, 650 chevaux,

700 porcs, 200 moutons, 38 chèvres, 12 ânes et 3 mulets. En 1799, la population totale des Attakapas et des Opelousas dépassait les 12000 habitants[136].

Nous avons déjà cité les noms des Acadiens établis dans ces régions, grâce à leurs inscriptions au registre des éleveurs de bestiaux. Voici les noms des Français et des Canadiens-Français qui habitaient les Attakapas et les Opelousas à l'époque: Barré, Beaulieu dit Bertrand, Bélestre, Bérard, Boilly, Bossé, Bouette, Bouley, Brignac, Brunet, Buraux, Caron, Carrier et Carrière, Castille, Cauvière, Chevalier, Collins, Courtableau, De Clouet, Decuire, Dejean, De Lamorandière, Demarest, Deshotels, Duchesne, Dupré, Duralde, Escouffie, Figuran, Fontenelle, Fontenot dit Bellevue, Francœur, Guillary, Guénard, Hollier (Olier), Janisse, Joubert, La Baume, La Caze, Langlois, Lalonde, Latiolais, Le Doux, Lemelle, Lesassier, Mercantel, Meuillon, Normand, Patin, Peytavin, Prudhomme, Provôt, Robin, Roman, Roujot, Roquigny, Rousseau, Soileau, Stelly, Vidrine, Villiers (et de Villier), Voisin, etc.[137].

D'autres Français et Canadiens-français, de même que des Acadiens se dirigeront bientôt vers les territoires situés au nord des Attakapas et des Opelousas, comme dans les régions des Avoyelles, au sud-est de la ville actuelle d'Alexandrie, ou des Natchitoches, entre Alexandrie et Shreveport, en direction des frontières du Texas.

Parmi les Acadiens qui furent envoyés au fort Saint-Jean-Baptiste de Natchitoches, où s'illustra l'officier canadien Juchereau de Saint-Denis, un groupe se dirigeant en bateau vers la Louisiane en 1769, fit naufrage à la baie Espiritu Santo, aujourd'hui Goliad, sur la côte du Texas[138]. Ils réussirent quand même à atteindre la Louisiane devenue

136. Edwin Adams Davis, de la Louisiana State University, dans un article intitulé *Old Imperial Saint-Landry,* publié dans *Marriage Contracts of the Opelousas Post 1766-1803,* par Jacqueline Olivier Vidrine et Winston De Ville, 1960.

137. *Marriage Contracts of the Opelousas Post 1766-1803*, par Jacqueline Olivier Vidrine et Winston De Ville.

138. *Athanase de Mézières and the Louisiana-Texas frontier 1767-1780,* par Herbert Eugène Bolton.

possession espagnole, où les autorités les dirigèrent vers Natchitoches[139], après leur avoir accordé de généreuses rations.

Par la suite, surtout à partir de 1765, de nombreux Acadiens s'établiront dans la partie sud de la Louisiane, en particulier sur les deux rives du bayou Lafourche, jusqu'au golfe du Mexique. D'autres prendront la direction du Lac Charles, vers la frontière sud-est du Texas. D'autres encore s'installeront à la Nouvelle-Orléans, ou dans la région immédiate de ce grand port de mer, situé à l'embouchure du Mississipi, sur le golfe du Mexique.

Mais les trois premiers établissements acadiens, en Louisiane, furent: Saint-Jacques de Cabahannocer[140], Lafourche-des-Chétimachas ou l'Ascension, devenu depuis Donaldsonville, et le poste de Saint-Gabriel-d'Iberville.

À Saint-Jacques-de-Cabahannocer

Les premiers Acadiens arrivés en Louisiane se groupèrent d'abord à Saint-Jacques-de-Cabahannocer (Cabanocey), aujourd'hui St-James, situé sur la rive ouest du Mississipi, à une soixantaine de milles en amont de la Nouvelle-Orléans. Cette région avait été habité par plusieurs tribus indiennes, dont les Houmas et les Chétimachas.

L'un des premiers habitants de cette localité avait été Mathias Fréderick qui, après avoir demeuré sur la côte des Allemands (entre Saint-Jacques et la Nouvelle-Orléans), où il habitait au recensement de 1724, était installé à Vacherie, dans la région de Saint-Jacques, en 1756.

Un médecin d'origine allemande, du nom de Fréderick, vivait au milieu des Canadiens établis à Kaskaskia, au pays des Illinois, vers 1730. Il mourut à cet endroit vers 1735 et deux de ses quatre enfants furent élevés à l'orphelinat

---

139. L'auteur est redevable à Jacqueline Drouet-Vidrine, née Olivier, de Ville Platte, Louisiane, de lui avoir indiqué les sources documentaires de cet épisode peu connu de l'établissement des Acadiens à Natchitoches.

140. *Cabahannocer* était le nom indien d'un ruisseau de la région. Dans les vieux documents ce mot est orthographié de diverses façons dont: *Cabahonnocey* et *Cabanocey*.

des Ursulines de la Nouvelle-Orléans. Mathias Fréderick est sans doute l'un d'eux. Ce qui expliquerait que cet Allemand, élevé à la française, ait accueilli avec sympathie autour de lui des réfugiés qui parlaient sa langue.

C'est à proximité des établissements de Mathias Fréderick, que s'étaient établis, après 1756, les premiers Acadiens arrivés dans la région, dont les frères Salvador Mouton, Jacques Mouton et Louis Mouton. On sait cependant que Louis Mouton était encore à Ristigouche, sur la baie des Chaleurs, en 1760. Il est toutefois possible que ses frères, Salvator et Jean, l'aient précédé en Louisiane.

À partir de 1765, alors que les Acadiens arrivaient, en plus grand nombre, en Louisiane, plusieurs d'entre eux s'établirent à Saint-Jacques, sur les deux rives du Mississipi. Une liste de noms de 32 Acadiens réfugiés en Louisiane en 1756[141] en mentionne 13 qui se sont par la suite établis à Saint-Jacques: Pierre Arceneaux, Jean Arceneaux, Joseph Arceneaux, Jean-Baptiste Bergeron, Joseph Bourgeois, Jean-Baptiste Cormier, Joseph Guidry, Joseph Guillebeau, Simon LeBlanc, Ambroise Martin, Michel Poirier, Abraham Roy et Jean Saulnier. Jean Dugas s'y est établi à la même époque. Comme Pierre Arceneaux et Joseph Guillebeau, Dugas possédait des troupeaux de bestiaux dans les Attakapas.

Un groupe d'Acadiens de 216 personnes arriva directement de la Nouvelle-Écosse à la Nouvelle-Orléans, à l'automne de 1766. Plusieurs d'entre eux se dirigèrent vers la première colonie acadienne, connue sous le nom de la *première côte des Acadiens,* à Saint-Jacques. D'autres allèrent à l'Ascension (Donaldsonville) où se constituait déjà la *deuxième côte des Acadiens.*

Chacune de ces deux colonies acadiennes s'étendait sur une distance de 18 milles, le long du Mississipi et comptait des habitants sur les deux rives du fleuve.

Un Français originaire de Picardie, Jacques Cantrelle[142], possédait une vaste plantation d'indigotiers à Saint-Jacques de Cabahannocer. Cantrelle était venu de France

---

141. *Archives Nationales de France,* colonies, C-13, 45-29.
142. *Cabanocey,* par Lillian C.-Bourgeois, American Printing Company, Nouvelle-Orléans, 1957.

en 1720, soit peu de temps après la fondation de la Nouvelle-Orléans. Il s'était d'abord installé dans la région de Natchez mais, en 1729, les colons français établis à cet endroit furent presque tous massacrés par les Indiens. L'épouse de Cantrelle avait été du nombre des victimes. L'un des rares survivants de ce massacre, Jacques Cantrelle est allé par la suite s'établir, avec quatre de ses esclaves, à Kenner, près de la Nouvelle-Orléans, sur le Mississipi. Remarié en 1730 à Marguerite Larmusiau LeChoux, dont le mari avait été tué dans le massacre de Natchez, Cantrelle déménagea bientôt à la Nouvelle-Orléans où il devint un officier du Conseil Supérieur. Vers 1764, il fut nommé commandant de Saint-Jacques-de-Cabahannocer. Son fils, Michel, lui succédera en qualité de « commandant du poste des Acadiens de Cabahannocer». Son gendre, Nicolas Verret, deviendra officier commandant d'une compagnie de milice dont la plupart des Acadiens en état de porter les armes feront partie.

Les documents énumérant les membres de la milice du capitaine Verret et de même que les recensements tenus à Saint-Jacques de Cabahannocer, en 1766, 1769 et 1777, nous permettent de retracer les noms des premiers Acadiens établis en cette localité[143]. Les premiers registres paroissiaux de Saint-Jacques datent de 1770 et ils contiennent des noms d'Acadiens nés dans les divers endroits où leurs parents avaient été déportés, ou s'étaient réfugiés, avant leur arrivée en Louisiane, comme le Maryland, la Pennsylvanie et autres colonies anglo-américaines, voire même Cuba, où certains Acadiens avaient trouvé refuge.

Parmi les premiers Acadiens établis à Saint-Jacques de Cabahannocer[144], mentionnons les familles:Arceneaux, Babin, Babineaux, Barrios, Bergeron dit d'Amboise, Bernard, Blanchard, Boudreaux, Bourg, Bourgeois, Breaux,

---

143. Les noms des Acadiens faisant partie de la compagnie de milice de Nicolas Verret, de même que les recensements tenus à Saint-Jacques, en 1766, 1769 et 1777, ont été publiés dans *Cabanocey,* par Lillan C.-Bourgeois, American Printing Company, Nouvelle-Orléans, 1957.

144. La liste volumineuse de ces pionniers acadiens de Saint-Jacques est publiée dans le sixième tome de cet ouvrage.

Broussard, Bujol (Bujeaux), Caissy (Quessy), Cellier, Chiasson, CLoâtre, Comeaux, Cormier, David, D'Amour, Dugas, Duon, Dupuis, Forest, Gaudet, Gautreaux, Giroir (Girouard), Godin et Godin dit Bellefontaine, Guidry, Granger, Gravois, Guilbeau, Hébert, Jeanson, Labauve, Lachaussé, Landry, Lanoue, LeBlanc, Léger, Martin, Melançon et Melanson, Michel, Mire, Mouton, Orillon (Champagne dit Orillon), Part dit Laforêt, Pitre, Poirier, Préjean, Richard, Robichaud, Roy, Savoie et Savoy, Simon, Saulnier, Thibodeaux, Thériot, Trahan, Vincent et autres.

Il semble qu'une première chapelle avait été construite à Saint-Jacques, vers 1757[145]. Cette localité était alors desservie par le père Barnabé, capucin français et curé de la paroisse Saint-Charles. En 1770, Jacques Cantrelle fit don d'un terrain pour la construction d'une église. Le père Valentin devint alors le premier curé résident de la paroisse Saint-Jacques.

On sait qu'en 1762, la France avait cédé la Louisiane à l'Espagne. Or, à cette époque, la grande Louisiane comprenait, outre l'état actuel de la Louisiane, une douzaine d'autres états américains, situés à l'ouest du Missisipi et formant de nos jours toute la partie centrale des États-Unis, du golfe du Mexique aux frontières du Canada. Un premier gouverneur espagnol, Don Antonio Ulloa, arriva à la Nouvelle-Orléans en 1766, mais ce n'est qu'en 1769 que le capitaine-général espagnol, portant un nom de famille irlandais, Alejandro O'Reilly, prendra formellement possession de ce territoire, au nom de son pays.

Les Acadiens devront alors prêter le serment d'allégeance au roi d'Espagne. Sauf quelques rares exceptions, les missionnaires français seront remplacés par les capucins espagnols. Les documents publics et les registres paroissiaux seront ordinairement rédigés dans la langue espagnole. Il arrivera même que des noms de familles acadiens, orthographiés au son, prendront une consonnance espagnole: Pierre-Antoine **Dupuis** et Joseph-Michel **Hébert**, par exemple, pourront devenir Pedro-Antonio Dubuy et Jose-Miguel Ébert. D'autres noms seront tout simplement traduits du français

---

145. *Catholic Action of the South*, Nouvelle-Orléans, 1943, Vol. II, No 35.

à l'espagnol c'est ainsi que Jean-Charles LeBlanc deviendra Juan-Carlos Blanco. Plusieurs de ces noms acadiens se sont perpétués dans leur forme espagnole jusqu'à nos jours.

Saint-Jacques-de-Cabahannocer a aussi reçu, comme d'ailleurs tous les autres postes de la Louisiane, un apport considérable de l'immigration des Acadiens réfugiés en France et qui se sont dirigés vers la Louisiane, surtout à partir de 1785. Ainsi, au recensement tenu en cette dernière année, avant l'arrivée des Acadiens de France, la population de Saint-Jacques était de 1332 personnes, alors qu'en 1788, elle avait augmenté à 1559 âmes. En 1803, Saint-Jacques comptera 2200 habitants et, en 1810, 3955 personnes [146].

À Lafourche-des-Chétimachas ou l'Ascension

Aux Acadiens, qui arrivaient de plus en plus nombreux en Louisiane, les autorités espagnoles distribuèrent de nouvelles terres et fournirent des approvisionnements, des rations, ainsi que divers instruments de travail.

Avant même que tous les lots disponibles, sur les deux rives du Mississipi, dans la région de Saint-Jacques, aient été attribués aux Acadiens déjà arrivés, il fallut songer à l'organisation d'une deuxième colonie acadienne, en raison du nombre toujours croissant de réfugiés dont on annonçait constamment la venue.

Cette deuxième *côte des Acadiens,* établie sur les deux rives du Mississipi, d'une étendue de 18 milles, était située immédiatement en amont de la première colonie acadienne de Saint-Jacques.

Site d'un ancien village indien, occupé par les Chétimachas, le principal poste de cette *deuxième côte des Acadiens* avait pour nom, au temps d'Iberville et de Bienville, La Fourche des Chétimachas et se trouvait à la jonction du Mississipi et du bayou Lafourche. Ce bayou, d'une longueur de quelque 115 milles, constitue en quelque sorte un deuxième bras du fleuve Mississipi, qu'il suit presque

---

146. *Acadian Exiles in the Golden Coast of Louisiana,* par Sidney A. Marchand, Donaldsonville, Louisiane, 1943.

parallèlement, et se déverse, lui aussi, dans le golfe du Mexique. Lorsque, plus tard, une paroisse sera canoniquement établie à Lafourche, sous le vocable de l'Ascension de-Notre-Seigneur, ce poste deviendra alors plus généralement connu sous le nom de l'Ascension, jusqu'au jour où une ville sera fondée en cet endroit, au début du dix-neuvième siècle, qui portera le nom de Donaldsonville, en mémoire de son fondateur.

À la suite des explorations de La Salle, en 1682 et d'Iberville et de Bienville, à partir de 1699, des missionnaires avaient entrepris l'évangélisation des tribus indiennes du Mississipi, au risque de leur vie. Un soir de décembre 1704[147], le père Jean Buisson de Saint-Cosme et quelques compagnons de voyage attachaient leur pirogue sur la rive du Mississipi, dans la région actuelle de Donaldsonville. Au cours de la nuit, ils furent massacrés durant leur sommeil par les Chétimachas. Outragés, d'Iberville et Bienville leur déclarèrent une guerre d'extermination qui ne prit fin qu'en 1719. Bienville accepta alors de signer un traité de paix avec ces Indiens, mais les força à abandonner leur village de La Fourche et à s'installer sur le bayou Jacques, aujourd'hui le bayou Jacob, non loin de Plaquemine.

Vers 1768, les premiers Acadiens commencèrent à s'établir à Lafourche-des-Chétimachas qui, en 1772, deviendra la paroisse de l'Ascension. Parmi les pionniers de l'Ascension se trouvaient des familles acadiennes qui s'étaient installés à Saint-Jacques, dès leur arrivée en Louisiane. D'autres sont venus des Antilles, de la Nouvelle-Écosse et d'ailleurs. En 1785 et au cours des années qui suivront, la population de l'Ascension augmentera rapidement, surtout en raison du grand nombre des Acadiens venus de France qui s'y établiront. Ainsi, Lafourche-des-Chétimachas ou l'Ascension comptait 646 personnes d'origine acadienne en 1785 alors que, trois ans plus tard, en 1788, sa population atteindra 1164. En 1810, l'Ascension, devenue Donaldsonville, comptera 2219 personnes[148].

---

147. *History of Louisiana,* par le juge F. X. Martin.
148. *Acadian Exiles in the Golden Coast of Louisiana,* par Sidney A. Marchand, Donaldsonville, 1943.

Les premiers Acadiens établis à Lafourche (ou l'Ascension) avaient pour noms [149]: Aucoin, Babin, Barrios, Bélisle, Benoît, Bergeron, Blanchard, Boudreaux, Bourg, Breaux, Broussard, Bujol, Cherami (vraisemblablement Thériot dit Cherami) Comeaux, Daigle, Doucet, Dubois, Dugas, Duhon, Dupuis, Forest, Gallien, Gautreaux, Godin, Guidry, Guillot et Diotte, Granger, Hébert, Lannaux, Landry, LeBlanc, Lejeune, Martin, Melançon et Melanson, Michel, Naquin, Orillon et Champagne, Pitre, Préjean, Richard, Robichaux, Roger (Caissy dit Roger), Saulnier, Thériot et Terriot, Trahan.

Les premiers contrats civils signés à Lafourche des Chétimachas datent de 1768. En 1770, Louis Judice, un autre gendre de Jacques Cantrelle, sera nommé *commandant des Acadiens et juge à Lafourche des Chétimachas*. Il demeurait alors à Saint-Jacques, mais il s'établira définitivement à Lafourche en 1772 et il occupera son poste de commandant jusqu'à 1798.

À la suite de la prise de possession formelle de la Louisiane par les Espagnols, en 1769, une douzaine de missionnaires capucins espagnols arrivèrent en Louisiane. C'est l'un d'eux, le père Angelus de Revillagodos qui, le 15 août 1772, l'année même de l'érection canonique de Lafourche-des-Chétimachas en l'Ascension-de-Notre-Seigneur, deviendra le premier curé résident de cette paroisse, poste qu'il occupera jusqu'à sa mort, survenue à l'Ascension, le 16 décembre 1784 [150].

À la même époque, des colons espagnols s'étaient établis à Saint-Bernard-de-Galveztown, à Gonzales et à Valenzuela, aujourd'hui Plattenville, dans la région de l'Ascension, de même qu'à Nouvelle-Ibérie, aux Attakapas.

La Louisiane fut rétrocédée par l'Espagne à la France, le 30 novembre 1803 et vendue par la France aux États-Unis, le 20 décembre de la même année, au prix de 60 millions de francs. Or, lorsque le nouveau gouverneur américain de la Louisiane, William Claiborne, voulut désigner un

---

149. On trouvera la longue liste de ces Acadiens dans le sixième tome de cet ouvrage.
150. *Catholic Action of the South*, Nouvelle-Orléans, 1943, Vol. II, No 35.

nouveau commandant à l'Ascension, après avoir fait effectuer une enquête par son homme de confiance, le Dr Watkins, son choix se porta sur un Acadien, du nom de Joseph Landry, qui était né en Acadie.

En raison des nombreuses inondations causées par le gonflement des eaux du Mississipi, les Acadiens durent construire, dès le début de leur établissement à Saint-Jacques et à l'Ascension, des chaussées, le long des rives du grand fleuve, qu'ils appelaient *levées,* mot qui est encore couramment employé, même par la population de langue anglaise. La construction de ces levées fut l'une des grandes entreprises des Louisianais. Elles permettent, à certaines périodes de l'année, de contenir les eaux du Mississipi.

À partir de 1775, les Acadiens de l'Ascension avaient obtenu leurs titres de propriété sur les terrains qui leur avaient été assignés antérieurement. Un banquier de la Nouvelle-Orléans, du nom de William Donaldson, entrevit, en 1806, la possibilité d'augmenter sa fortune en faisant l'acquisition d'un certain nombre de ces lots, pour les subdiviser et les revendre, après avoir tracé les plans d'une ville qui serait érigée à l'endroit le plus stratégique de la jonction du Mississipi et du bayou Lafourche. Le premier lot qu'il acheta fut celui de la veuve Pierre Landry, née Marguerite Allain, en date du 10 février 1806 et pour lequel Donaldson paya le montant de $12000.00 en or mexicain. C'est ainsi que la ville de Donaldsonville fut fondée.

À l'époque, quelques pionniers acadiens établis à Saint-Jacques et à l'Ascension avaient déjà accumulé des fortunes considérables grâce à l'exploitation de leurs plantations auxquelles travaillaient leurs esclaves noirs[151]. Le plus grand nombre des Acadiens des rives du Mississipi connaissait d'ailleurs la prospérité. C'est pourquoi, dès cette époque, le territoire couvrant ces deux premières colonies acadiennes en Louisiane sera désigné sous le nom de *Golden Coast of Louisiana,* la côte d'or de la Louisiane.

---

151. En 1810 se trouvaient 2500 esclaves noirs à Saint-Jacques et à l'Ascension, devenue alors Donaldsonville.

À Saint-Gabriel-d'Iberville

Pendant que des Acadiens s'établissaient aux Atta-kapas, notamment à Saint-Martinville, aux Opelousas, de même que sur les rives du Mississipi, à Saint-Jacques et à l'Ascension, d'autres remontaient le fleuve jusqu'à la rivière Iberville, ou bayou Manchac, et même beaucoup plus haut, à Pointe-Coupée.

Au cours de leurs voyages d'explorations, d'Iberville et de Bienville avaient appris des Indiens que, du bayou Manchac en passant par la rivière Amite, il était possible de se rendre au golfe du Mexique en traversant les lacs Maurepas et Pontchartrain. L'embouchure du bayou Manchac, sur le Mississipi, devint donc un point stratégique de première importance.

À la suite de la cession de la Louisiane par la France à l'Espagne, les Anglais voulurent protéger les voies de communications vers leurs colonies, situées à l'ouest du Mississipi, immédiatement en haut de la jonction du fleuve et du bayou Manchac, alors connu sous le nom de rivière Iberville. Les Espagnols n'en firent pas moins pour la protection de leur territoire. Ils érigèrent le fort Manchac, à peu de distance du poste établi par les Anglais, mais en bas de la jonction du bayou Manchac et du Mississipi, à un endroit situé au nord de la localité actuelle de Saint-Ga-briel-d'Iberville [152].

C'est en 1768 que le gouverneur espagnol Don Antonio Ulloa envoya dans cette région du Mississipi, connue alors sous le nom de *côte d'Iberville,* les premiers groupes d'A-cadiens nouvellement arrivés en Louisiane. Ils avaient pour noms : Allain, Babin, Blanchard, Breaux, Chiasson, Cloâtre, Comeaux, Corporon, Doucet, Dupuy, Forest, Gautreaux, Hébert, Landry, LeBlanc, Melanson, Richard, Rivet, Trahan, etc.

---

152. *Saint-Gabriel of Iberville 1773-1953*, par Roger Baudier, k.s.g., chroniqueur officiel de l'archidiocèse de la Nouvelle-Orléans, d'après des notes compilées sous la direction du Révérend Vincent Isidore Kleinpeter, curé de Saint-Gabriel, en 1953.

Dès leur arrivée sur la côte d'Iberville, les Acadiens se construisirent, en bois de cyprès, une chapelle qui existe encore de nos jours. Cependant, en raison des inondations et des érosions, elle fut déménagée à diverses reprises, de même d'ailleurs que le site de la paroisse Saint-Gabriel.

C'est en 1772 que cette première chapelle fut démantelée pièce par pièce, descendue sur le fleuve Mississipi, pour être élevée sur le site actuel de Saint-Gabriel d'Iberville. C'est également en cette même année 1772 que la paroisse était érigée canoniquement sous le vocable de l'Archange Saint-Gabriel et que le capucin espagnol, le père Aloysius, devenait son premier missionnaire.

Sous le régime espagnol, le nom du bayou Manchac était attribué à toute la région comprenant Saint-Gabriel de même que Saint-Bernard-de-Galveztown, situé à une quinzaine de milles plus loin, près de la jonction du bayou Manchac et de la rivière Amite et colonisé surtout par des Espagnols. Ainsi, lorsque le père Joseph de Arozena ouvrit un nouveau registre des mariages pour les années 1781-1785, il s'intitula le pasteur des paroisses de *Saint-Gabriel et de Saint-Bernard de Manchak*. Après 1820, cette localité porte plus généralement le nom d'Iberville et, de nos jours, elle est désigné sous le nom de Saint-Gabriel.

En 1771, le père Ferdinand, capucin français, avait visité Saint-Gabriel mais, à partir de 1773, cette paroisse sera surtout desservie par le père Angelus de Ravillagodos, curé de l'Ascension, située à une vingtaine de milles de Saint-Gabriel. En 1779, c'est un autre missionnaire français, le père Valentin, qui sera nommé premier curé résident de Saint-Gabriel-d'Iberville. Le recensement de 1785 démontre une population de 673 habitants au *poste d'Iberville* (Saint-Gabriel), de 77 à Manchac et de 242 à Galveztown. Avec l'arrivée des Acadiens de France en Louisiane, à partir de 1785, la population de ces localités augmentera sensiblement. Ainsi en 1788, trois ans plus tard, nous trouvons à Saint-Gabriel d'Iberville une population de 944, à Manchac, 284, et à Galveztown, 268. Les réfugiés acadiens rayonneront aussi vers les divers autres postes de la région, notamment à Bâton Rouge[153], devenue depuis la capitale, située du côté est du Mississipi, de même qu'à Plaquemine et à Pointe-Coupée, du côté ouest du fleuve.

La première messe avait été célébrée à Bâton-Rouge le 1er janvier 1722, par le père François-Xavier Charlevoix, jésuite. Ce n'est cependant qu'en 1789 qu'une première église sera construite à ce poste. Le père Carlos Burke, moine irlandais qui avait reçu son éducation en Espagne, deviendra le premier curé résident de Bâton-Rouge, en 1792[154].

Le poste de Pointe Coupée, de nos jours New-Roads, avait été établi par les Français vers 1727. Une garnison y séjournait sous le régime français. À Pointe Coupée s'arrêtaient les voyageurs qui remontaient ou descendaient le Mississipi et la rivière Rouge pour effectuer le trajet de Natchitoches à la Nouvelle-Orléans. Les registres paroissiaux de cette localité indiquent le passage des pères Dupoisson, en 1727, Maximin et Pierre, en 1728. Plus tard on y trouve les pères capucins Irénée et Jean-François et le jésuite Pierre Vitry, qui s'arrêteront à Pointe-Coupée en route vers les missions de l'Arkansas. Le premier prêtre résident à Pointe-Coupée fut le père Anselme de Langres, capucin français.

De France en Louisiane

On estime que, de 1777 à 1788, plus de 3000 Acadiens partirent de France pour aller rejoindre leurs compatriotes déjà établis en Louisiane. Le plus grand nombre arriva à la Nouvelle-Orléans au cours de l'année 1785. Ces réfugiés se dirigèrent surtout vers Saint-Jacques, l'Ascension et Saint-Gabriel, de même qu'ils se dispersèrent le long du bayou Lafourche, ainsi qu'aux Attakapas et aux Opelousas.

Des milliers d'Acadiens, on l'a déjà vu, se trouvaient en France au lendemain du traité de paix de 1763. Les uns avaient été transportés directement en Europe en 1758,

---

153. La tribu indienne des Chétimachas, habitant la région, se servait de bâtons peints en rouge, pour indiquer les frontières du territoire qu'elle occupait, d'où le nom de *Bâton-Rouge*.
154. *Catholic Action of the South*, Nouvelle-Orléans, 1943.

1759 et 1760, soit par le dernier gouverneur français de l'île du Prince-Édouard, Raymond de Villejoint, soit par les Anglais, après la capitulation de Louisbourg. Les autres avaient été conduits d'Angleterre en France à la suite de la signature du traité de Paris.

Les Acadiens qui, de la Virginie, avaient été envoyés en Angleterre en 1756, avaient été internés comme prisonniers de guerre à Liverpool, Southampton, Falmouth et Bristol. En 1763, Étienne François, duc de Choiseul, alors ministre des Affaires Étrangères de France, se chargea d'effectuer leur transport en France. Ils étaient quelque 1200 en 1756 et, malgré l'apport des naissances survenues en Angleterre, durant ces années de captivité, il n'en restait plus que 833 en 1763. Un grand nombre était mort de misère, de chagrin ou d'épidémie. Les survivants avaient été débarqués dans deux principaux ports de France, Morlaix et Saint-Malo, en mai et juin 1763.

Pendant leur séjour en France, les réfugiés acadiens recevaient des soldes du gouvernement, pendant que divers projets étaient élaborés, qui d'ailleurs ont tous échoués, en vue de leur établissement. En 1762 et en 1763, des Acadiens ont été envoyés de France en Guyane ; en 1763, aux îles Malouines (Falkland), près du détroit de Magellan ainsi qu'en Australie ; en 1765, à Belle-Isle-en-Mer, au large des côtes de Bretagne ; de 1764 à 1771, aux îles Saint-Pierre et Miquelon, en Uruguay, aux îles Sous-le-Vent et aux Antilles françaises (Guadeloupe, Martinique et Saint-Domingue) et, enfin, en 1773, au Poitou.

Partout, en ces endroits, il est resté des Acadiens, mais la plupart de ceux qui y avaient été envoyés se sont, un jour ou l'autre, dirigés vers les ports de France ou autres lieux de leur choix.

Un grand nombre, parmi les quelque 600 Acadiens envoyés en Guyane française, mourut sous l'action du climat torride et des épidémies. Une partie des survivants se dirigea vers la Louisiane en 1766. Il en fut de même de la plupart de ceux qui avaient été transportés de France aux Antilles. Aux îles Falkland, les Acadiens ont cependant fait souche. Il se trouve aussi des descendants d'Acadiens de nos jours en Uruguay, au Nicaragua, au Honduras et autres pays de l'Amérique du Sud.

Parmi tous ces projets qui n'eurent pas de lendemain, les deux plus sérieux semblent avoir été celui de Belle-Isle-en-Mer, sur les côtes de Bretagne, et celui de la Grande Ligne, au Poitou.

À Belle-Isle-en-Mer, 78 familles acadiennes avaient été établies en quatre paroisses, Locmaria, Sauzon, Palais et Bangor, à partir de 1765. D'autres suivirent par la suite. L'abbé Leloutre, libéré de l'île Jersey où il avait été détenu prisonnier pendant huit ans, s'occupa de leur établissement. Mais ces Acadiens ne réussirent pas à s'adapter aux conditions de pêche et de culture tellement différentes de celles de l'Acadie. Par surcroît, pendant plusieurs années consécutives, la sécheresse détruisit leurs récoltes et la maladie décima leurs troupeaux. Découragés, incapables de faire produire une terre pauvre pour en tirer leur subsistance, ils songèrent bientôt à quitter la France. Au cours des mois de mai, octobre et décembre 1767, ils s'embarquèrent, au nombre de 551, de Saint-Malo, Rochefort, Cherbourg et La Rochelle, pour les îles Saint-Pierre et Miquelon, où se trouvaient de leurs parents et compatriotes depuis le lendemain du traité de Paris. La plupart des autres se dispersèrent bientôt dans les villes portuaires françaises. Il en resta cependant un certain nombre à Belle-Isle-en-Mer où se trouvent encore, de nos jours, leurs descendants.

La cour de Rennes, capitale de la Bretagne, avait décrété, le 12 janvier 1767: «*tous les registres de baptêmes, mariages et sépultures ayant été perdus dans la persécution des Anglais, de suppléer à cette perte en établissant autant que possible, les filiations de ces infortunés fugitifs...*» C'est ainsi que les déclarations assermentées de ces Acadiens, quant à leur filiation, ont été retrouvées aux archives de Paris et conservées jusqu'à nos jours. Publiés dans *Le Canada Français,* au cours des années 1889 et 1890, par les soins de l'abbé H.-R. Casgrain, ces documents ont une grande valeur historique, surtout pour les descendants d'Acadiens de la Louisiane puisque, dans un grand nombre de cas, il s'agit de leurs propres ancêtres, en ligne directe.

Quant au projet d'établissement des Acadiens au Poitou, rappelons qu'en 1772, le marquis de Pérusse des Cars, colonel pensionné d'un régiment de Normandie, avait acquis un vaste domaine, comprenant seize paroisses, dans la région de Monthoiron, au Poitou, en France[155]. L'année suivante, en 1773, les autorités françaises conçurent le plan d'établir 1500 Acadiens, sur les terres du marquis de Pérusse, d'une superficie de près de 14000 acres.

D'après le recensement que le gouvernement français effectua à cette fin[156] en 1773, il se trouvait encore en France 679 familles acadiennes comprenent 2542 personnes, dont 1154 enfants, nés en France. De ce nombre de familles, 366 seulement avaient encore leur père et leur mère ; 120 familles n'avaient plus de père, mais leur mère vivait ; 26 familles n'avaient plus de mère, mais leur père vivait et 167 familles n'avaient plus ni père ni mère.

Si l'on songe que plusieurs, parmi les 366 familles ayant encore leur père et leur mère, étaient constituées de jeunes couples mariés depuis leur arrivée en France, il est possible d'évaluer, avec encore plus de précision, l'ampleur de la tragédie qui a si cruellement frappé les Acadiens lors de leur dispersion.

Le recensement de 1773 révèle que les Acadiens étaient alors éparpillés dans diverses villes de France comme Boulogne, Saint-Malo, Saint-Servan de Saint-Malo, Rochefort, Morlaix, Lorient, Belle-Isle-en-Mer, Le Havre, Cherbourg, La Rochelle et Bordeaux.

Subventionné par le gouvernement français, le marquis de Pérusse des Cars forma sa colonie acadienne du Poitou en assignant aux Acadiens un territoire comprenant les paroisses D'Archigny, Cenan, La Puye et Saint-Pierre-de-Maillé. La colonie acadienne proprement dite était établie sur un plateau situé entre les rivières La Gartempe à l'est. et La Vienne, à l'ouest[157]. Louis XV, dans un élan de gé-

---

155. *Acadian Odyssey,* par Oscar William Winzerling, Louisiana State University Press, Bâton-Rouge, 1955.
156. Joly de Fleury, *Commerce et Colonies,* Vol. I, 188 et *Rapport des archives du Canada,* pour 1905.
157. *Acadian Odyssey,* par Oscar William Winzerling, 1955.

nérosité, construisit une grande route de Monthoiron à La Puye, ayant des jonctions secondaires, à Partir de Pleumartin, au nord, et La Bussière, au sud[158]. Les Acadiens de la région donnèrent à ce *chemin du Roy* le nom de *La Grande Ligne,* d'où le terme *les Acadiens de la Grande Ligne.*

C'est vers ce territoire que se dirigera, au mois d'octobre 1773, un premier groupe de 497 Acadiens qui furent d'abord stationnés à Châtellerault, sur une rue portant encore de nos jours le nom de *la rue Acadienne.* Plusieurs centaines de leurs compatriotes, jusque là installés à Belle-Isle-en-Mer, les suivirent bientôt.

Pour de multiples raisons, trop longues à énumérer, l'organisation de cette colonie fut un échec complet. En 1775, les 1500 Acadiens qui avaient été établis au Poitou décidèrent, à la suite d'une réunion qu'ils avaient convoquée, de se retirer vers les villes portuaires de France. Cet exode s'accomplit à la fin de 1775 et au début de 1776, alors que 1340 Acadiens sur 1500 abandonnèrent la colonie acadienne du Poitou. Une trentaine de familles seulement, formant 160 personnes, s'y fixèrent de façon permanente. Elles comptent de nos jours de nombreux descendants, encore installés dans la région de *La Grande Ligne,* qui ont conservé le souvenir de leurs ancêtres acadiens.

Dès 1766, des Acadiens réfugiés au Havre apprirent que leurs parents se trouvaient en Louisiane et manifestèrent l'intention d'aller les retrouver. Des échanges de lettres se multiplièrent entre les Acadiens de France et ceux de la Louisiane. C'est alors que les réfugiés acadiens en France présentèrent de pressantes requêtes au gouvernement français pour obtenir l'autorisation et les moyens de se rendre en Amérique, où ils retrouveraient des parents et des compatriotes d'infortune qu'ils n'avaient pas vu depuis si longtemps.

Comme la Louisiane était devenue une colonie espagnole, en vertu du traité de Fontainebleau, en 1762, le gouvernement français faisait la sourde oreille aux demandes répétées des Acadiens désireux de s'y rendre. Mais, en 1777, après la faillite de la colonie acadienne du Poitou et à la

---

158. *Ibid.*

suite de négociations avec la cour de Madrid, il laissa partir deux familles, comprenant vingt-deux personnes qui, par des échanges de lettres, avaient acquis la certitude que leurs parents se trouvaient en Louisiane. Elles s'établirent à Saint-Jacques de Cabahannocer, sur le Mississipi[159].

De nombreux autres réfugiés acadiens en France voulurent immédiatement partir pour la Louisiane. Mais ce n'est pas sans difficultés que seront vaincues les hésitations du gouvernement français à laisser les Acadiens de France se diriger vers une colonie devenue espagnole. D'autant plus qu'à l'époque, les autorités françaises étaient à mettre au point un plan pour leur établissement en Corse, possession française.

Les négociations entre les Acadiens et les représentants du gouvernement français furent d'autant plus longues et laborieuses que les réfugiés acadiens de France étaient eux-mêmes divisés, ne sachant plus quel parti prendre. Pendant que les uns manifestaient ardemment le désir d'aller s'établir en Louisiane, d'autres optaient pour la Corse, alors qu'un troisième groupe voulait retourner à la colonie du Poitou[160].

C'est ainsi qu'en 1783, les Acadiens étaient encore en France. Ayant vu leurs soldes réduites de moitié, depuis l'année 1778, ils vivaient alors dans la plus extrême pauvreté. Les bonnes terres à culture étant alors la propriété de la noblesse française, tout ce qu'on avait jusqu'ici offert aux Acadiens, à Belle-Isle-en-Mer, au Poitou, ou ailleurs, n'étaient que les territoires les plus stériles et les plus incultes. D'année en année, au cours de leur séjour en France, ils n'en étaient que de plus en plus pauvres et misérables[161].

Puis, voici qu'en 1783 un chef se lève en la personne de Peyroux de la Coudrenière, originaire de Nantes où il avait été pharmacien. Récemment revenu dans sa ville natale, après un séjour de sept ans en Louisiane où il avait

---

159. *Acadian Odyssey,* par Oscar William Winzerling, 1955.
160. *Documents sur les colonies* aux Archives nationales de France, 1713-1788, Vol. VIII, 292 et *Mémoires et documents d'Angleterre,* juin 1778.
161. *Acadian Odyssey,* par Oscar William Winzerling.

fait fortune, il décida d'intervenir en faveur des Acadiens réfugiés en France.

Pendant son séjour en Louisiane, Peyroux de la Coudrenière avait rencontré des Acadiens devenus influents et prospères, qui l'avaient informé du vif désir de leurs compatriotes de faire émigrer en Louisiane les réfugiés acadiens qui se trouvaient si malheureux en France. C'est alors qu'il conçut l'idée de faire transporter en Louisiane les Acadiens de France, aux frais du gouvernement espagnol.

S'étant rendu à Paris, il rencontra Ignacio Heredia, secrétaire personnel auprès de l'ambassadeur d'Espagne à Paris, le comte d'Aranda, qui s'intéressa vivement à son projet. Heredia lui facilita la tâche d'obtenir une entrevue avec l'ambassadeur espagnol et fit un rapport favorable au premier ministre d'Espagne.

De retour à Nantes, Peyroux de la Coudrenière y rencontra, entre autres Acadiens, Olivier Thériot, qui exerçait le métier de cordonnier et devint un actif et indispensable collaborateur. Peyroux commença par obtenir la signature d'une requête des réfugiés acadiens de Nantes, laquelle fut envoyée à l'ambassadeur d'Espagne à Paris, demandant leur transport en Louisiane. La requête des Acadiens de Nantes fut expédiée à Madrid portant la recommandation de l'ambassadeur espagnol à Paris.

Dans l'intervalle, des lettres arrivant de la Louisiane relataient le bonheur et la prospérité dont jouissaient les Acadiens établis en ce pays et stimulaient davantage le désir des réfugiés acadiens en France d'aller retrouver leurs parents en Amérique.

Le 22 octobre 1783, Charles III d'Espagne accepta, par décret royal, le plan de Peyroux de la Coudrenière, touchant l'émigration des Acadiens de France en Louisiane. Le 21 janvier 1784, Peyroux obtenait l'assurance que les Acadiens de France seraient transportés en Louisiane aux frais du gouvernement espagnol.

Olivier Thériot se chargea de propager la bonne nouvelle parmi ses compatriotes acadiens, en particulier ceux de Nantes, de Saint-Malo et de Morlaix. Dès ce moment Heredia, le secrétaire de l'ambassade d'Espagne, à Paris, enthousiaste de ce projet, entretiendra des contacts et une correspondance suivis avec Peyroux et Olivier Thériot[162].

Pendant que Peyroux poursuivait ses négociations avec la cour d'Espagne touchant le transport des Acadiens en Amérique, parmi les réfugiés acadiens de Saint-Malo, il s'en trouvait 140, devenus à ce point misérables qu'ils implorèrent le roi de France de les laisser partir pour Boston. Dans leur demande ils soulignaient le fait que leurs enfants, séparés d'eux depuis 1755, se trouvaient à Boston, au service de maîtres anglais, qui les avaient élevés dans la religion protestante[163].

Louis XVI accorda son assentiment au départ des Acadiens, le 31 mars 1784, à la suite d'un échange de notes entre les gouvernements français et espagnol. Pour faciliter leur émigration en Louisiane, le gouvernement français décida alors de payer toutes les dettes que les Acadiens avaient pu contracter en France.

Le 10 août 1784, Peyroux fit tenir au comte de Aranda ambassadeur d'Espagne à Paris, un rapport indiquant qu'à cette date, les Acadiens de Paimbœuf et de Nantes qui s'étaient engagés, par leurs signatures, à émigrer en Louisiane, représentaient 224 chefs de famille ; 259 mères et 741 enfants, dont 392 garçons et 349 filles ; 23 orphelins et 25 orphelines ayant atteint leur majorité et 53 orphelins qui étaient encore mineurs, soit un total de 1325 personnes[164].

Des Acadiens, dont la situation financière leur permettait de vivre sans l'aide du gouvernement, refusèrent d'émigrer en Louisiane. D'autres familles, bien que pauvres et désireuses d'aller s'établir en Louisiane, ne purent s'engager à partir, en raison de l'absence de leurs chefs qui étaient en

---

162. Olivier Terrio, 1783-1792, dans *Précis des faits qui ont précédés, effectués et suivis l'émigration des dix-sept-cents Acadiens des provinces de France à la colonie de la Louisiane, en mille-sept-cents-quatre-vingt-cinq,* incluant vingt-trois lettres, aux *Archives de Cuba,* 197 A.G.I. souvent citées par Oscar William Winzerling, dans *Acadian Odyssey.*

163. *Colonies, VIII-317-20,* aux Archives nationales de France, Paris, Lettre de Heredia à Floridablanca, premier ministre d'Espagne, le 21 février, 1784.

164. *Acadian Odyssey,* par Oscar William Winzerling.

mer, soit à la pêche soit engagés comme matelots. Quand les pères étaient décédés, les aînés des garçons s'étaient constitués chefs de famille et devaient s'absenter pour gagner la vie de leurs mères, frères et sœurs.

Peyroux et Thériot firent ensuite du recrutement pour la Louisiane chez les Acadiens habitant encore Saint-Malo, Morlaix, Cherbourg, Havre de Grâce, Brest, Bordeaux, Rochefort et Belle-Isle-en-Mer. Ils rencontrèrent beaucoup d'hésitations, surtout de la part des Acadiens de Saint-Malo et de Morlaix. Puis, d'autres obstacles surgirent, du fait du retard apporté par le gouvernement espagnol à noliser les navires de transport.

Entretemps, plusieurs Acadiens étaient partis pour les îles Saint-Pierre et Miquelon. D'autres, ayant quitté secrètement la France, s'étaient vraisemblablement déjà dirigés vers la Louisiane. D'ailleurs, les îles Saint-Pierre et Miquelon servirent souvent de tremplin pour les Acadiens de France se dirigeant vers la Louisiane.

Grâce aux bons offices de Manuel d'Asprès, consul d'Espagne à Saint-Malo, et à la suite de longues négociations avec des compagnies maritimes françaises, sept navires purent enfin être nolisés pour le transport des Acadiens de France en Louisiane. Les départs des navires pour la Nouvelle-Orléans avaient été fixés pour le printemps et le début de l'été 1785.

Le vaisseau *Le Bon Papa* partit le premier, en date du 10 mai 1785. Son capitaine portait le nom de Pelletier. Après une traversée qui dura 81 jours, il accosta à la Nouvelle-Orléans, le 29 juin 1785, avec 36 familles acadiennes comprenant 156 personnes. Anselme Blanchard, un Acadien établi en Louisiane, fut nommé commissaire par les autorités espagnoles de la Nouvelle-Orléans et chargé de s'occuper des Acadiens, dès leur arrivée. Les noms des familles furent enregistrés au fur et à mesure que les Acadiens descendaient du bateau. Ces premières familles furent établies dans la région du bayou Manchac, à Saint-Gabriel-d'Iberville et sur le bayou Lafourche.

Le deuxième navire fut *La Bergère,* dirigé par le capitaine Deslandes. Olivier Thériot, le collaborateur de Peyroux, avait pris place sur ce vaisseau avec 73 familles comprenant 273 personnes, dont cinq passagers français. Parti de France le 12 mai, *La Bergère* arriva à la Nouvelle-Orléans le 15 août 1785.

Le troisième groupe d'Acadiens, transporté sur *Le Beaumont,* capitaine Daniel, partit de France, le 11 juin pour arriver à la Nouvelle-Orléans, le 19 août 1785. Le 4 octobre, Martin Navarro, l'intendant espagnol à la Nouvelle-Orléans, dirigea 74 familles acadiennes, comprenant 268 personnes, au bayou Lafourche et, plus tard, 6 familles formant 23 personnes, dans la région des Attakapas.

Le Saint-Remy, commandé par le capitaine Nicolas Baudin, quitta Saint-Malo, le 20 juin 1785, avec 341 passagers acadiens qui furent débarqués à la Nouvelle-Orléans, le 9 septembre suivant. La plupart de ces Acadiens, dont 85 familles, allèrent s'établir dans la région de l'Ascension, alors que deux familles, formant treize personnes, se dirigèrent vers les Attakapas et les Opelousas.

La cinquième expédition, partie sur *La Amistad,* le 12 août 1785, comprenait 68 familles formant 270 passagers, qui arrivèrent à la Nouvelle-Orléans, le 7 novembre 1785, sous le commandement du capitaine Beltremieux. Le plus grand nombre de ces familles, soit 224 personnes, furent établies dans la région de Valenzuela (Plattenville) sur le bayou Lafourche. D'autres furent dirigées vers Nueva Galvez (Galveztown), dans la région de Saint-Gabriel-d'Iberville.

La Villa de Arcangel venait en sixième lieu et transportait 53 familles, formant 309 passagers, sous le commandement du capitaine Le Goaster. Parti de Saint-Malo, à la mi-août, il arriva à la Nouvelle-Orléans, le 3 décembre 1785. Ces Acadiens furent envoyés au bayou des Écores et le long du bayou Lafourche.

Enfin, la septième et dernière expédition, partie de Nantes le 15 octobre sur *La Carolina,* sous le commandement du capitaine du *Saint-Remy,* Nicolas Baudin, traversa l'Atlantique en 64 jours, pour arriver à la Nouvelle-Orléans au mois de décembre 1785, ayant à son bord 28 familles, en tout 80 personnes. Le groupe fut dirigé sur les bayous Lafourche et des Écores, ainsi que sur Galveztown, dans la région de Saint-Gabriel.

Un total de 1596 Acadiens ont été transportés sur ces sept navires. A ce chiffre officiel, il faut ajouter plusieurs matelots français qui, ayant connu de jeunes Acadiennes, soit en France, soit durant la traversée, les épousèrent à leur arrivée à la Nouvelle-Orléans et se fixèrent en Louisiane.

Il restait encore, en France, de nombreux Acadiens dont les demandes d'émigrer en Louisiane avaient été refusées, en raison de l'entente intervenue entre les gouvernements français et espagnol, fixant le nombre de ceux qui pourraient être transportés en Louisiane. Ainsi, à l'automne de 1785, arrivèrent des îles Saint-Pierre et Miquelon à Saint-Malo et à La Rochelle, quelque 250 Acadiens, transportés aux frais du gouvernement français, à qui la permission fut refusée de se diriger immédiatement vers la Louisiane. Ils trouvèrent sans doute le moyen de s'y rendre plus tard.

Les Acadiens installés à Valenzuela (Plattenville), sur le bayou Lafourche, s'établiront par la suite aux autres postes situés sur le même cours d'eau, en direction du golfe du Mexique, comme Belle-Rose, Paincourtville, Napoléonville, Suprême, Labaddieville, Thibodeaux, Lafourche, La Rose, Galliano, Golden Meadow, Leeville et Grande-Isle, de même que dans la région située à l'ouest du bayou Lafourche, à Houma, Bourg, Thériot, Chauvin, Dulac ainsi qu'en direction des lacs Verret et Palourde, comme à Morgan City.

Après 1785, d'autres Acadiens, partis de France ou d'ailleurs, continueront, malgré mille et un obstacles, à se diriger vers cette terre de salut que fut la Louisiane pour ces infortunés.

Le culte des ancêtres

Le 25 avril 1793, le pape Pie VI signa les Bulles établissant le nouveau diocèse de la Louisiane et de la Floride, avec siège épiscopal à la Nouvelle-Orléans. Jusqu'en 1771, la Louisiane faisait partie du diocèse de Québec. À la suite de la prise de possession formelle de la Louisiane par les Espagnols, en 1769, le roi d'Espagne avait publié, en 1771, un décret à l'effet que le diocèse de Québec n'avait plus juridiction sur ce territoire et que la Louisiane relevait désormais du diocèse de Santiago de Cuba[165].

En 1795 on comptait déjà les paroisses suivantes en Louisiane : la paroisse de la cathédrale Saint-Louis, à la Nouvelle-Orléans ; Saint-Bernard-de-Galveztown ; Saint-Charles-Borromée, à Les Allemands (Destrehan) ; Saint-Jean-Baptiste, à Bonnet-Carré (Edgard) ; Saint-Jacques-de-Cabanocey ; l'Ascension de Lafourche-des-Chétimachas (Donaldsonville) ; l'Assomption-de-Valenzuela (Plattenville) ; Saint-Gabriel-d'Iberville ; Notre-Dame-des-Sept-Douleurs, à Bâton-Rouge ; Notre-Dame-du-Mont-Carmel, dans la région de Féliciana (Port-Hudson, transféré plus tard à bayou Sara) ; Saint-François d'Assise de Pointe-Coupée ; Saint-François-d'Assise-de-Natchitoches ; Saint-Louis des Appalaches, à El Rapido (Pineville) ; L'Immaculée-Conception des Opelousas (Saint-Landry) ; Saint-Martin, au poste des Attakapas (Saint-Martinville). Il se trouvait aussi d'autres paroisses érigées à Natchez, à Cole Creek, au Mississipi, ainsi qu'en Arkansas et en Illinois, territoires ne faisant plus partie de la Louisiane actuelle.

De nos jours, la Louisiane est parsemée de centaines de paroisses (il s'en trouve une soixantaine à la Nouvelle-Orléans seulement), érigées par la foi des descendants d'Acadiens et souvent dirigées par des prêtres de langue française originaires du Québec.

Il ne suffit pas de visiter la Nouvelle-Orléans pour rencontrer ces descendants d'Acadiens, tous encore si fiers de leur origine et ayant conservé, plus que partout ailleurs peut-être, le culte des ancêtres. Il faut se rendre dans le sud-ouest de la Louisiane, là où ils se sont surtout groupés, et parcourir cet immense territoire, formant un triangle, dont l'angle supérieur se situe à Alexandrie, au nord, et dont la base s'étend de Lac Charles, à l'ouest à la Nouvelle-Orléans, à l'est.

La partie sud-ouest de la Louisiane, où la population acadienne est concentrée, est la plus riche et la mieux favorisée au point de vue du climat. C'est aussi le pays des bayous, dont les principaux sont le Tèche, le Lafourche et

165. *Catholic Action of the South,* Nouvelle-Orléans, 1943.

le Vermilion. C'est là surtout que, depuis deux siècles, les Acadiens ont bâti leurs villages, leurs villes, leurs églises et leurs écoles. C'est là que la langue française est encore à l'honneur dans les familles, bien que l'anglais soit devenu la langue des affaires et, souvent aussi, la langue parlée couramment dans les rues des villes.

Au premier abord, ces descendants d'Acadiens louisianais donneront parfois l'impression, à l'étranger qui arrive de France ou du Canada, de ne pas connaître suffisamment le français pour engager la conversation. En réalité, seule la crainte de ne pouvoir parler le français aussi correctement qu'ils le désireraient leur donne cette timidité passagère. C'est ainsi que nombre de voyageurs qui sont passés rapidement en Louisiane, soit comme membres de délégations, soit comme touristes, sont revenus avec la fausse impression que le français s'affaiblissait progressivement dans cette région des États-Unis. Il faut se mêler au peuple et causer familièrement avec lui, non seulement pour se convaincre qu'il n'en est rien, mais encore pour découvrir qu'il se trouve de nos jours, en Louisiane, des milliers de descendants d'Acadiens qui ne peuvent même pas parler l'anglais.

Tout comme au pays du Québec, et comme en France d'ailleurs, il existe, en Louisiane, divers accents français, selon les régions. Et ce qui surprend agréablement, c'est d'entendre, en certains endroits, des expressions typiquement acadiennes, vieilles de plusieurs siècles, qui ne peuvent être recueillies aujourd'hui qu'en certaines régions du Québec ou des provinces maritimes, où des Acadiens se sont établis. Tous ces frères, dispersés depuis plus de deux siècles, n'en ont pas moins conservé la même langue et la même foi.

26. EN NOUVELLE-ÉCOSSE

À la suite de la conquête du Canada par les Anglais, le territoire comprenant de nos jours les îles du Prince-Édouard et du Cap-Breton, ainsi que le Nouveau-Brunswick, avait été placé sous la juridiction du gouvernement de la Nouvelle-Écosse.

L'île du Prince-Édouard et le Nouveau-Brunswick se sépareront de la Nouvelle-Écosse pour devenir provinces autonomes: l'une en 1769 et l'autre en 1784. L'île du Cap-Breton continuera cependant à faire partie de la Nouvelle-Écosse. Ces trois provinces, la Nouvelle-Écosse, l'Île-du-Prince-Édouard et le Nouveau-Brunswick, sont générale-ment connues sous le nom de provinces maritimes.

Après 1755, outre les Acadiens retenus prisonniers par les Anglais, il se trouvait en Nouvelle-Écosse des fugitifs, dont il est difficile d'évaluer le nombre. Ils avaient réussi à se dissimuler en divers points du territoire compris de nos jours dans ces trois provinces. Ils vivaient misérablement de chasse et de pêche, à la façon des Indiens, leurs alliés.

Le traité de Paris, qui mettait fin à la guerre de Sept Ans entre l'Angleterre et la France, avait été signé le 10 février 1763. Or, au mois de novembre de cette même année, 694 prisonniers acadiens, dont 136 hommes, 123 fem-mes et 435 enfants, se trouvaient encore à Halifax; 374 Acadiens étaient détenus au fort Cumberland et 87 à la ri-vière Saint-Jean.

Comme on l'a déjà vu, à partir de 1764, des groupes d'Acadiens libérés par les Anglais se dirigeront de la Nouvelle-Écosse vers les îles de Saint-Pierre et Miquelon, dans le golfe Saint-Laurent, les Antilles françaises et la Louisiane. Par contre, à la même époque, des fugitifs acadiens, qui s'étaient maintenus cachés dans la profondeur des bois, durant ces longues années, et certains de leurs compatriotes de retour d'exil s'efforceront de reprendre leurs terres, abandonnées depuis les événements tragiques de 1755. Ils ne recevront jamais l'autorisation de rebâtir leurs anciens villages de Port-Royal, Grand-Pré, Beaubassin, Pisiguit et Cobequid, mais ils n'en réussiront pas moins à s'implanter solidement en plusieurs régions des provinces maritimes et à y ériger une Acadie nouvelle qui suscite l'admiration et le respect du monde contemporain.

Nous savons déjà qu'en 1758, un nombre considérable de réfugiés acadiens qui se trouvaient dans la région de Miramichi, s'étaient dispersés sur les côtes du nord et de l'est du Nouveau-Brunswick, dans les comtés actuels de Restigouche, Gloucester, Northumberland et Kent. Ils s'y sont maintenus jusqu'au traité de paix de 1763. D'autres se trouvaient à l'île du Prince-Édouard, au Cap-Breton et en divers points isolés des côtes de l'est de la Nouvelle-Écosse.

En 1766, quelque deux cents familles acadiennes, qui avaient été déportées au Massachusetts en 1755, reviendront à travers les bois, vers leur ancienne Acadie. En cours de route, plusieurs s'arrêteront à la rivière Saint-Jean, Petit-coudiac, Memramcook, Moncton, Shédiac et Cocagne, pour s'y établir. D'autres poursuivront leur route vers Sackville, Amherst, Truro, Windsor, Grand-Pré, Annapolis-Royal jusqu'à Halifax.

Des Acadiens arriveront aussi par bateau du Massachusetts pour se diriger vers Pubnico, le Cap-de-Sable, la baie Sainte-Marie et la région de l'île Madame, au Cap-Breton.

Un missionnaire, l'abbé Charles François Bailly de Messein, fut envoyé pour la première fois en Nouvelle-Écosse par Monseigneur Briand, en 1767. Il rencontra la plupart de ces groupements d'Acadiens, baptisa des enfants de douze ans qui n'avaient jamais encore vu de prêtre et revalida de nombreux mariages, en particulier à Windsor et à Halifax. Ce n'est cependant qu'en 1769 que l'abbé Bailly put se rendre au Cap-Breton.

Né à Varennes en 1740, l'abbé Bailly avait été ordonné prêtre à Québec en 1767. Pendant cinq ans, il parcourut les divers postes de la Nouvelle-Écosse et de la partie sud du Nouveau-Brunswick, s'efforçant d'atteindre tous les Acadiens dont les mariages n'avaient pas encore été revalidés, ou les enfants baptisés. Sa grand-mère maternelle, Jeanne Thibodeau, était la fille de Pierre Thibodeau, le meunier de la Prée Ronde, de Port-Royal, et le fondateur de Chipoudy. Elle avait épousé Mathieu Desgouttins, l'ancien greffier de Port-Royal.

Le 12 juillet 1768, l'abbé Bailly baptisa, à Windsor (l'ancien Pisiguit), plus de trente jeunes Acadiens, âgés de trois mois à six ans et ayant pour noms : Belliveau, Boudreau, Bourg, Bourgeois, Gaudet, Girouard, Hébert, Landry, Lanoue, LeBlanc, Léger, Saulnier. Le 20 juillet 1768, dans la région d'Halifax, il baptisa de nombreux autres enfants portant les noms de Babin, Babineau, Bellefontaine (Godin), Bourg, Comeau, Daigle, Dupuis, Landry, Lapierre, Pellerin, Petitpas, Pothier, Thériault et Thibodeau[166].

En 1771, un recensement fut effectué des Acadiens se trouvant alors en Nouvelle-Écosse et dans la partie sud du Nouveau-Brunswick. On dénombra 274 familles comprenant 1249 personnes, dans ces régions[167].

À cette époque, il devait se trouver un millier d'Acadiens sur les côtes du nord et de l'est du Nouveau-Brunswick et plusieurs centaines d'autres à l'île du Prince-Édouard, qui ne furent pas touchés par ce recensement.

Par la suite, d'autres familles acadiennes venues du Massachusetts s'établiront dans la région de la baie Sainte-Marie, à Pubnico, et à Tousquet, en Nouvelle-Écosse, ainsi qu'à la rivière Saint-Jean, au Nouveau-Brunswick. Plusieurs centaines de réfugiés se dirigeront des îles Saint-

---

166. *Histoire de la Survivance acadienne,* par Antoine Bernard, c.s.v.
167. *Papers relating to Nova Scotia,* an enumeration of the Acadian families resident in Nova Scotia, given unto the Secretary's office, 1771, in *Brown's Collection,* British Museum, London, cité par Oscar William Winzerling, dans *Acadian Odyssey.*

Nouvelle-Écosse	Familles	Personnes
Arichat, Cap-Breton	33	174
Petit de Grat, Cap-Breton	9	37
D'Escousse, Cap-Breton	15	73
L'Ardoise, Cap-Breton	11	63
Bras d'Or, Cap-Breton	7	32
Louisbourg, Cap-Breton	4	22
Baie de Gabarus, Cap-Breton .	6	38
Windsor	22	82
Halifax et environs	24	118
Chezzetcook	17	96
Cap de Sable	12	50
Baie Sainte-Marie	24	98
Cumberland	16	70
	200	953

Nouveau-Brunswick (partie sud)	Familles	Personnes
Rivière Saint-Jean	37	158
Memramcook	23	87
Petitcoudiac	14	51
	74	296

Pierre et Miquelon vers le Cap-Breton et l'île du Prince-Édouard. Puis, il y aura ceux qui, installés en premier lieu au Québec, iront retrouver leurs parents au Nouveau-Brunswick, surtout dans la région du Madawaska.

À la baie Sainte-Marie

Les Acadiens qui décidèrent de s'établir en Nouvelle-Écosse, après le traité de 1763, se groupèrent dans quatre régions particulières : la baie Sainte-Marie ; Yarmouth-Pubnico-Cap-de-Sable ; l'île Madame, au Cap-Breton ; et Halifax-Dartmouth-Chezzetcook. Une première famille acadienne, celle de Joseph Dugas, était arrivée à la baie Sainte-Marie, en 1768, et s'installa à un endroit qui portera plus tard le nom de l'Anse-des-Belliveau. En 1769, le gouverneur Michael Franklin, d'Halifax, autorisa 24 familles, comprenant 98 personnes, à s'établir à la baie Sainte-Marie. Elles allèrent à Grosses-Coques. La plupart de ces familles étaient arrivées du Massachusetts en 1766. Plusieurs de leurs compatriotes d'exil ne tardèrent pas à venir les rejoindre, d'autant plus que le gouverneur Franklin accordait sans hésitation les titres des lots occupés par les Acadiens, dans cette région.

Ainsi, en 1772, les familles de Pierre LeBlanc et de François Doucet, arrivées de Salem, au Massachusetts, à bord d'une goélette, deviendront les pionniers de Pointe-de-l'Église. Puis d'autres s'établiront à l'*Anse-des-Belliveau, Pointe-de-l'Église, Saulnierville, Mateghan, Grosses-Coques, Cap-Sainte-Marie, Rivière-au-Saumon* et autres localités, dont ils seront les fondateurs.

Parmi les premières familles acadiennes établies à la baie Sainte-Marie, mentionnons celles de Basile Amirault, du Cap de Sable, fils de Jacques et de Jeanne Lord, marié à Marguerite Doucet ; Jean-Baptiste Bastarache, de Port-Royal, fils de Pierre et de Marguerite Forest, marié à Marie-Josephe Comeau ; son frère, Michel Bastarache, de Port-Royal, marié à Marie Gaudet ; Jean Belliveau, de Port-Royal, fils de Jean et de Madeleine Melanson, marié à Marie-Madeleine Gaudet ; Joseph Jacques Belliveau, de Port-Royal, fils de Jean et de Marie-Madeleine Gaudet ; son frère, Charles-Marie Belliveau, de Port-Royal, marié à Madeleine LeBlanc ; son frère, Fréderic Belliveau, de Port-Royal, marié à Marie-Modeste LeBlanc ; Claude Boudreau, de Grand-Pré, fils de Claude et de Catherine Hébert, marié à Judith Landry ; François Comeau, de Petitcoudiac, fils de Pierre et de Jeanne Bourgeois, marié à Marie-Madeleine Lord ; son fils, Salvator, Comeau, de Petitcoudiac, marié à Anastasie Belliveau ; son frère François Comeau, de Petitcoudiac, marié à Félicité LeBlanc ; Alexandre Comeau, de Port-Royal, fils de Pierre et de Suzanne Bézier, marié à Marie-Josephe Blanchard ; Jacques Deveau, de Beaubassin, fils de Jacques et de Marie Poirier, marié à Madeleine Robichaud ; Pierre Doiron, de Beaubassin, marié à Marguerite

Léger; François Doucet, de Port-Royal, fils de René et Marie Brossard, marié à Marguerite Petitot; Joseph Doucet, de Port-Royal, fils de Claude et de Marie Comeau, marié à Anne Suret: son fils, Joseph Doucet, de Port-Royal, marié à Ludivine Mius d'Entremont; son frère, Dominique Doucet, de Port-Royal, marié à Madeleine Mius d'Entremont; Amable Doucet, de Port-Royal, fils de Pierre et de Marie-Josephe Robichaud, marié à Marie Brousaud; Joseph Dugas, de Port-Royal, marié à Marie Josephe Robichaud; Paul Dugas, de Port-Royal, fils de François et de Claire Bourg, marié à Brigitte Melanson; René Poncy Gaudet, de Port-Royal, fils de Pierre et de Marie Belliveau, marié à Félicité Comeau; Guillaume Jeanson dit Billy, de Port-Royal, fils de Guillaume et d'Élizabeth Corporon, marié à Marie Aucoin; Pierre Lanoue, de Port-Royal, fils de René et de Marguerite Richard, marié à Mary Doane; son frère, Amand Lanoue, de Port-Royal, marié à Marie Melanson; Charles LeBlanc, de Port-Royal, fils de Pierre et de Madeleine Bourg, marié à Madeleine Girouard; Pierre LeBlanc, de la rivière aux Canards, à Grand-Pré, fils de Jacques et d'Élizabeth Boudreau, marié à Marie-Madeleine Babin; Pierre LeBlanc, de Port-Royal, fils de Charles et de Madeleine Girouard, marié à Marguerite Belliveau; Pierre Melanson, de Port-Royal, fils d'Ambroise et de Marguerite Comeau, marié à Anne Melanson; son frère, Jean Melanson, de Port-Royal, marié à Anne Trahan; Charles Melanson, de Port-Royal, fils de Charles et d'Anne Granger, marié à Anne Granger; Joseph-Prudent Robichaud, de Port-Royal, fils de Joseph et de Marie Forest, marié à Madeleine Bourgeois; Claude Saulnier, de Petitcoudiac, fils de Jacques et d'Anne Hébert, marié à Françoise Aucoin; René Saulnier, de la rivière aux Canards, à Grand-Pré, marié à Marie Madeleine Maillet; Yves Thébault, de Port-Royal, fils de Louis et de Jeanne Levron, marié à Françoise Melanson; Hilarion Thériault, de la rivière aux Canards, à Grand-Pré, fils de Jean et de Madeleine Bourg, marié à Marie Belliveau.

L'abbé Joseph Mathurin Bourg, missionnaire à la baie des Chaleurs et aux provinces maritimes, a visité la baie Sainte-Marie en 1774. C'était la première fois que les Acadiens de cette région recevaient la visite d'un missionnaire depuis le passage de l'abbé Bailly en 1769.

L'abbé Bourg fit deux autres visites aux Acadiens de la baie Sainte-Marie, en 1781 et en 1786. Une première chapelle avait déjà été construite à Grosses-Coques. mais, lors de sa dernière visite, l'abbé Bourg décida du site de la future église qui sera par la suite érigée sur une pointe, à quelques milles de Grosses-Coques. Ce site portera le nom de Pointe-de-l'Église, aujourd'hui le siège du diocèse de Yarmouth.

À Pubnico, Cap-de-Sable, Yarmouth et Tousquet

Lors de la dispersion des Acadiens, les Mius d'Entremont, de la région de Pobomcoup (Pubnico) et du Cap-de-Sable, descendants du seigneur Philippe Mius d'Entremont, avaient été chassés de leurs terres, déportés au Massachusetts ou transportés en France. Parmi les membres de cette famille qui revinrent du Massachusetts, après le traité de paix de 1763, se trouvaient les trois fils de Jacques Mius de Pobomcoup; Paul, Bénoni et Joseph, de même que les fils de Joseph Mius et de Marie Amirault; Jean-Baptiste, Charles et Joseph.

Les fils de Jacques Mius de Pobomcoup s'établirent dans la région de Pubnico alors que ceux de Joseph Mius s'intallèrent au Cap-de-Sable, en compagnie de compatriotes acadiens.

Avant la dispersion, outre l'établissement des d'Entremont à Pobomcoup, il se trouvait plusieurs postes acadiens dans la région du Cap-de-Sable, faisant également partie du domaine des d'Entremont. Ainsi les localités de Barrington, Port-Latour, Baccaro, Doctor's Cove, Shag Harbour, étaient autant de postes occupés par les d'Entremont, les Latour, les Amirault et autres Acadiens[168].

---

168. *Le manoir et les armoiries de la famille Mius d'Entremont d'Acadie*, par l'abbé Clarence J. d'Entremont, publié en 1964, dans le sixième cahier de la *Société Historique Acadienne*, Moncton.

C'est en 1766 que les trois fils de Jacques Mius de Pobomcoup, Paul, Bénoni et Joseph, revinrent d'exil. Ils trouvèrent les terres que leurs parents avaient défrichées occupées par les Anglais. Lorsqu'il s'établirent à Pubnico, l'année suivante, ils durent s'installer sur des terres neuves, dans la région de Pubnico-ouest et dans le secteur actuellement français de Pubnico-est. De sorte que les établissements présentement occupés par les Acadiens dans cette région ont été fondés depuis la dispersion. D'autres familles acadiennes s'installeront, à la même époque, à Yarmouth et à Tousquet.

Parmi les premières familles acadiennes qui se sont établies dans la région de *Pubnico, Cap-de-Sable, Yarmouth et Tousquet*, après le retour des exilés de 1755, mentionnons: Jacques Amirault, fils de François et de Marie Pitre, marié à Jeanne Lord; Ange Amirault, fils de Jacques et de Jeanne Lord, marié à Nathalie Belliveau; Jacques Amirault, dit Tourangeau, fils de Jacques et de Jeanne Lord, marié à Marie Belliveau; Charles Belliveau, de Port-Royal, fils de Charles et d'Agnès Gaudet, marié à Marguerite Bastarache; Charles Belliveau, de Port-Royal, fils de Charles et de Marie Melanson, marié à Agnès Gaudet; Jean-Baptiste Comeau, de Petitcoudiac, fils de François et de Marie-Madeleine Lord, marié à Marie-Rose Robichaud; Justinien Comeau, de Petitcoudiac, fils de François et de Marie Madeleine Lord, marié à Natalie Bastarache; Paul Mius d'Entremont, fils de Jacques de Pobomcoup et de Marguerite Amirault; son frère Bénoni Mius d'Entremont; son frère Joseph Mius d'Entremont, marié à Agnès Belliveau; Jean-Baptiste Mius d'Entremont, fils de Joseph et de Marie Amirault, marié à Marie-Josephe Surette; son frère, Charles Mius d'Entremont, marié à Marie-Marthe Hébert; son frère Joseph Mius d'Entremont, marié à Marie-Josephe Préjean; Louis Mius d'Entremont, fils de Charles et de Marie Marthe Hébert, marié à Anne Doucet; Pierre Mius d'Entremont, fils de Joseph et de Marie Josephe Préjean, marié à Cécile Amirault; Pierre LeBlanc, du Cap-de-Sable, fils de Pierre et de Claire Boudreau, marié à Marguerite Amirault; Pierre Surette, de Grand-Pré, fils de Joseph et de Marguerite Thériault, marié à Hélène Godin.

Au Cap-Breton

Au début de leur établissement en Nouvelle-Écosse, après la dispersion, des Acadiens se sont portés en nombre considérable vers le détroit de Canso, sur l'île Madame, au Cap-Breton. Le recensement de 1771 signale déjà, à Arichat, d'Escousse et Petit-de-Grat, à l'île Madame, une population de 284 personnes comprenant 57 familles. En incluant les autres localités de l'île du Cap-Breton, alors occupées par des Acadiens, telles que l'Ardoise, Bras-d'Or, Louisbourg et la baie de Gabarus, il se trouvait alors, dans cette région, une population de 439 personnes.

À l'époque, Charles Robin, que nous avons déjà vu à Paspébiac, à la baie des Chaleurs, exploitait un établissement de pêche considérable sur le détroit de Canso où il employait plusieurs Acadiens, qui étaient surtout venus des îles Saint-Pierre et Miquelon. En 1774, la population du Cap-Breton s'était élevée à 1011 âmes, dont près de la moitié demeurait à Arichat et à Petit-de-Grat, sur l'île Madame.

Plusieurs familles acadiennes avaient aussi réussi à se maintenir dans cette région du détroit de Canso, après la chute de Louisbourg, en 1758, jusqu'au traité de paix de 1763. Ainsi, Rameau de Saint-Père[169], qui a visité Saint-Peters (Port-Toulouse), au Cap-Breton, en 1860, y rencontra un Acadien du nom de Fougère, qui lui déclara ce qui suit: «Mon père était de Port-Toulouse. Moi, je suis né à Arichat en 1761. Au temps de ma jeunesse il y avait dix-huit maisons en Arichat, cinq à d'Escousse, quatre au Petit-Degrat. Lors de la guerre de l'Indépendance, en 1775, les Acadiens furent obligés de quitter l'île Madame où les menaçaient les flibustiers américains; il n'y resta que six familles, le reste se sauva à Halifax et, de là, s'établit en partie à Chezzetcook; puis, à la paix, la plupart revinrent ici. Les anciens habitants de Port-Toulouse ont émigré les uns à Saint-Pierre, les autres à L'Ardoise. Moi je suis resté trois ans à Chezzetcook; j'ai vu souvent traîner par des femmes le bois que les hommes menaient à Halifax dans les barques.

---

169. *Une colonie féodale en Amérique.*

Quand j'avais vingt-deux ans, vers 1783, il n'y avait que deux familles établies à Chéticamp : Pierre Bois et Joseph Richard dit Matinal...» Il s'agissait, sans doute, de Charles Fougère, fils de Joseph Fougère et de Marguerite Coste, qui demeurait à Petit de Grat, en 1771.

Parmi les familles qui se trouvaient dans la région d'Arichat, de Petit de Grat et de d'Escousse, après la dispersion, mentionnons celles de Guillaume Benoît, de Pisiguit, fils de Clément et d'Anne Babin, marié à Marie Josephe Benoît ; Louis Boudreau, de Port-Royal, fils de Joseph et de Marguerite Dugas, marié à Barbe Fougère ; son frère, Joseph Boudreau, marié à Judith Fougère ; Simon Forest, de Pisiguit, fils de Pierre et de Madeleine Babin, marié à Marguerite Gauterot ; Jean Fougère, de Port-Royal, fils de Jean et de Marie Bourg, marié à Madeleine Belliveau ; son frère, Joseph Fougère, marié à Marguerite Coste ; Pierre Girouard, de Pisiguit, fils de Pierre et de Marie Doiron, marié à cécile Decheverry ; Augustin Guidry, de Port-Royal, fils de Pierre et de Marguerite Brasseau, marié à Françoise Jeanson ; Jean-Baptiste Landry, de Pisiguit, fils de Jean-Baptiste et de Marguerite Gauterot, marié à Marie Josephe LeBlanc.

Vers 1775, quatorze familles acadiennes de l'île du Prince-Édouard, dont les Aucoin, Bois, Chiasson, Cormier, Deveau, Doucet, Gaudet, LeBlanc, Maillet et Poirier, allèrent pêcher à Chéticamp — situé au nord-ouest de l'île du Cap-Breton, pour le compte de la compagnie Robin. Au cours des premières années, elles se rendaient passer l'hiver à Saint-Pierre ou à Arichat, mais elles finirent, vers 1785, par se fixer définitivement à Chéticamp qui, en 1803, comptait une population de 353 âmes.

À Halifax, Chezzetcook, Prospect et Dartmouth

Quant aux familles acadiennes qui se trouvaient à l'époque dans la région d'*Halifax*, de *Chezzetcook*, de *Prospect* et de *Dartmouth*, signalons celles de Jean Babineau dit Deslauriers, de Port-Royal, fils de Nicolas et de Marguerite Granger, marié à Isabelle Brault ; Jacques Bonnevie, de Port-Royal, fils de Jacques et de Marguerite Lord, marié à Madeleine Thébeau ; Eustache Corporon, de Pisiguit, fils de

Jean et de Marie Pinet, marié à Angélique Viger; Jean Gaudet, dit Varonel, de Port-Royal, fils de Jean et de Madeleine Brun, marié à Anne Bastarache; Pierre LeBlanc, de Grand-Pré, fils de François et de Marguerite Boudreau, marié à Marie Bourgeois; Pierre Melanson, de Port-Royal, fils de Charles et d'Anne Bourg, marié à Marie Josephe Granger; Louis Petitpas, de Port-Royal, fils de Claude et de Françoise Lavergne, marié à Madeleine Poujet; son frère, Joseph Petitpas, marié à Louise Fougère; Pierre Robichaud, cadet, de Cobequid, fils de Charles et de Marie Bourg, marié à Suzanne Brasseau; son fils, Pierre Robichaud, de Cobequid, marié à Marie Rose Corporon; Pierre Surette, de Grand-Pré, fils de Pierre et de Catherine Brault.

Enfin, en 1774, lorsque l'abbé Joseph-Mathurin Bourg, missionnaire en Nouvelle-Écosse, passa par Annapolis-Royal (l'ancien Port-Royal), il y rencontra une douzaine de familles acadiennes dont celles de Jean Bastarache, marié à Marie-Josephe Comeau; Jean Comeau, marié à Marie-Rose Robichaud; Justinien Comeau, marié à Nathalie Bastarache; Joseph Deveau, fils de Jacques et de Madeleine Robichaud, marié à Marie Esther Bastarache; Salomon Maillet, marié à Marguerite LeBlanc; Charles Maillet, fils de Salomon et de Marie Saulnier, marié à Marie LeBlanc.

De 1871, date du premier recensement en Nouvelle-Écosse, à 1961, la population totale de cette province a augmenté de 90 pour cent et la population acadienne, de 168.4 pour cent. En 1871, les Acadiens représentaient 8.4 pour cent de la population totale alors qu'en 1961, ils en formaient 12 pour cent.

Il se trouve en cette province quatre comtés qui sont ordinairement considérés comme des *comtés acadiens*: Richmond, Digby, Yarmouth et Inverness. La population acadienne est en majorité dans le comté de Richmond, représente approximativement 50 pour cent de la population des comtés de Digby et de Yarmouth et 25 pour cent de celle du comté d'Inverness.

De plus, quelque 36000 Acadiens se trouvent dans les deux comtés urbains d'Halifax et de Cap-Breton. Quelque 30000 autres sont disséminés dans les douze autres comtés de la province, où il existe deux paroisses acadiennes.

C'est dire que, pour la majeure partie de la population acadienne de la Nouvelle-Écosse, la vie française est une lutte particulièrement difficile [170]. Sur une population totale de 737 007 âmes, il se trouvait en Nouvelle-Écosse, au recensement de 1961, 87 833 Acadiens.

170. *Les Acadiens*, par Émery LeBlanc, Les Éditions de l'homme, 1130, est, rue Lagauchetière, Montréal, 1963.

27. À L'ÎLE DU PRINCE-ÉDOUARD

ON ESTIME qu'une trentaine de familles acadiennes, comprenant quelque deux cents personnes, avaient persisté à demeurer dans l'île du Prince-Édouard, après l'invasion des Anglais et l'évacuation de la population de l'île, en 1758. Le recensement de 1768 indique que ces Acadiens vivaient alors dans la partie nord de l'île, à Rustico, au havre Saint-Pierre, à Tracadie et à Malpèque.

Walter Patterson, le premier gouverneur de l'île du Prince-Édouard, écrivait au secrétaire d'État, Hillborough, le 24 octobre 1770[171] : « Les Français qui habitent l'île sont au service de quelques sujets britanniques pour le compte desquels ils font la pêche, recevant en retour des vêtements, du rhum, de la poudre et du plomb, ce qui leur permet de faire la chasse à l'ours, au phoque et au gibier; cette chasse leur fournit la nourriture et les détourne de la culture du sol. »

Les premiers Acadiens établis à l'île du Prince-Édouard, après le traité de paix de 1763, étaient les Arsenault, Aucoin, Bernard, Blanchard, Blaquière, Boudreau, Bourque, Buot, Chevarie, Chiasson, Desroches, Doiron, Doucet, Gaudet, Gauthier, Haché-Gallant, Landry, Lebrun, Longuespée, Martin, Michel, Miousse (Mius), Pitre, Poirier et Richard.

À Rustico

À *Rustico*, le plus important établissement acadien de l'île, à l'époque, se trouvaient les familles de Louis Belli-

---

171. *Prince Edward Island State Papers,* aux archives d'Ottawa.

veau, de Port-Royal, fils de Jean et de Cécile Melanson, marié à Louise Haché; François Blanchard, originaire de l'île, fils de François et de Marguerite Carret, marié à Marie Deveau; Louis Blaquière, originaire de l'île et natif de Bretagne, marié à Modeste Comeau; Paul Chiasson, de Beaubassin, fils de Jacques et de Marie Josephe Arsenault, marié à Louise Boudreau; Jean Doucet, de Beaubassin, fils de François et de Marie Carret; son frère, Michel Doucet, de Beaubassin, marié à Louise Belliveau; Paul Gaudet, de Beaubassin, fils d'Augustin et d'Agnès Chiasson, marié à Marie Bourg; son frère, Jean Gaudet, dit Chaculo, de Beaubassin, marié à Marie-Blanche Bourque; Jean-Baptiste Gauthier, fil de Nicolas et de Marie Alain, de Port-Royal, marié à Anne Lavigne; Louis Haché-Gallant, fils de François et d'Anne Boudrot, originaire de l'île, marié à Ursule Doucet; son frère, Jean-François Haché-Gallant, marié à Agnès Doucet; son frère, Joseph Haché-Gallant, marié à Euphrosine Arsenault; son frère, Charles Haché-Gallant, marié à Anne Boudreau; son frère, Pierre Haché-Gallant, marié à Modeste Arsenault; son frère, Simon Haché-Gallant, marié à Marie Gaudet; son frère, Basile Haché-Gallant, marié à Marguerite Boudreau; Charles Haché-Gallant, originaire de l'île, fils de Jacques et de Marie-Josephe Boudreau, marié à Félicité Gautereau; Bathelémy Martin, de Port-Royal, fils de Pierre et d'Anne Godin, marié à Madeleine Carret.

Avant la dispersion, Malpèque était l'un des principaux postes acadiens de la côte nord de l'île du Prince-Édouard. Plusieurs familles de Beaubassin, en particulier les Arsenault, s'y étaient établies à partir de 1728. Nous avons des raisons de croire que, parmi les Arsenault qui se trouvaient à Malpèque lors de l'invasion de l'île par les Anglais, en 1758, plusieurs réussirent à se tenir cachés dans cette région, jusqu'au traité de paix de 1763, dont les fils de Jacques Arsenault et de Marie Poirier: Jacques, Pierre, Joseph, Alexandre et Paul de même que leurs cousins, les fils d'Abraham et de Marie-Josephe Savoie: Jean-Baptiste, Pierre et Joseph. Avec eux se trouvaient aussi Joseph Arsenault, marié à Marguerite Boudreau, et ses fils Cyprien et Joseph de même qu'Abraham Arsenault, marié à Marguerite Nuirat, et plusieurs membres de sa famille. Mais, de nos jours, aucun Acadien ne réside à Malpèque.

De 1758 à 1799, il n'y eut que trois paroisses acadiennes sur l'île du Prince-Édouard: Rustico, baie Fortune (Rollo Bay) et Malpèque. En 1799, huit familles quittèrent Malpèque pour aller s'établir à Tignish. Elles furent suivies de plusieurs autres. C'est ainsi que fut fondé Tignish dont l'un des pionniers a été Jacques Chiasson, originaire de Beaubassin, fils de Jacques et de Marie Josephe Arsenault, marié à Marie Boudreau. En 1801, d'autres familles de Malpèque se rendirent à Cascumpeque (Bloomfield) où elles jetèrent les fondations de la paroisse Saint-Antoine. En 1812, des Acadiens partirent encore de Malpèque pour aller s'établir à Egmont Bay et à Mont-Carmel, dont ils furent les pionniers. Enfin, en 1817, les quelques familles acadiennes qui restaient à Malpèque achetèrent, du colonel Harry Compton, des propriétés à Miscouche, où elles fondèrent un nouvel établissement. C'est ainsi que disparurent les Acadiens de Malpèque. Deux principales raisons semblent avoir motivé leur départ: les rentes élevées que prélevaient à cet endroit les seigneurs de l'île et les difficultés à s'entendre avec l'élément anglo-saxon[172].

Les descendants des familles acadiennes de Malpèque se retrouvent de nos jours dans les florissantes paroisses de Tignish, Palmer Road, Bloomfield, Wellington, Egmont Bay, Mont-Carmel, Miscouche, Summerside et Seven Mile Bay, toutes situées dans le comté de Prince, qui groupe de nos jours la majorité des Acadiens de l'île du Prince-Édouard.

Les abbés MacDonald et MacEachern

À l'été de 1772, un fort contingent de familles écossaises, dont plusieurs de foi catholique, arriva à l'île du Prince-Édouard. Un jeune prêtre écossais du nom de James MacDonald était de ce nombre. Âgé de 36 ans, il avait étudié à Rome et parlait couramment l'anglais, le français, l'italien et le gaélique. Il est décédé en 1785, après avoir exercé son ministère pendant treize ans auprès de ses com-

---

172. *The Acadians of Prince Edward Island, 1720-1964,* par J. Henri Blanchard, Charlottetown, 1964.

patriotes écossais et au milieu des Acadiens qu'il affectionnait particulièrement. Il a été inhumé dans le cimetière acadien de Saint-Louis, à Scothfort.

En 1785, l'abbé Joseph-Mathurin Bourg rendait visite aux Acadiens de l'île du Prince-Édouard. Mais, de cette date jusqu'à 1790, aucun missionnaire n'a vécu au milieu d'eux. Après le décès de l'abbé MacDonald, Mgr d'Esglis, évêque de Québec, avait chargé Jean Doucet, de Rustico, de recevoir les consentements de mariage et d'administrer le sacrement de baptême dans toute l'île du Prince-Édouard. Jean Doucet présidait aussi à la *messe blanche*, les dimanches et jours de Fête.

Au mois d'août 1790, un prêtre vraiment remarquable, l'abbé Angus Bernard MacEachern, arriva à l'île du Prince-Édouard. Son père, Hugh MacEachern, était venu d'Écosse s'établir, en 1772, avec sa femme et six enfants. Il avait laissé dans son pays son fils Angus Bernard, alors âgé de 14 ans pour qu'il continue ses études sous la direction de Mgr Hugh MacDonald, vicaire apostolique des Highlands[173].

L'abbé MacEachern avait étudié au collège Saint-Ambroise de Valladolid, en Espagne, ancienne maison des Jésuites devenue la propriété de l'épiscopat écossais. Il y avait passé dix ans à l'étude de la scolastique, de la théologie, voire même du droit civil et de la médecine. C'est la formation que recevaient à l'époque plusieurs des missionnaires écossais destinés à exercer leur ministère dans les provinces maritimes. Après son ordination, en 1787, l'abbé MacEachern passa trois ans dans son pays natal avant de venir rejoindre sa famille à l'île du Prince-Édouard. Il se mérita bientôt la confiance et l'admiration des Acadiens. Après avoir été missionnaire pendant de longues années, à l'île du Prince-Édouard et au Cap-Breton, l'abbé MacEarchern devint le premier évêque de Charlottetown, le 22 avril 1835.

Les vieux noms français

Il reste, à l'île du Prince-Édouard, de nombreux noms de localités ou d'accidents géographiques qui sont des vestiges du régime français, de 1720 à 1758. Un certain nombre

---

173. *Histoire de la survivance acadienne*, par Antoine Bernard, c.s.v.

de ces noms ont cependant été littéralement traduits du français à l'anglais, mais ils n'en sont pas moins des noms originairement français. Ce sont: baie des Esturgeons, baie Fortune, Belle-Rivière, Cap-à-l'ours, Cinq-Maisons, Crapaud, Desable, Gaspereau, Havre-au-Sauvage, Havre-Saint-Pierre, Isle-à-Courtin, Isle-aux-bois, Isle-du-Gouverneur, Isle-Saint-Pierre, La traverse, Morel, Naufrage, Pinette, Pointe-à-la-Framboise, Pointe-de-Roche, Pointe-Prime, Portage, Rassicot (Rustico), Rivière-de-l'Ouest, Rivière-du-Nord, Rivière-du-Nord-Est, Rivière-Platte, Souris et Trois-Rivières.

Par contre, d'autres noms de localités et d'accidents géographiques datant du régime français, sont disparus depuis la conquête. Nous en donnons ici une liste et nous plaçons en italique les noms qui les ont remplacés: Anse à la Pirogue, *Stewart Cove;* Anse-aux-Morts, *Mermaid Cove;* Anse aux Sangliers, *Holland Cove;* Anse du Comte Saint-Pierre, *Keppoch;* Anse-du-débarquement, *Port-Lajoie Landing Place;* Anse-Dubuisson, *Walker's Cove;* Étang des Barges, *Stanhope;* Étang-du-Cap, *Big Pond;* La Boulottière, *Newton River;* La-Grande-Anse, *Orwell Bay;* Le Marais, *Pwnal Bay;* Les Étangs, *Saint-Peter's Lake;* Pointe à Marguerite, *Langley Point;* Pointe-à-la-Flamme, *Block House Point;* Port-Lajoie, *Rockey Point;* Rivière-de-la-Petite-Ascension, *Fullerton's Creek;* Rivière-des-Blancs, *Johnson's River;* Rivière-des-Blondes, *Tyron River:* Rivière-du-Moulin-à-Scie, *Glenfinnan River;* Ruisseau-à-Lafrance, *Squaw Bay* [174].

En 1881, date du premier recensement à l'île du Prince-Édouard, il s'y trouvait une population totale de 108891 âmes, dont 10751 Acadiens. En 1961, la population de l'île était de 104629, soit une diminution de 4262 personnes ou de 3.6 pour cent. Pendant cette période les Acadiens portaient leur nombre à 17,418, soit une augmentation de 62 pour cent, dont 11073 dans le comté de Prince, 4507 dans le comté de Queens et 1838 dans celui de Kings, ou 16.64% de la population totale de l'île.

---

174. *The Acadians of Prince Edward Island,* par J. Henri Blanchard, Charlottetown.

28. AU NOUVEAU-BRUNSWICK

RAPPELONS que le Nouveau-Brunswick, où les Acadiens re-présentent aujourd'hui approximativement quarante pour cent de la population totale, a eu des origines bien fran-çaises.

Depuis l'époque des premiers établissements en Acadie, des Français se sont établis sur le territoire de cette provin-ce. Claude de Latour, le père de Charles, occupait déjà un poste à l'embouchure de la rivière Saint-Jean, avant même l'arrivée de Razilly et de d'Aulnay à Port-Royal, en 1632. Des colons français se dirigeront par la suite vers cette région, s'établiront en divers points de la rivière Saint-jean et s'y maintiendront jusqu'à la conquête de ce territoire par les Anglais. Des postes acadiens se trouvaient au village Sainte-Anne, site de la ville de Frédéricton, capitale de la province et, dans la même région, à Nashwaak, Ékoupag (Meductic), Ormocto, Mercure (French Village), Sainte-Marie (Marysville), Jemseg et autres endroits, de même qu'à Kennébécasis et à Menagouèche, alors situés près de la ville actuelle de Saint-Jean.

Dans la partie nord du Nouveau-Brunswick, sur la baie des Chaleurs, l'île Miscou était habitée par des Français dès 1620, une mission y existait en 1628 et Nicolas Denys y maintenait un poste de pêche vers 1640. À partir de 1651, Nicolas Denys et son fils Richard Denys de Fronsac possé-daient un établissement à Nipisiguit (Bathurst). C'est d'ail-leurs à cet endroit que Nicolas Denys est décédé, en 1688.

Sur les côtes de l'est du Nouveau-Brunswick, Michel De Grez occupait un poste sur la rivière Pokemouche, en

1689, et Philippe Esnault y possédait une seigneurie, en 1693. Plus bas, en direction du détroit de Northumberland, se trouvaient les domaines de Richard Denys de Fronsac, à Miramichi, en 1687; celui de Louis d'Amours sieur Deschoffours, sur les rivières Richibouctou et Bouctouche, en 1684; celui de Georges Régnard sieur du Plessis, à Cocagne, en 1696; celui de Mathieu Martin de Lino, sur la rivière Shédiac, en 1697; celui de Paul Dupuy, à Cap Pelé, également en 1697.

Dans la partie sud-est du Nouveau-Brunswick, sur l'isthme de Chignectou, de nombreux postes acadiens avaient été établis, à partir de la fondation de la première colonie, à Beaubassin, par Jacques Bourgeois, vers 1672 et à la suite de l'établissement de La Vallière, sur la seigneurie de Beaubassin, qui lui fut octroyée en 1676. La paroisse même de Beaubassin, située sur la frontière actuelle du Nouveau-Brunswick et de la Nouvelle-Écosse, s'étendait sur un vaste territoire, à l'intérieur du Nouveau-Brunswick, où se trouvaient divers établissements acadiens tels que la Pointe à Beauséjour; Aulac, Pont-à-Buot (Point de Bute) et Jolicœur, sur la rivière Missagouache; la baie Verte; le Pré-des-Bourg, le Pré-des-Richard et Tintamarre (Upper Sackville), sur la rivière Tintamarre, devenue *Tantramar*.

Enfin, à la suite de l'établissement de Chipoudy, par Pierre Thibodeau, en 1698, des Acadiens se dirigèrent vers les rivières Memramcook et Petitcoudiac et fondèrent les établissements de Memramcook, Petitcoudiac (Hillsborough), Le Cran (Stoney Creek), Saint-Anselme, Silvabro (Dieppe), La Chapelle ou Le Coude (Moncton), Village des Babineau (Coverdale), Village des Beausoleil (Boundary Creek), Village Victor (Salisbury) et Jagersone (Lewisville). On sait qu'à l'époque de la dispersion, tous ces établissements furent incendiés.

À la rivière Saint-Jean

Après l'arrivée à la rivière Saint-Jean, en 1766, des exilés acadiens du Massachusetts, dont le recensement de 1771 ne semble pas avoir tenu un compte rigoureux, il devait se trouver, dans toutes ces diverses régions du Nouveau-Brunswick plus de 1500 réfugiés acadiens.

Dans la région de la rivière Saint-Jean, se trouvait, en 1774, une soixantaine de familles acadiennes, parmi lesquelles nous pouvons mentionner celles de Pierre Babin, de Pisiguit, fils de Joseph et d'Anne Landry, marié à Cécile Bois; Joseph Boucher, marié à Isabelle Martin; Jean Bourg, de Cobequid, fils de Jean et de Françoise Benoit, marié à Marie Hébert; Jean Bourg, de Beaubassin, fils de Joseph et d'Anne Cormier, marié à Marie Suret; Alexis Comeau, marié à Anne-Marie Potier; François Cormier, marié à Anastasie Melanson; Pierre Cormier, marié à Marie-Anne Gaudet; Amand Cormier, fils de Pierre et de Cécile Thibodeau, marié à Marie-Josephe Roy; Jean Cormier, marié à Madeleine Landry; Jacques Cormier, marié à Marie-Osite Potier; Alexis Comeau, marié à Anne-Marie Potier; François Cyr, marié à Marie Guibault; Jean-Baptiste Cyr, marié à Judith Guérette; Joseph Cyr, marié à Marguerite Thibodeau; Jean-Baptiste Daigle, marié à Marie Trahan; Cyprien Dupuis, de Port-Royal, fils de Pierre et de Jeanne Robichaud, marié à Françoise-Rosalie Préjean; Joseph Gauthier, marié à Catherine Vienneau; Charles Godin dit Bellefontaine, de Beaubassin, fils de Gabriel et d'Angélique Robert Jasne, marié à Marie Melanson; Ambroise Godin, marié à Madeleine Bergeron; Daniel Godin, marié à Luce Martin; Alex Godin, marié à Marie Cormier; François Godin, marié à Anastasie Daigle; Antoine Godin, marié à Madeleine Bergeron; Pierre Guilbault, de Port-Royal, fils de Charles et de Marie Comeau, marié à Anne Forest; Joseph Hébert, marié à Marie Vincent; Simon Hébert, marié à Marie Caissy; Jean Hébert, marié à Blanche Vincent; Jean Hébert, marié à Osite Vincent; Amand Martin, marié à Agathe Lejeune; Jean Martin, marié à Hélène Godin; Joseph Martin, marié à Marie Lejeune; Joseph Mazerolle, de Grand-Pré, fils de Joseph et de Marie Doiron, marié à Rosalie Thibodeau; Joseph Mazerolle, de Grand-Pré, fils de Louis et de Geneviève Forest, marié à Marie-Joseph Doiron; Louis Mercure, marié à Madeleine Thibault; Pierre Pinet, marié à Marie Vienneau; Olivier Robichaud, de Cobequid, fils de Pierre et de Suzanne Brasseau, marié à Marie-Madeleine Hébert; Jean Robichaud, marié à Marie Levron; Charles Saulnier, de Petitcoudiac, fils de Pierre et de Madeleine Comeau, marié à Marie Savoie; André Savoie, marié à Marie Arbour; Paul Surette de Grand-Pré, fils de Pierre et de Catherine Breaux, marié à Josette Landry; Joseph Surette, de Grand-Pré, fils de Pierre et de Catherine Breaux, marié à Isabelle Babineau; Pierre Suret, de Grand-Pré, fils de Pierre et de Jeanne Pellerin, marié à Catherine Brault; Joseph Thériault, marié à Marie Girouard; Joseph Thériault, marié à Madeleine Thibodeau; Olivier Thibodeau, marié à Madeleine Poirier; François Violette, marié à Marie Luce Thibodeau.

Quelques-unes de ces familles, celles par exemple d'Alexis Comeau, de Jean Robichaud, d'André Savoie, de Joseph Thériault et d'Olivier Thibodeau, se trouvaient à Kennébécasis, dans la région de la ville de Saint-Jean. Mais la majeure partie était installée dans la région actuelle de Frédericton et échelonnée sur un parcours d'une cinquantaine de milles, allant d'Ormocto à Méductic, non loin de Woodstock.

Ces Acadiens durent bientôt quitter les territoires de la basse rivière Saint-Jean, où ils s'étaient installés en premier lieu, pour se diriger, soit vers la baie des Chaleurs, soit vers les côtes de l'est du Nouveau-Brunswick, soit vers les régions de Memramcook et du Madawaska.

De 1768 à 1770, des centaines de familles anglaises de la Nouvelle-Angleterre, répondant à l'appel que leur avait lancé le gouvernement de la Nouvelle-Écosse, étaient allées s'établir en diverses régions de cette province, ainsi qu'au Nouveau-Brunswick, notamment à Annapolis-Royal, Windsor, Truro, Amherst, Sackville, Jolicœur, Westcock, Baie-Verte, Moncton, St-Stephen, Campobello et Maugerville. Après 1773, des familles anglaises du Yorkshire s'établirent sur l'isthme de Chignectou. Puis, quelques années plus tard, des Écossais, arrivés à l'île du Prince-Édouard en 1772, déménagèrent dans la région de la baie de Miramichi. Enfin, le 11 mai 1783, arrivait à l'embouchure de la rivière Saint-Jean le premier contingent de Loyalistes américains. Plus de 3000 débarquèrent le 18 mai et ils furent suivis par plusieurs autres expéditions. On estime à 10000 le nombre de Loyalistes qui arrivèrent à l'époque et s'établirent sur les rives de la rivière Saint-Jean, de son embouchure à Wood stock. D'autres se dirigèrent vers St-Stephen,

St-Andrews, Moncton, Hopewell, Sackville, Richibouctou, Bathurst, Miramichi et autres lieux.

Partout, les Acadiens devaient céder les établissements qu'ils avaient péniblement fondés, depuis leur retour d'exil, aux émigrés de la Nouvelle-Angleterre, du Yorshire ou aux Loyalistes américains. Ne possédant pas les titres de leurs terres, ils en furent tout simplement chassés.

Au Madawaska

Devant une telle situation, un groupe d'Acadiens de la rivière Saint-Jean présenta une requête aux autorités demandant la permission d'aller s'établir au Madawaska. Les autres se dispersèrent en diverses autres régions du Nouveau-Brunswick.

À partir du mois de juin 1785, les premières familles acadiennes commencèrent à se diriger de la région de Sainte-Anne-des-Pays-Bas (Frédericton) vers le Madawaska, sous la direction de Joseph Daigle. Parmi les premières familles acadiennes établies en cette région, mentionnons celles d'Amand Cormier, de Beaubassin, fils de Pierre et de Cécile Thibodeau, marié à Marie-Josephe Roy; son frère, François Cormier, de Beaubassin, marié à Anastasie Melanson; son frère, Pierre Cormier, de Beaubassin, marié à Marie Gaudet; son frère, Jean-Baptiste Cormier, de Beaubassin, marié à Madeleine Landry; Pierre Cormier, de Beaubassin, fils de Pierre et de Catherine Thibodeau, marié à Cécile Thibodeau; François Cyr, de Beaubassin, fils de Jean et de Marguerite Cormier, marié à Marie-Anne Guilbault; son frère, Jean-Baptiste Cyr, de Beaubassin, marié à Judith Guérette; son frère, Joseph Cyr, de Beaubassin, marié à Marguerite-Blanche Thibodeau; Jean Cyr, de Beaubassin, fils de Jean et de Françoise Melanson, marié à Marguerite Cormier; Joseph Daigle, de Pisiguit, fils de Joseph et de Madeleine Gauterot, marié à Marguerite Guilbault; Jean Hébert de Cobequid, fils de Charles et de Catherine Saulnier, marié à Blanche Vincent; Amand Martin de Port-Royal, fils de Jean-Baptiste et de Marie Brun, marié à Agathe Lejeune; Pierre Pinet, de Grand Pré, fils de Charles et de Marie Testard, marié à Monique Trahan; Olivier Thibodeau, de la rivière aux Canards, à Grand-Pré, fils de Jean-Baptiste et de Marie LeBlanc, marié à Madeleine Poirier; Jean-Baptiste Thibodeau, de la rivière aux Canards, à Grand-Pré, fils de Jean et de Marguerite Hébert, marié à Marie Le-Blanc. Ces premières familles acadiennes du Madawaska s'établirent surtout dans la région de Saint-Basile, près de la ville d'Edmundston, devenue le siège du diocèse d'Edmundston.

À l'époque, un courant d'émigration s'est aussi établi de la province de Québec en direction du Nouveau-Brunswick. Des Acadiens allaient y retrouver leurs parents ou trouvaient plus facile qu'au Québec l'obtention des lots à bois et des terres à culture. Plusieurs Canadiens-français ont suivi leur exemple en se dirigeant vers le Nouveau-Brunswick, en particulier le Madawaska. Partis des rives du Saint-Laurent, ils entraient en cette région en empruntant le chemin Haldimand ou la route de Trois-Pistoles.

Ces Canadien-français, qui ne firent bientôt qu'une seule et même famille avec les Acadiens du Madawaska, avaient pour noms: Auclair, Beaulieu, Bellefleur, Charest, Dubé, Duperré, Fournier, Gagné, Gagnon, Gosselin, Guimond, Jean, Levasseur, Lizotte, Marquis, Michaud, Ouellet, Racine, Sansfaçon, Saucier, Soucy, Tardif, Vaillancourt, etc.

En 1790, le gouvernement de Frédericton accorda les premières concession de lots à 52 colons du Madawaska, sur les deux rives de la rivière Saint-Jean. D'autres concessions suivirent au cours des années subséquentes.

Dès 1786, les pionniers du Madawaska reçurent la visite d'un missionnaire en la personne du curé Adrien Leclerc, de l'Isle-Verte, qui voyait ce territoire ajouté à ses missions. A son décès, en 1790, c'est l'abbé Joseph Paquet, également curé à l'Isle-Verte qui lui succéda. Le premier curé résident au Madawaska fut le sulpicien François Picard, venu de France. Il s'installa à Saint-Basile, première paroisse de la région et où une église fut construite, en 1799.

À Campbellton, Bathurst, Caraquet, Shippagan, Miscou et Pokemouche

Après la bataille navale de Ristigouche, des Acadiens s'étaient dispersés sur la rive sud de la baie des Chaleurs,

346

au Nouveau-Brunswick actuel, notamment à Pointe à Martin, devenue Campbellton en l'honneur de Sir Archibald Campbell, un lieutenant-gouverneur du Nouveau-Brunswick; à Dalhousie, du nom d'un gouverneur-général du Canada; à Charlo et à Jacquet River. D'autres sont venus de la rivière Saint-Jean, après 1785. À la rivière à l'Anguille, près de Dalhousie, s'est installé, vers 1760, Vincent Arsenault, de Beaubassin, fils de Charles et de Françoise Mirande, marié à Marguerite Poirier.

À *Nipisiguit*, qui devint Bathurst en 1826 en l'honneur du comte Bathurst, alors secrétaire aux colonies, s'établissaient les familles de Joseph Boudreau, de Beaubassin, fils d'Anselme et de Marguerite Gaudet, marié à Jeanne-Marie Haché-Gallant; Athanase Boudreau, de Grand-Pré, fils de François et de Marguerite Pitre, marié à Félicité Orillon; Jean-Baptiste Daigle, de Pisiguit, fils de Joseph et de Madeleine Gauterot, marié à Blanche Trahan; Pierre Doucet, marié à Marie Haché-Gallant; Charles Doucet, marié à Marie Arsenault; Joseph Haché-Gallant, originaire de l'île du Prince-Édouard, fils de Charles et de Geneviève Lavergne, marié à Marie Madeleine Doucet; Simon Hébert, de Cobequid, fils de Charles et de Catherine Saulnier, marié à Madeleine Poirier; Simon-Joseph LeBlanc, de Grand-Pré, fils de Joseph et de Marie Josephe Bourg, marié à Osite Arsenault; Jean-Pierre Melanson, de Grand-Pré, fils de Pierre et Rosalie Blanchard, marié à Anne-Henriette Haché-Gallant; Michel Pitre, de Grand-Pré, fils de Jean-Baptiste et de Cécile Boudreau, marié à Marie-Josephe Orillon dit Champagne. À Petit-Rocher, non loin de Bathurst, s'était installé la famille de Joseph Roy, de Port-Royal, fils de François et de Marie Bergeron, marié à Marie-Anne d'Amours. Viendront ensuite les Bertin, Duclos, Godin, Landry, Laplante, Lavigne, Vienneau, etc.

L'abbé Antoine Girouard, un Acadien, ordonné prêtre le 23 octobre 1785, par Mgr d'Esglis, à Québec, exercera son ministère sur la rive sud de la baie des Chaleurs, de Pointe à Martin (Campbellton) à Miramichi, de 1785 à 1790. Bathurst, l'ancien Nipisiguit de Nicolas Denys, est devenu le siège d'un diocèse.

L'un des pionniers, de Caraquet[175], Alexis Landry[176], de Grand-Pré, s'était établi à Sainte-Anne-du-Bocage, vers 1766. Ses premiers compagnons furent Olivier Blanchard, Olivier Léger et Louis Brideau.

On sait que, vers 1763, Raymond Bourdages, de Bonaventure, exploitait un poste de pêche à Caraquet et que les Robin y avaient leurs établissements à partir de 1766. À l'époque, plusieurs Acadiens de Bonaventure se rendaient régulièrement faire la pêche, à Caraquet, pour le compte de Raymond Bourdages ou de Charles Robin.

Toutefois les premières familles établies à Caraquet sont celles d'Olivier Blanchard, de Petitcoudiac, fils de René et de Marguerite Thériault, marié à Catherine Mirault (Amirault); Louis Brideau, Alexis Cormier, de Beaubassin, fils de Jean-Baptiste et de Marie Thériault, marié à Élizabeth Gauthier; René Haché-Gallant, originaire de l'île du Prince-Édouard, fils de François et d'Anne Boudreau, marié à Marguerite Blanchard; Alexis Landry, le pionnier de Caraquet, originaire de Grand-Pré, fils de Jean et de Claire Babin, marié à Marie Thériault; Olivier Léger, de Port-Royal, fils de Jean et de Marguerite Comeau, marié à Marie Josephe Hébert; Joseph Thériault, de la rivière aux Canards, à Grand-Pré, fils de Joseph et de Marguerite Comeau, marié à Angélique Landry. D'autres familles, venant surtout de la rivière Saint-Jean, les rejoindront après 1780.

Le 29 mars 1784, le gouvernement de la Nouvelle-Écosse reconnaissait officiellement comme tenanciers les chefs de 34 familles de Caraquet, dont les noms suivent, et leur accordait 14 150 acres de terre: Pierre Albert, Gabriel Albert, Olivier Blanchard, Joseph Boudreau, Veuve Boulet, Louis Brideau, Henri Chénard, Joseph Chiasson, Alexis Cormier, Jean Cormier, Zacharie Doiron, Joseph Dugas,

---

175. Livin Cormier et Médard Léger ont publié en collaboration, en 1964, une intéressante étude intitulée *Pèlerinage historique à Caraquet,* dans le quatrième cahier de la *Société Historique Acadienne,* de Moncton.

176. Alexis Landry était à Bonaventure au recensement de 1765, de même qu'Olivier Léger et Louis Brideau, qui se sont également établis à Caraquet.

Pierre Frigault, Pierre Gallien, Adrien Gallien, Charles Gauvin, François Gionnais, Veuve Giroux, René Haché dit Gallant, Alexis Landry, François Landry, Rémi Landry, Thaddée Landry, Pierre Landry, Anselme Landry, Louis Lantin dit Lanteigne, René LeBouthillier, Alexis Léger, Louis Mailloux, Jacques Morest, Michel Parisé, Jean-Baptiste Paulin, Charles Poirier et Pierre Thibodeau.

Parmi eux se trouvaient des matelots ou soldats de la garnison de Ristigouche, tous originaires de Normandie, qui s'étaient arrêtés en premier lieu à Bonaventure, tel Louis Brideau, ou à Pabos (Chandler), avant de s'établir à Caraquet: Les Albert, Brideau, Frigault, Gallien, Gionnais, Lantin dit Lanteigne et les Parisé. Il y avait également des Canadiens-français, mais la plupart était des réfugiés acadiens. Quelques Jersiais faisaient également parti du groupe ou viendront s'établir plus tard dans la région de Caraquet tels que les De la Garde, De Gruchy, Dumaresq, Duval, Le Riche, Fiott et autres. La plupart de ces pionniers aissaimeront par la suite à Shippagan, Tracadie, Grande-Anse, Maisonnette, Pointe-Verte, Petit-Rocher et Belle Dune.

À *Shippagan*, situé à une vingtaine de milles de Caraquet, les trois frères Duguay, François, Jacques et Jean-Marie ayant demeuré jusque là à Bonaventure et à Paspébiac, s'établirent, vers 1778, en compagnie de François Goulet et de Jean Mallet. En 1790, Jean-Baptiste Robichaud, originaire de Cobequid, fils de Joseph et de Claire LeBlanc, marié à Félicité Cyr, partira de Bonaventure pour aller s'établir à Shippagan. Il était arrivé de France en 1774, sur une goélette de Charles Robin, avec un groupe d'Acadiens jusque là réfugiés en Bretagne. À Shippagan, il devint l'un des principaux fondateurs du village des Robichaud. D'autres Acadiens s'établiront à Shippagan, à l'époque, notamment les Boudreau, Brideau, Bujold, Chiasson, Doucet, Haché-Gallant, Hébert, Lanteigne et Savoie, ainsi que des Canadiens-français, les Aubut, Duclos, Gauvin, Guignard, Larocque, Mercier, Paulin, Plourde et un Français, Pierre Degrâce. L'un des pionniers de *Lamèque,* situé à proximité de Shippagan, fut Joseph Chiasson, de Beaubassin, fils de François et d'Anne Doucet, marié à Anne Haché-Gallant.

Vers 1770, une douzaine de familles acadiennes partirent de l'île du Prince-Édouard pour aller s'établir à *Miscou*. C'étaient les Arsenault, Boudreau, Chiasson, Doucet, Haché-Gallant et LeBlanc. Beaucoup plus tard arriveront les Duguay, Frigot, Lanteigne et Mallet.

Le pionnier de *Pokemouche*, endroit situé à une dizaine de milles de Shippagan fut Isidore Robichaud, originaire de Cobequid, fils de Joseph et de Claire LeBlanc, marié à Marguerite Boudreau. Tout comme son frère, Jean-Baptiste Robichaud, de Shippagan, il était arrivé de Bretagne à Bonaventure, sur une goélette de Charles Robin, en 1774. Ses sept fils: André, Jean-Baptiste, Pierre-Servé, Charles, Nicolas, Maxime et Isaïe se sont établis dans la région de Pokemouche de même que ses gendres, Joseph Boudreau et Jean Vienneau. Les autres Acadiens qui se sont installés à Pokemouche, à l'époque, étaient les Arsenault, Blanchard, Doucet, Godin, Landry, LeBreton, Léger, Mercure, Savoie, Thériault et Thibodeau, dont plusieurs venaient de la rivière Saint-Jean.

Au milieu de ces Acadiens viendront bientôt s'établir plusieurs familles irlandaises qui s'étaient d'abord dirigées vers la région de Miramichi. Du nombre était Michael Finn, qui épousa une acadienne, Marie Saulnier, et qui devint l'un des pionniers d'*Inkerman*, près de Pokemouche.

À Tracadie, Néguac, Burnt Church, baie Sainte-Anne et Saint-Louis-de-Kent

L'un des pionniers de *Tracadie* fut Michel Chiasson, de Beaubassin, fils de Jacques et de Marie-Joseph Arsenault, installé en cet endroit dès 1764. Puis ce furent Michel Bastarache et Joseph Saulnier qui, après avoir été déportés en Caroline du Sud, en 1755, avaient pu revenir et retrouver leur chemin jusqu'à la petite rivière Tracadie où ils s'installèrent. À une faible distance de Tracadie, à *Lozier Settlement,* Prosper Desjardins dit l'Osier, de Sainte-Anne-de-la-Pocatière, au Québec, s'établira bientôt et deviendra l'ancêtre des Lauzier de la région.

Viendront ensuite Isaac Gautereau et Pierre Gautereau, de Shédiac, et les familles Brault et Vienneau, de Memramcook, sans doute arrivées du Massachusetts en 1766. Puis, vers 1780, François Robert dit LeBreton partira de l'Anse-au-Griffon, sur les côtes de Gaspé, pour aller s'installer à Tracadie avec ses quatre fils: Jean-Baptiste, Charles, René et Julien. Ils seront suivis, quelques années plus tard, par des réfugiés acadiens de la rivière Saint-Jean et de l'isthme de Chignectou, les Arsenault, Benoît, Caissy, Mazerolle, Robichaud et Savoie.

Les premiers Acadiens qui se sont établis à *Néguac* avaient réussi à se tenir à distance des Anglais et à séjourner dans la région de Beauséjour et sur les côtes de l'est du Nouveau-Brunswick actuel, jusqu'au traité de paix de 1763. C'étaient les familles d'Ambroise Breaux, de Chipoudy, fils de Jean et d'Anne Chiasson, de Port-Royal, marié à Marie Michel et ses deux fils, Victor, né vers 1750 et Anselme, né en 1753, de même que la famille de Jean Savoie, de Port-Royal, marié à Marie Bastarache, dont les fils, Pierre, né vers 1740; Jean, né vers 1741; François, né vers 1742; Joseph, né vers 1743, et Amand, né vers 1750, se sont également établis à Néguac[177].

Viendront ensuite: Paul Babineau dit Deslauriers, dont la famille était à Ristigouche, en 1760, fils de Clément et de Renée Bourg, de Port-Royal, marié à Marguerite Richard; Michel Alain, de Port-Royal, fils de Louis et d'Anne Léger, marié à Miramichi, en 1786, à Marie Josephe Savoie et Othon Robichaud, de Port-Royal, fils de Louis et de Jeanne Bourgeois, également marié à Miramichi, en 1789, à Louise Thibodeau. À l'époque, des membres de la famille Robichaud se sont aussi établis à *Burnt Church*, à proximité de Néguac.

Parmi les familles de Port-Royal qui se trouvaient dans cette région, en 1760, certaines avaient pu fuir Port-Royal, en 1755, comme on l'a déjà vu, pour se joindre aux réfugiés acadiens de la rivière Petitcoudiac.

---

177. Le Révérend Arthur Gallien alors curé de Petit-Rocher, a publié un article bien documenté, sur l'histoire des premières familles de Néguac, dans le troisième cahier de la *Société historique acadienne*, de Moncton.

Parmi les pionniers de la *baie Sainte-Anne*, se trouvaient: Joseph Caissy, de Beaubassin, fils de Michel et de Marie Gaudet, marié à Marie Lapierre; René Thibodeau, de Pisiguit, fils de Pierre et d'Anne Bourg, marié à Anne Boudreau; Alexis Thibodeau, de Pisiguit, fils de René et d'Anne Boudreau, marié à Marguerite Dupuis.

Les principaux fondateurs d'*Aldouane* et de *Saint-Louis de Kent* furent Jean Babineau, de Port-Royal, fils de Jean et d'Isabelle Brault, marié à Anne Bastarache; Joseph Robichaud, de Cobequid, fils de Joseph et de Claire LeBlanc, marié à Marie Michel; son frère, Pierre Robichaud, marié à Anne Michel; son frère, Michel Robichaud, marié à Françoise Landry.

L'un de ces frères Robichaud, prénommé Pierre, marié à Anne Michel, est l'ancêtre de Mgr Norbert Robichaud, qui fut archevêque du diocèse de Moncton. Pierre Robichaud, né en 1735, à Cobequid, épousa Anne Michel, veuve de François LeBlanc, en France, vers 1761, où il avait été transporté, avec sa famille, lors de la dispersion. En 1774, il revint de France avec ses frères, à Bonaventure, sur la baie des Chaleurs, d'où il partit vers 1790 pour aller s'établir à Aldouane. Joseph-Servan Robichaud, né en 1765 à Saint-Servan de Saint-Malo, en France, accompagna son père à Aldouane et épousa Marguerite-Pélagie Bourg. Nicolas Robichaud, né en 1803, épousa Marguerite Blanchard, le 2 août 1830. Fidèle Robichaud, fils de Nicolas, épousa Marie Richard. Marcel Robichaud, fils de Fidèle, épousa Natalie Gallant et il eut pour fils Mgr Norbert Robichaud, né à *Saint-Charles*, le 1er avril 1903.

À Richibouctou, Bouctouche, Cocagne et Grande Digue

Les premières familles acadiennes qui se sont établies à *Richibouctou* étaient celles d'Alexandre Bourg dit Bellehumeur, notaire royal à Grand-Pré, fils de François et de Marguerite Boudreau, marié à Marguerite Melanson et décédé à Richibouctou en 1760; Joseph Brault, de Chipoudy, fils d'Ambroise et de Marie Michel, marié à Marie Blanche Boudreau; Jacques LeBlanc, de Grand-Pré, fils de

François et de Marguerite Boudreau, marié à Anastasie Brault; Jean-Baptiste Richard, de Port-Royal, fils de Michel et de Marie Bourgeois, marié à Françoise Girouard.

Parmi les pionniers de *Bouctouche*, mentionnons les familles de Jean-Baptiste Alain, de Grand-Pré, fils de Louis et d'Anne Léger, marié à Marie Babineau; son frère, Benjamin Alain, marié à Élizabeth LeBlanc; son frère, Louis Alain, marié à Marie Richard; Joseph Boucher, du Cap de Sable, marié à Élizabeth Martin; François Robichaud, de Cobequid, fils de Jean et de Marie Léger, marié à Cécile Thibodeau; Jean Savoie, de Port-Royal, fils de Jean et de Marie Dupuis, marié à Marie Bastarache.

Après le traité de paix de 1763, une famille Robichaud s'est établie à Coverdale, près de Moncton. Un de ses membres alla résider à Bouctouche, vers 1802 et devint l'ancêtre d'un premier ministre du Nouveau-Brunswick, l'honorable Louis Robichaud. Il s'agit de François Robichaud, fils de François Robichaud et de Marie LeBorgne de Belle-Isle, de Port-Royal, qui s'installa à Coverdale, après avoir épousé Françoise Thibodeau, en 1776. Son fils, Pierre, connu sous le nom de Pitre, alla s'établir à Bouctouche et il est l'ancêtre de la branche des Robichaud de Bouctouche qui, en 1960, donnait au Nouveau-Brunswick un chef de gouvernement authentiquement acadien.

Il est intéressant de comparer la généalogie du premier ministre Louis Robichaud à celle de Monseigneur Norbert Robichaud et de constater que tous deux sont de la lignée d'Étienne Robichaud, fils de Louis, marié à Françoise Boudreau. Mgr Robichaud est le descendant de Charles, né en 1667, l'aîné des fils d'Étienne; l'honorable Louis Robichaud a pour ancêtre François, né en 1677, le benjamin des fils d'Étienne.

François Robichaud, fils d'Étienne, né à Port-Royal en 1677, épousa Madeleine Terriot, vers 1704. François Robichaud, fils de François, né à Port-Royal en 1716, épousa Marie LeBorgne de Belle-Isle, en 1739. Étant passé par la rivière Saint-Jean, il était, vers 1760, avec son frère Pierre dans la région de L'Islet, au Québec, où il est décédé. François Robichaud, fils de François et de Marie LeBorgne de Belle-Isle, né en 1752, se dirigea vers le Nouveau-Brunswick, et s'installa à Coverdale, près de Moncton, où il épousa Françoise Thibodeau, en 1776. Pierre Robichaud dit Pitre, né en 1778, épousa Agnès Cormier, en 1802, et alla s'établir à Bouctouche. Valentin, fils de Pitre Robichaud, né vers 1804, épousa Luce Thibodeau. Clorice Robichaud, fils de Valentin, épousa Geneviève Richard. Amédée Robichaud, fils de Clorice, épousa Annie Richard, en 1912. Il est le père de Louis Robichaud, né en 1925, qui a épousé Lorraine Savoie, de Néguac, et fut premier ministre de sa province, de 1960 à 1970.

Parmi les pionniers de *Cocagne*, il faut nommer Joseph Gueguen (Goguen), un breton, né en 1741, fils de Pierre et d'Anne Hamonoz, de la paroisse de Plougenver, France, qui arriva en Acadie à l'âge de onze ans, comme protégé de l'abbé Manach. Celui-ci se chargea de son instruction à Québec. En 1763, il était réfugié aux îles Saint-Pierre et Miquelon, où il épousa Anne Arsenault, fille de François et d'Anne Bourgeois. Il s'est établi à Cocagne, vers 1765. À la même époque, Paul Hébert, de Beaubassin, fils de François et d'Anne Bourg, marié à Marguerite Arsenault et Charles LeBlanc, de Grand-Pré, fils de François et de Marguerite Boudreau, marié à Marie Barriault arriveront à Cocagne.

En 1772, sept des premiers Acadiens établis à Cocagne, reçurent les titres de leurs terres. C'étaient: Joseph Arsenault, Jean Bourg, Paul Hébert, Joseph Goguen, Joseph Poirier, François Arsenault et Pierre Arsenault.

Parmi les premières familles acadiennes qui se sont établies à *Grande Digue*, on trouve celles de Pierre Benjamin Bourgeois, de Port-Royal, fils de Claude et de Marie LeBlanc, marié à Anne Thibodeau; Michel Haché-Gallant, de Beaubassin, fils de Michel et de Marie Gravois, marié à Anne Melanson; Sylvestre Haché-Gallant, originaire de l'île du Prince-Édouard, fils de François et d'Anne Boudreau; Joseph Poirier, de Beaubassin, fils d'Ambroise et de Marie Gaudet, marié à Marguerite Arsenault.

À Memramcook et à Moncton

Les premières familles acadiennes qui se sont établies le long des rivières Memramcook et Petitcoudiac, en particulier dans la région de Memramcook et de Moncton, après le traité de paix de 1763, provenaient de divers groupements dont les principaux sont : ceux qui avaient réussi à demeurer dans la région ou sur les côtes de Shédiac, depuis l'époque de la dispersion; les familles exilées au Massachusetts et qui en étaient revenues en 1766; ceux qui, à la suite de l'arrivée des colons de la Nouvelle-Angleterre, de 1768 à 1770, et des immigrants du Yorkshire de 1774 à 1780, avaient été expulsés de la Nouvelle-Écosse; ceux qui, enfin, à partir de 1785, ont été forcés d'abandonner leurs terres de la région de Frédericton, sur la rivière Saint-Jean, pour les céder aux Loyalistes américains.

Il existait au moins trois campements de fugitifs acadiens, dans la région de Memramcook[178] : « L'un était situé au collège; un autre au ruisseau des cabanes qui aboutit au Lac et longe la côte de Lourdes; l'autre se trouvait dans la région de La Montain et Dover. Ces réfugiés durent vivre cachés dans les bois pendant au moins cinq ans. »

Parmi les premières familles acadiennes qui se sont établies à Memramcook et qui ont ensuite essaimé dans toute la région, en particulier à Moncton, Dieppe, Saint-Anselme, Saint-Joseph et en de multiples autres endroits situés le long des rivières Memramcook et Petitcoudiac, de même qu'à l'intérieur des terres, mentionnons celles de Pierre Belliveau, de Port-Royal, fils de Charles et de Marguerite Granger, marié à Anne Girouard; Pierre Belliveau, dit Piô, de Port-Royal, fils de Jean et de Madeleine Melanson, marié à Jeanne Gaudet; Joseph Bourgeois, de Beaubassin, fils de Pierre et de Marie Cormier, marié à Félicité Boudreau; Michel Dupuis, de Port-Royal, fils de Pierre et de Jeanne Richard, marié à Anne Gaudet; Michel Dupuis, de Port-Royal, fils de Jean et d'Anne Richard, marié à Marie-Josephe Savoie; Pierre Gaudet, de Port-Royal, fils de Pierre et de Marie Belliveau, marié à Marie-Madeleine Aucoin; Bénoni Hébert, de Beaubassin, fils de Jean dit Emmanuel et de Madeleine Savoie, marié à Jeanne Savoie; Pierre Landry,

---

178. *Notes sur les origines de Memramcook*, publiées par Vital Gaudet, en 1962, dans le deuxième cahier de *La Société historique acadienne*, de Moncton.

de Pisiguit, fils de Pierre et de Madeleine Brossard, marié à Marie Babin; Alexandre Landry, de Pisiguit, fils d'Abraham et de Marie Guilbault, marié à Anne Flan; Pierre-Victor LeBlanc, de Grand-Pré, fils de René et d'Anne Thériault, marié à Marguerite Saulnier; Bonaventure LeBlanc, de Port-Royal, fils de Paul et de Marie-Josephe Richard, marié à Rose Belliveau; Jacques LeBlanc, de Grand-Pré, fils de François et de Marguerite Boudreau, marié à Natalie Brault; Charles-Grégoire LeBlanc, de Port-Royal, fils de Paul et de Marie-Josephe Richard, marié à Théotiste Belliveau; Jacques Léger, de Port-Royal, fils de Jean et de Marguerite Comeau, marié à Marie Haché-Gallant; Charles Melanson, de Port-Royal, fils de Jean et de Madeleine Petitot, marié à Anne Brault; Germain Pellerin, de Port-Royal, fils d'Alexandre et de Jeanne Gaudet, marié à Marie Belliveau; René Richard, de Port-Royal, dit le petit René, fils de René et de Marguerite Thériault, marié à Perpétue Bourgeois; Amable Richard, de Port-Royal, fils de Michel et de Marie Bourgeois, marié à Marguerite Boudreau; François Robichaud, de Port-Royal, fils de François et de Madeleine Thériault, marié à Marie LeBorgne de Belle-Isle; Germain Thibodeau, de la rivière aux Canards, à Grand-Pré, fils de Jean-Baptiste et de Marie LeBlanc, marié à Françoise Préjean.

L'une de ces familles, celle de Jacques LeBlanc, de Grand-Pré, nous intéresse de façon particulière, puisqu'elle compte parmi ses fils Monseigneur Camille LeBlanc, évêque de Bathurst.

Le premier LeBlanc qui s'est établi en Acadie, Daniel LeBlanc, ancêtre de Monseigneur Camille LeBlanc, était né en 1626, vraisemblablement à Martaizé, dans le département de la Vienne, en France[179]. Marié à Françoise Gaude, il arriva à Port-Royal, vers 1645. Jacques LeBlanc, fils aîné de Daniel, né en 1651, épousa Catherine Hébert, vers 1673, et s'établit dans la paroisse Saint-Charles-des-Mines, à Grand-Pré. François LeBlanc, fils de Jacques, né en 1688, épousa Marguerite Boudrot, à Grand-Pré, en 1712. Jacques LeBlanc, fils de François, né en 1732 à Grand-Pré, épousa Natalie

179. *Les parlers français d'Acadie,* par Geneviève Massignon, Vol. I, page 42.

Brault, en 1758, à Philadelphie, où il avait été déporté. Il revint de Philadelphie au Massachusetts et se rendit à Saint-Pierre et Miquelon, après le traité de paix de 1763, puis en Nouvelle-Écosse, où il est décédé. Sa veuve se rendit à Memramcook avec ses enfants, vers 1775 et elle épousa Pierre Léger, en secondes noces. Simon LeBlanc, né en exil en 1760, fils de Jacques et de Natalie Brault, épousa Madeleine Richard, à Memramcook, en 1785. Timothée LeBlanc, fils de Simon, né en 1788, à Memramcook, épousa Barbe Gaudet, à Memramcook, en 1808. David LeBlanc, dit David à Babé (Barbe), fils de Timothée, né à Memramcook, en 1809, épousa Marguerite Léger, à Memramcook, vers 1830. Calixte LeBlanc, fils de David, né en 1831 à Memramcook, épousa Osite Cormier, vers 1859. Alphée LeBlanc, fils de Calixte, né à Memramcook, en 1868, épousa Zélica Léger, en 1897. Il est le père de Monseigneur Camille LeBlanc, né à Barachois, Nouveau-Brunswick, le 25 août 1898, qui fut évêque de Bathurst.

Une église, connue sous le nom de *l'église de la Montain* [180], fut érigée à Memramcook, en 1780. En 1781, Mgr Briand, évêque de Québec, érigea canoniquement la paroisse de Memramcook, la première sur tout le territoire du Nouveau-Brunswick. L'abbé Joseph-Thomas LeRoux, premier curé résident, arriva à Memramcook en 1782. À l'époque, cette paroisse s'étendait sur tout le territoire comprenant de nos jours les régions de Cocagne, Barachois. Shédiac, Le Coude (Moncton), Saint-Anselme, Sackville jusqu'à Menoudie, soit une quarantaine de milles à la ronde. Avant l'arrivée de l'abbé LeRoux, comme prêtre résident, cette mission de Memramcook était visitée régulièrement par l'abbé Joseph-Mathurin Bourg, missionnaire de la baie des Chaleurs et des provinces maritimes.

À une faible distance de Memramcook, au *coude* de la rivière Petitcoudiac, a surgi un centre commercial, ferroviaire et aéronautique important: la ville de Moncton. Située à une trentaine de milles au nord du fort Beauséjour, du site de l'historique Beaubassin, Moncton, avec son archevêché, son université, sa société nationale acadienne, son journal

---

180. On dit souvent *montain* pour *montagne* en Acadie.

L'Évangéline, est devenu le principal foyer de la renaissance acadienne, au Nouveau-Brunswick et dans les provinces maritimes.

En 1803, Mgr Denaut, successeur de Mgr Hubert au siège épiscopal de Québec, entreprit de visiter toutes les paroisses acadiennes de la Nouvelle-Écosse, de l'Île-du-Prince-Édouard et du Nouveau-Brunswick. C'était la première fois, depuis la visite pastorale de Mgr de Saint-Vallier, en 1686, qu'un évêque parcourait les côtes de l'Acadie.

De cette visite, Mgr Denaut a rapporté une relation qui renferme de précieux renseignements sur la situation des Acadiens des provinces maritimes à l'époque. Le texte de cette relation est conservé aux archives de l'Archevêché de Québec. Mgr Denaut trouva alors aux provinces maritimes 8759 Acadiens répartis comme suit:

Nouvelle-Écosse		
Baie Sainte-Marie	1080	
Tousquet et Pubnico	400	
Île Madame, au Cap-Breton	1584	
Chéticamp, au Cap-Breton	353	
Région d'Halifax	520	3937
Île-du-Prince-Édouard		742
Nouveau-Brunswick		
Région de Memramcook	1162	
Région du comté de Kent	894	
Région du comté de Northumberland ..	327	
Gloucester et Restigouche	900	
Madawaska	446	3729
		8408
Îles de la Madeleine		351
		8759

Soixante-dix-huit ans plus tard, au recensement de 1881, il y avait 110 605 Acadiens dans les provinces maritimes, sur une population totale de 870696 âmes. Ils étaient répartis comme suit:

	Acadiens	Population totale	Proportion des Acadiens
Nouvelle-Écosse	41 219	440 572	9.8%
Île du Prince-Édouard	10 751	108 891	9.9%
Nouveau-Brunswick	58 635	321 233	16,0%
	110 605	870 696	

Brossant un tableau vivant de la situation des Acadiens dans les provinces maritimes, Émery LeBlanc écrit[181]. «Ce petit peuple est donc parti de rien. Sa renaissance vers 1880 a été suscitée par une douzaine de personnes. Depuis trois quarts de siècle, elle a été animée par un groupe qui est toujours restreint. L'Acadien a dû se forger lui-même les armes de sa survivance.

«Évidemment, il a reçu un appui consolant du Québec. Quand il n'avait pas de clergé, des prêtres du Québec sont venus le desservir. Des communautés du Québec sont venues fonder ses premiers couvents, ses premiers collèges.

«Aujourd'hui, il a son clergé, ses institutions, mais l'appui du Québec est toujours nécessaire. Il en profite pour obtenir la radio et la télévision françaises, il en reçoit une aide financière.

«Ayant une mentalité distincte, l'Acadien s'est créé un patriotisme à sa taille en 1881, patriotisme qui l'a isolé du Canada français. Il ne pouvait s'enorgueillir de ses réussites, de ses réalisations: il n'avait rien. Alors son patriotisme s'est orienté vers le passé. Son thème: la dispersion.

«Ce patriotisme l'a bien servi et lui a permis de prendre conscience de son entité.

«Aujourd'hui, il est permis de se demander si les cadres de ce patriotisme ne sont pas dépassés. Son patriotisme

181. *Les Acadiens,* par Émery LeBlanc, Les Éditions de l'homme, 1130 est, rue Lagauchetière, Montréal, 1963.

359

devient plus positif, s'appuyant sur des réussites dont il peut être fier.»

En effet, quel chemin parcouru par les Acadiens des provinces maritimes depuis ces nuits terribles de l'automne de 1755! La miraculeuse renaissance de ce peuple, sur le territoire même d'où on croyait l'avoir irrémédiablement chassé, est un témoignage de son extraordinaire vitalité. Pendant de longues années, il n'eut pour toutes ressources que son courage et la multiplication de ses berceaux. Mais aujourd'hui, à la force toujours croissante du nombre, il ajoute la maturité, le prestige et le rayonnement qui lui sont acquis ainsi que l'appui qu'une province sœur, également consciente de sa force, est en mesure de lui apporter. Ce sont là autant de précieux leviers qui serviront au peuple acadien à préparer les voies de l'avenir.

En 1755, les Acadiens étaient sur la première ligne de feu de la conquête du Canada. Ils ont été les premières victimes d'une stratégie militaire qui a bouleversé l'histoire de notre pays. Ils étaient alors moins de 18000 et près de la moitié sont morts ou disparus dans la tourmente. Deux siècles plus tard, ils réapparaissent cent fois plus nombreux.

On peut évaluer aujourd'hui à plus de deux millions les descendants d'Acadiens dans le monde: plus d'un million en Louisiane et dans les États américains du sud et de l'ouest; quelque 800 000 au Québec et 400 000 dans les provinces maritimes canadiennes; environ 100 000 dans les États américains de la Nouvelle-Angleterre et combien d'autres milliers dans les autres provinces du Canada, en France et autres parties du monde.

Par delà les siècles, par delà les frontières, la fraternité des descendants d'Acadiens demeure toujours fidèle au souvenir des ancêtres.

APPENDICE

Nous publions ci-après, avec l'autorisation des Archives publiques du Canada [1], un plan de Bonaventure portant la date du 17 septembre 1765 effectué sur les instructions du gouverneur James Murray par John Collins, alors député-arpenteur général de la Province.

Ce plan, dont l'original en couleurs se trouve au Public Record Office à Londres, en Angleterre, est une copie manuscrite faite par Brigly en 1909 faisant partie de la Collection nationale de cartes et plans des Archives publiques du Canada, à Ottawa.

La seigneurie de Bonaventure ayant été établie le 23 avril 1697 par Frontenac, alors gouverneur du Canada à l'époque, qui l'avait accordée au sieur de la Croix, on peut apercevoir sur cette carte les installations de pêche des négociants français, ayant exploité l'établissement de

---

1. Collection nationale de cartes et plans, référence NMC 17992. Lettre de M. Bruce Weedmark, en date du 13 mai 1983, référence 8950-1.

pêche de Bonaventure jusqu'à la prise du Canada par les Anglais, à la suite de la capitulation de Montréal, en 1760.

On peut également découvrir sur ce plan l'endroit précis où se trouvait la première église, indiquée comme étant alors une chapelle, détruite par un incendie en 1791 avec tout son contenu. On y voit aussi une route passant près de la chapelle, construite en direction de Petit-Bonaventure (devenu Saint-Siméon), une autre route, partant des établissements des pêcheurs (carrés noirs) se dirige vers la forêt, où les premiers habitants y avaient leur habitation d'hiver[2].

Voici la traduction des passages essentiels de la description du havre de Bonaventure apparaissant sur ce plan :

Remarques

Bonaventure est situé sur la rive nord de la baie des Chaleurs. C'est un endroit approprié pour l'établissement d'un centre de pêche, par les Anglais, comme en font foi les activités des commerçants français qui y ont séjourné sous le régime français. Ces négociants français expédiaient de ce port de huit à dix chargements de poisson, par vaisseaux, chaque année. Le poisson était pêché de ce port et autres endroits situés à proximité.

Le port de Bonaventure (parfaitement à l'abri de tous les vents) offre de grandes possibilités commerciales en raison de la conformation particulière de l'embouchure de la rivière Bonaventure. Comme le démontre ce plan, on peut y faire sécher le poisson au soleil et au grand air, sur les vastes espaces réser-

---

2. Voir la lettre adressée par le notaire Louis Bourdages à lord Dorchester, en date du 17 décembre 1787, dans le volume 1, pages 260 à 263, de l'*Histoire et Généalogie des Acadiens*, par le même auteur, publié chez Leméac, à Montréal, en 1978.

vés à cette fin sur les rives de l'embouchure de la rivière Bonaventure, se déversant dans la baie des Chaleurs.

Les séchoirs à poisson qui s'y trouvent sont divisés en 95 lots, séparés par un passage de 10 pieds de large pour faciliter l'empilement du poisson séché à l'extrémité de chaque séchoir. Sur la route qui longe le littoral du havre se trouvent de bons ancrages pour y amarrer les voiliers qui font leurs chargements à l'intérieur du havre. Des vaisseaux de 200 tonneaux peuvent facilement y jeter l'ancre, en toute sécurité. Les marées ordinaires sont de 7 à 8 pieds.

Les habitations du hameau de pêche de Bonaventure, sont situées au sud du havre sur un terrain comprenant 207 acres et 1 108 pieds carrés, divisés en 36 lots de 240 pieds carrés.

En général, la terre à culture est assez bonne. Elle peut produire divers légumes, du chanvre et du lin. Il se trouve ici des marais où pousse l'herbe en abondance. Ils sont suffisamment étendus pour nourrir plusieurs bestiaux. La saison estivale est de courte durée. Les gelées apparaissent dès le début de septembre et se poursuivent jusqu'à la fin de mai.

La population de Bonaventure est présentement composée d'Acadiens. Il s'y trouve 80 hommes, en plus des femmes et des enfants. »

Au premier recensement tenu à Bonaventure sous le régime anglais en 1765, il se trouvait aussi des ressortissants français, tels que Joannis Chapados, Jean Cronier, Louis Denis, Jean-Marie Duguay, François Duguay, François Huard, Pierre Langlois, François Laroque, Charles Laroque, Georges Laroque et Léon Roussy, ayant sans doute fait partie de l'équipe des pêcheurs qui étaient à l'emploi des commerçants français, avant la prise du Canada par les Anglais.

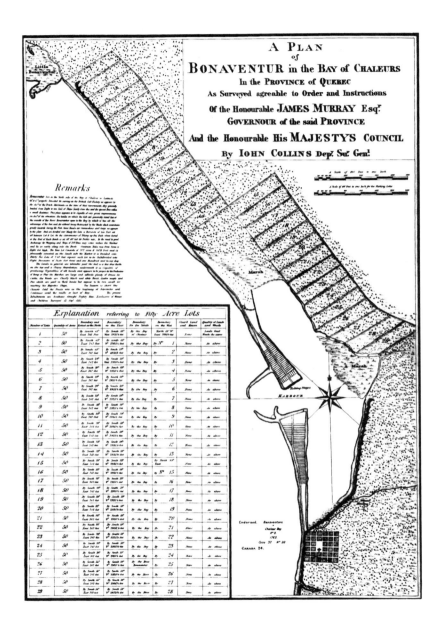

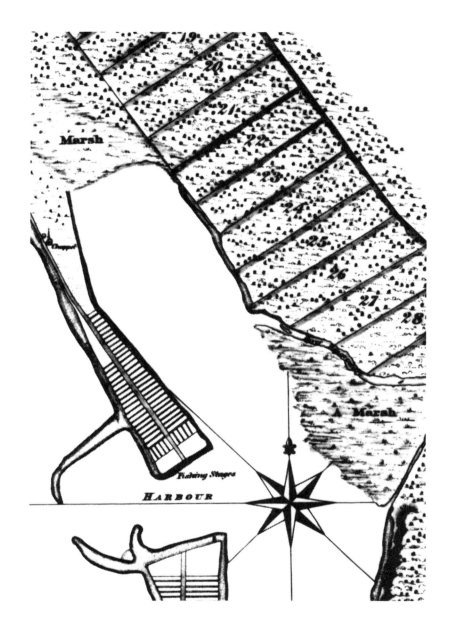

Marsh

19

20

21

22

23

24

25

26

27

28

A Marsh

Fishing Stages

HARBOUR

D'autant plus qu'au deuxième recensement tenu à Bonaventure, en 1774, plusieurs personnes faisant partie de ce groupe de pêcheurs français, ont déclaré être nées à Bonaventure, tels que : « Madame d'ÉGOUFLE [LEGOUFFE], née Louise BEAUDEAU, *native de l'endroit* ; Aubin d'ÉGOUFLE, *natif de l'endroit*, marié à Marie-Barbe DUPUIS : Jean-Marie DUGUAY, *natif de l'endroit*, marié à Marie-Anne OLIVIER ; François DUGUAY, *natif de l'endroit*, marié à Madeleine CHAPADOS : Veuve François HUARD, née Geneviève DUGUAY, *native de l'endroit*.

INDEX
DES NOMS DE PERSONNES

BOURDAGES (Louis), 256, 259, 261, 263, 275.
BOURDAGES (Raymond), 257, 261, 262, 265, 269, 272, 348.
BOURDON (Jean-François, sieur Dombourg), 211, 212, 213, 220, 252, 254.
BOURG (Alexandre, dit Belle-Humeur), 94, 126, 278.
BOURG (abbé Joseph-Mathurin), 269, 270, 278, 280, 328 à 333, 338, 357.
BOURG (Marillon du), 51.
BOURGEOIS (Jacques), 58, 66, 71 à 74, 342.
BOURGEOIS (Charles), 71, 72, 74.
BOURGEOIS (Germain), 71, 72, 74.
BOURGEOIS (Guillaume), 71.
BOURGEOIS (Lillian C.), 301, 302.
BRADDOCK (Edward), 166.
BRAULT (Sylvain), 79.
BRESLAY (père Charles de), 133.
BRIAND (mgr Jean-Olivier), 238, 249, 260, 269, 270, 324, 357.
BRO (abbé Jean-Baptiste), 249, 279.
BROSSARD et BROUSSARD (Alexandre, dit Beausoleil), 80, 208.
BROSSARD et BROUSSARD (Jean-François), 80.
BROSSARD et BROUSSARD (Joseph, dit Beausoleil), 80, 208 à 210, 292, 293.
BROSSE (père Jean-Baptiste de la), 133, 207, 269, 278.
BROUILLAN (François de, de Saint-Ovide), 119, 121.
BROUILLAN (Jacques de), 99, 100, 101, 120.
BROWNE (Dr Andrew), 215.
BRUCHÉSI (Jean), 169.
BUISSON, voir Saint-Cosme.
BUGEAUT (Alain), 85, 94.
BURKE (Père Carlos), 310.
BYRON (capitaine), 219, 220.
CABOT (Jean), 28.
CABOT (Sébastien), 28, 33.
CAILLETEAU (Françoise), 49.
CAISSY et QUESSY (Roger), 57, 73, 74.
CAMPBELL (Sir Archibald), 347.
CANTRELLE (Jacques), 301, 302, 303, 306.
CANTRELLE (Michel), 302.

CARDON (père Jacques), 35.
CARLETON, voir Dorchester.
CARPENTIER (père Bonaventure), 268, 269, 278.
CARS (Marquis de Pérusse des), 313, 314.
CARTIER (Jacques), 250, 281.
CASANOVA (Jacques-Donat), 134.
CASGRAIN (abbé H.R.), 63, 64, 126, 172, 191, 312.
CAULFIELD (Thomas), 118.
CAVELIER, voir La Salle.
CHAMBLY (Jacques de), 51.
CHAMPLAIN (Samuel de), 14, 15, 16, 21 à 25, 30, 250.
CHARLEVOIX (père François-Xavier), 310.
CHARNISAY (René de Menou de), 45.
CHARTIER de LOTBINIÈRE, 68.
CHARTRE (père Léonard de), 47.
CHAUSSON (sœur), 94.
CHAUVREULX (abbé), 132, 133, 178.
CHIASSON (Gabriel), 74.
CHOISEUL (Étienne François, duc de), 311.
CHOUINARD (abbé E.P.), 270.
CHURCH (Benjamin), 98, 100, 101.
CLAIBORNE (William), 306.
COFFIN (Isaac), 282.
COFFIN (John Townsend), 283.
COLBERT (Jean-Baptiste), 50, 52, 59, 67.
COMEAU (Ambroise), 262, 263, 271, 275.
COMPTON (colonel Harry), 338.
CONDÉ (prince de), 30.
COQUART (père Guillaume), 133.
CORMIER (père Clément), 14.
CORMIER (Livin), 348.
CORMIER (Robert), 58.
CORMIER (Thomas), 72, 73, 74.
CORNWALLIS (Edward), 127, 151 à 155, 162, 163, 173, 202.
COSTEBELLE (Pastour de), 59, 113, 115.
COUDRENIÈRE (Peyroux de la), 315 à 318.
COULOGNE (Thomas Robin de), 26.

MACKENZIE (Alexander), 258.
MAILLARD (père Pierre), 132.
MAISONNAT (Pierre, dit Baptiste), 103.
MAISONNEUVE, 16.
MANACH (abbé), 61.
MARCHAND (Sydney A.), 304, 305.
MORIN (capitaine Paul), 138.
MARQUETTE (père Jacques), 287.
MARSH (colonel), 101.
MARTIN (juge F.X.), 305.
MARTIN (Mathieu), 54, 66, 89.
MASCARÈNE (Paul), 120, 121, 122, 126, 131, 141, 143, 148.
MASON (William), 97.
MASSÉ (père Ennemond), 27, 28, 29.
MASSIGNON (Geneviève), 40, 54, 55, 56, 356.
MASSON (père Bonaventure), 132.
MAXIMIN (père), 310.
MÉDECIS (Catherine de), 27.
MELANSON 1(Charles), 56.
MELANSON (Pierre), 56, 66, 83, 84, 94.
MEMBERTOU, 22, 26.
MENNEVAL (Robineau de), 97.
MERCIER (Honoré), 283.
MÉSY (gouverneur de), 49.
MIGNAULT (Jean Aubin-), 74.
MINIAC (abbé), 132, 133.
MIRANDE (Ammanuel), 74.
MIUS, voir d'Entremont.
MOLIN (père Laurent), 53, 65, 84.
MONCKTON (colonel Robert), 164, 169, 178, 179, 185, 212.
MONTAGNE (Jean de la), 58.
MONTCALM (Louis-Joseph, marquis de), 232.
MONTGOLFIER (père de), 244, 249.
MONTGOMERY (Hugh), 258.
MONTIGNY (Testard de), 99.
MONTMAGNY (Charles Huault de), 42, 46.
MORIN (Pierre, dit Boucher), 74.
MORPAIN (Pierre), 103, 110.
MORRIS (gouverneur), 200.
MOSTYN (contre-amiral), 168.
MOTIN (Jeanne), 40, 54.
MOTIN (Louis), 40, 54.

MOUTON (Jacques), 301.
MOUTON (Dr Jean), 85, 301.
MOUTON (Louis), 301.
MOUTON (Salvador), 301.
MURRAY (general James), 163, 182, 184, 185, 187, 189, 219, 254.
NAPOLÉON, 289.
NEWCASTLE (duc de), 148.
NICHOLSON (Francis), 103, 112, 114, 120, 136, 140.
NIVERNOIS (duc de), 198, 202, 205.
NOBLE (colonel), 142, 143.
NOISEUX (Mgr François), 238.
NOIVILLE (abbé Noël-Alexandre de), 126.
NUGENT (Eduardo), 298.
O'REILLY (Alejandro), 303.
OSGOOD (capitaine), 192.
PACAUD (Antoine), 281.
PACAUD (Joseph), 281.
PACIFIQUE (père, de Valigny), 207, 208, 220.
PAIN (père Félix), 132.
PARABÉGO (Anne), 49.
PARIS (père Ignace de), 43.
PATTERSON (Walter), 335.
PÉCAUDY (Pierre-Claude, seigneur de Richelieu), 241.
PELLAND (Alfred), 211, 250.
PELLERIN (François), 74.
PELLETIER (frère Didace), 50.
PENN (Guillaume), 16.
PEPPEREL (William), 139, 140.
PERRONNEL (abbé Jean), 133.
PERROT (François), 92.
PÉRUSSE, voir des Cars.
PESSELIN (Isaac), 54.
PETITPAS (Claude), 94.
PEYROUX, voir Coudrenière.
PHELAN (abbé William), 283.
PHILIPPS (Richard), 119 à 129, 151, 152, 170, 174.
PHIPPS (Sir William), 49, 97.
PIE VI, 320.
PIDIKIWAMISKA (Marie), 52.
PIERRE (père), 310.
PLESSIS (Mgr Joseph-Octave), 270, 283, 284.

377

INDEX
DES NOMS GÉOGRAPHIQUES

DALHOUSIE, 347.
D'ARCHIGNY, 313.
DARTMOUTH, 151, 154, 326, 332.
DEERFIELD, 99.
DELAWARE, 18.
DELCAMBRE, 296.
DESCHAMBAULT,
D'ESCOUSSE, 331, 332.
DESTREHAN (Les Allemands), 321.
DIEPPE, 25 à 27, 53, 79, 207, 208, 342, 355.
DIGBY (comté de), 333.
DIJON, 54.
DOCTOR'S COVE, 329.
DONALDSONVILLE, 300, 301, 305. *Voir aussi Lafourche.*
DORCHESTER (E.-U.), 198.
DORCHESTER (comté de), 239.
DOTCHET ISLAND, 22.
DOVER, 355.
DUBUISSON, 296.
DULAC, 320.
DUPLESSIS (comté de), 284.
DUQUESNE (Pittsburg), 166.

ECORES (bayou des), 319.
ÉCOSSE, 333, 338.
EDMUNSTON, 346.
EDWARD (fort)
EGMONT BAY, 337.
EKOUPAG (Méductic), 66, 67, 77, 341.
EKOUPAG (rivière), 67.
ÉLIZABETH (fort), 166.
EL RAPIDO, *voir Pineville.*
ESPAGNE, 99, 108, 258, 289, 292, 303, 306, 308, 309, 316 à 318, 338.
ESPIRITU SANTO (baie d'), 299.
ÉTANG-DU-NORD, 282, 284.
ÉTATS-UNIS, 13, 60, 62, 287, 289, 296, 303, 306, 322, 366.
ETCHEMIN (rivière), 15.
EUROPE, 17 à 19, 40, 108, 114, 217, 250, 310.
ÉVANGÉLINE (plage d'), 185.

FALKLAND (îles), 311. *Voir aussi Malouines (îles).*

FALMOUTH, 311.
FÉLICIANA, 321.
FLANDRES, 57.
FLORIDE, 320.
FONTAINEBLEAU, 125.
FONTAINEBLEAU (traité de), 289, 314.
FORESTVILLE, 285.
FORTUNE (baie), voir Rollo Bay.
FOX-CREEK, 207.
FRANÇAISE (baie), 22, 66, 71 à 73, 76, 83, 110, 204.
FRANCE, 13, 15, 17, 18, 21, 22, 24 à 27, 30, 33 à 41, 43, 46 à 56, 59, 61, 63, 64, 73, 75, 76, 93 à 103, 107, 109 à 111, 113, 114, 118 à 120, 131, 133, 134, 137, 140, 141, 145, 163, 166, 168, 169, 174, 175, 199, 203, 204, 211, 217, 218, 237, 251, 254, 259, 262, 266 à 280, 282, 283, 287, 288, 292, 301, 303 à 305, 308 à 320, 322, 329, 346, 349, 354, 356, 360.
FRÉDÉRICTON, 341, 344 à 346, 355. *Voir aussi Sainte-Anne-des-Pays-Bas.*
FRENCH VILLAGE, 202, 341.
FRONTENAC (comté de), 239.
FUNDY (baie de), 22, 66, 71, 80, 110, 111, 189, 191, 196, 204, 280. *Voir aussi Française (baie).*

GABARUS (baie de), 331.
GALLIANO, 320.
GARTEMPE (rivière la), 313.
GASPARAUX, 143. *Voir aussi Mines (bassin des).*
Gasparaux (rivière), 83, 185.
GASPAREAU (fort), 60, 154, 164, 165, 166, 339.
GASPÉ, 202, 218, 221, 250, 252, 253, 255, 258, 281, 351.
GASPÉ (baie de), 250.
GASPÉ (comté de), 283.
GASPÉ (péninsule de), 77.
GASPÉ-NORD, 219.
GASPÉSIE, 35, 37, 50, 62, 68, 77, 98, 101, 250, 251, 255, 257, 270, 285.
GASPÉ-SUD, 49, 219.

TABLE DES MATIÈRES

394

MARQUIS
Montmagny, Qc
juillet 1994